D0987293

essen & trinken

Nostalgie

Deutsches Kochbuch

Rezepte aus deutschen Esslandschaften

essen & trinken

Nostalgie

Deutsches Kochbuch

Rezepte aus deutschen Esslandschaften

Herausgegeben von der Zeitschrift

essen & trinken

Titel der Originalausgabe: Unvergessene Küche

Herausgeber: „essen & trinken“
Redaktion: Renate Peiler
Einleitende Texte: Dr. Hansgeorg Bergmann
Zeichnungen: Daria Gan

Lizenzausgabe für KOMET MA-Service und
Verlagsgesellschaft mbH, Frechen

Gesamtherstellung: KOMET MA-Service und
Verlagsgesellschaft mbH, Frechen

ISBN 3-933366-68-2

Inhalt

Ein ausnahmsweise wichtiges Vorwort

Liebe Leserin, lieber Leser,

Bescheidenheit hin, Zurückhaltung her: Wir sind Ihnen die Information schuldig, daß dieses Buch das dickste, gründlichste und schlichtweg beste seiner Art ist. Jedenfalls sind wir bei unseren langwierigen Vorarbeiten auf keine vergleichbare Darstellung der Vielfalt deutscher landsmannschaftlicher Küchen gestoßen. Welchen Schatz an unbekannten Rezepten die folgenden Seiten bieten, können Sie leicht errechnen: Geht man davon aus, daß die meisten von uns nur in einer einzigen der 18 deutschen landsmannschaftlichen Küchen zu Hause sind, dann bedeutet dies, daß Sie ihr Gerichte-Repertoire um rund 470 ausgewählte Glanzstücke bereichern können!
Und trotz allem wird es Ärger geben, denn: Landsmannschaftliche Küche ist der Augapfel von Lokalpatrioten und Stammesstolzen. Zwei Dinge sind es, die wir besonders fürchten: Erstens, daß dieses oder jenes Rezept von mehr als einer Landsmannschaft für sich beansprucht wird; zweitens, daß unsere verehrten Leserinnen und Leser gerade ihre ganz persönliche Version eines ganz bestimmten Gerichtes in unserem Buch nicht finden. Darum möchten wir zaghaft darauf hinweisen, daß Rezepte von einem Stamm zum anderen

wandern. Und daß gerade die traditionsreichsten unter den landsmannschaftlichen Gerichten von den jeweiligen Landsmänninnen in tausendfachen Varianten zubereitet werden.
Fein wäre es (und es würde auch viel Ärger dadurch eingespart), wenn Sie sich zunächst einmal mit jenen Rezepten beschäftigen würden, die nicht Ihrer eigenen Landsmannschaft entstammen. Unser großer Traum ist es nämlich, daß unser Buch dazu beitragen kann, die Holsteiner das Spätzlemachen zu lehren und die Bayern an eine richtige Aalsuppe zu gewöhnen. Schön wär's!

Ihre Redaktion
»essen & trinken«

Schleswig-Holstein

„Die Buuren- oder Hausmannskost in Holstein ist sehr einfach: Speck, Klöße, Grütze, Kartoffeln und Fische sind in einigen Landgegenden tägliche Kost, welche Herr und Knecht, Frau und Magd sich nicht zuwideressen. Der Bauer verschmäht alles übrige, was ihm geboten wird und er nicht kennt.“

Weil es so furchtbar stürmisch ist im Land zwischen den beiden Meeren, braucht der Schleswig-Holsteiner eine gewisse Menge Ballast. Das ist eine Wahrheit, die natürlich von Zugewanderten nicht sogleich begriffen wird, und immer wieder haben solche Fremdlinge denn auch über die schwere Küche des Landes ihre Nasen gerümpft. Damit taten sie dem Geist der schleswig-holsteinischen Kochkunst doppelt Unrecht. Denn es ist nicht nur der Leib des Schleswig-Holsteiners in ständiger Gefahr, durch die Winde von Ost- und Nordsee davongeblasen zu werden, nein, auch seine träumerische, spökenkiekerische (will sagen: dem Übersinnlichen verhaftete) und überhaupt schrecklich empfindliche Seele braucht, soll sie nicht zu übermäßigem Höhenflug ansetzen, einen Schleppanker in Gestalt massiver, ans Irdische bindender Kost. Darum ruht das Gebäude der schleswig-holsteinischen Kochkunst auf zwei wenig eleganten, dafür aber unendlich soliden Säulen: dem Schwein und dem Mehl. Schweinebauch und Schweinebacke, Speck und Schinken halten im Verein mit allerlei Klößen und Kloßverwandten den Leib und die Seele des Schleswig-Holsteiners zusammen und auf der Erde, wo der Schleswig-Holsteiner schon deswegen vonnöten ist, weil sonst die Hamburger behaupten würden, sie hätten den Buchweizenpfannkuchen und die Förtchen erfunden, was eine freche Lüge wäre.

Lübecker Schwalbennester

Zutaten für 4 Portionen:
4 große, dünne Kalbsschnitzel (à 125 g)
Salz
125 g roher Schinken, in sehr dünnen Scheiben
4 Eier (8 Minuten gekocht)
etwas Mehl
1 EL Butter oder Margarine
weißer Pfeffer
2 TL Speisestärke

Die Kalbsschnitzel klopfen und dünn ausstreichen. Mit wenig Salz bestreuen. Die Schinkenscheiben darauflegen. Die Eier schälen und in die Schnitzel einrollen. Die Rouladen mit Stäbchen zusammenstecken, dann in Mehl wälzen. Überschüssiges Mehl abschütteln.
Butter oder Margarine in einem Schmortopf erhitzen. Die Rouladen darin von allen Seiten goldbraun anbraten, dann mit ¼ l heißem Wasser ablöschen. Die Rouladen auf milder Hitze 30 Minuten leise schmoren lassen. Dabei einige Male wenden. Die Lübecker Schwalbennester nach dem Schmoren aus der Sauce heben und in einer vorgewärmten Schüssel anrichten und warm stellen. Den Bratensaft mit Pfeffer würzen. Die Speisestärke mit wenig Wasser verquirlen, an den Bratensaft rühren und einmal aufkochen lassen. Die Sauce über die Schwalbennester gießen und servieren. Dazu passen Kartoffelpüree und feines Gemüse wie Erbsen und Möhren.

Süße Röstkartoffeln

Zutaten für 4 Portionen:
1 kg sehr kleine Kartoffeln (Drillinge)
2 EL Butter oder Schmalz
1 ½ TL Salz
1 EL Zucker

Die Kartoffeln am Vortag in der Schale kochen, abgießen, mit kaltem Wasser abschrecken, dann pellen. Offen auf einen Teller legen und abkühlen lassen, so daß sie ganz trocken werden. Dann zudecken und über Nacht in den Kühlschrank stellen.
Butter oder Schmalz in einer tiefen, schweren Pfanne auf guter Mittelhitze heiß werden lassen. Die Kartoffeln im ganzen hineingeben und von allen Seiten goldbraun braten. Dabei die Pfanne öfter tüchtig rütteln, damit die Kartoffeln nicht anbacken. Die Kartoffeln erst in den letzten Minuten salzen und mit dem Zucker bestreuen. Noch einige Male kräftig durchschwenken und dann servieren.
Zu den süßen Röstkartoffeln reicht man außerdem einen frischen Salat.

Kopfsalat in Sahnesauce

Sahne mit Salz, Zitronensaft und Zucker verrühren, mindestens 10 Minuten stehen und dabei dick werden lassen. In dieser Zeit Kopfsalate putzen, waschen, abtropfen lassen und in mundgerechte Stücke zupfen. Unmittelbar vor dem Servieren mit der Salatsauce mischen.
Der Salat kann statt mit süßer Sahne und viel Zitronensaft auch mit saurer Sahne angemacht werden. Sie wird dann mit nur 1 Eßlöffel Zitronensaft verrührt.

Zutaten für 4 Portionen:
¼ l süße Sahne
Salz
Saft von 1 Zitrone
2 EL Zucker
2 Kopfsalate

Möweneier mit Apfel-Mayonnaise

Die Äpfel schälen, vierteln, entkernen, dann fein reiben und in Weißwein weich dünsten. Mit 1 Prise Zucker süßen. Das Apfelmus abkühlen lassen.
Für die Mayonnaise das Eigelb mit Senf, etwas Salz und Essig verrühren. Dann das Öl tropfenweise zufügen und gut verrühren. Die Mayonnaise mit dem kalten Apfelmus verrühren.
Die Möweneier in kochendes Wasser geben und darin mindestens 20 Minuten kochen, dann mit kaltem Wasser abschrecken und anschließend schälen und halbieren. Die Kresse kurz über der Erde abschneiden, mit kaltem Wasser überbrausen, trockentupfen und zu einem Beet auslegen. Die Möweneierhälften darauf anrichten. Die Apfel-Mayonnaise dazu reichen, außerdem auch kräftiges Vollkornbrot.

Zutaten für 4 Portionen:
2 Äpfel
4 EL trockener Weißwein
1 Prise Zucker
1 Eigelb
1 TL scharfer Senf
Salz
1 EL Essig
⅛ l Öl
8 Möweneier (von einer Lachmöwe)
2 Kästchen Kresse

Ein Wort zu den Möweneiern:

Bis auf wenige Ausnahmen waren die Menschen an den Küsten Schleswig-Holsteins arm. Sie ernährten sich von so ziemlich allem, was die Natur (Meer und Strand mit eingeschlossen) ihnen bot. „Wir beten für einen gesegneten Strand“, hieß es bis vor kurzer Zeit noch jeden Sonntag in der Kirche. Damit war nichts anderes gemeint, als eine reichliche Anflutung von Strandgut. Strandgut im weitesten Sinne waren auch die Eier von Lach-, Silber- und Sturmmöwen, die aus den Nestern gesammelt wurden, was den Bestand der Tiere natürlich ziemlich dezimierte.
Möweneier müssen übrigens unbedingt mindestens 20 Minuten gekocht werden. Sie stecken voller Salmonellen. Bei kürzerer Garzeit werden diese gefährlichen Keime nicht abgetötet.

Grünkohl mit Schweinebacke und Wurst

Zutaten für 4 Portionen:
200 g Schweinebacke, geräuchert
1 kg Grünkohl
2 Kochmettwürste, geräuchert
Salz

Schweinebacke mit ½ l kaltem Wasser bedeckt aufsetzen und zum Kochen bringen. Dann auf schwacher Hitze zugedeckt 2½ Stunden leise sieden lassen. Grünkohl von den Rispen streifen, braune Blätter entfernen, dann gründlich waschen und gut abtropfen lassen. In der letzten Stunde der Garzeit zur Schweinebacke geben und mitgaren. Die Kochwürste 15 Minuten vor Garende mit in den Topf legen. Vor dem Servieren die Schweinebacke herausnehmen, in Scheiben schneiden und mit den Kochwürsten auf einer Platte anrichten. Den Grünkohl mit Salz abschmecken, abgießen und dann zum Fleisch auf die Platte legen.
Dazu unbedingt Bratkartoffeln und reichlich Senf auf den Tisch stellen.

Gott schuf den Winter
– und den Grünkohl als Mittel dagegen.
(Inschrift an einem alten Dithmarscher Bauernhaus)

Apfelsuppe mit Schneeklößchen

Zutaten für 4 Portionen:
4 Äpfel (z. B. Holsteiner Cox orange)
⅛ l Weißwein
2 EL Zitronensaft
1 Stange Vanille
50 g Rosinen
2 Eier, getrennt
4 EL Zucker
1 Prise Salz
1 Päckchen Vanillinzucker
1 EL Speisestärke

Äpfel schälen, vierteln, entkernen und in dünne Scheibchen schneiden. Mit Weißwein, Zitronensaft, aufgeschlitzter Vanillestange, ½ l Wasser und Rosinen zum Kochen bringen. Inzwischen Eigelb und Zucker verrühren, bis sich der Zucker aufgelöst hat. Eiweiß und Salz zu steifem Schnee schlagen, Vanillinzucker hineinrieseln lassen. Speisestärke mit etwas Wasser anrühren, sofort nach dem Aufkochen in die Apfelsuppe rühren und einmal aufwallen lassen. Vom Eischnee mit einem Eßlöffel Klöße abstechen und auf die Suppe setzen. Zudecken und auf schwacher Hitze 5 Minuten ziehen lassen. Die Schneeklöße mit einer Schaumkelle herausheben und auf Suppenteller verteilen. Eigelbschaum in die Suppe rühren. Die Suppe abschmecken und neben den Schneeklößchen auf die tiefen Teller füllen.
Apfelsuppe mit Schneeklößchen kann auch als Kaltschale gegessen werden.

Pharisäer

Zutaten für 4 Portionen:
½ l heißer, starker Kaffee
4mal 3 EL Rum, angewärmt
4 gehäufte TL Zucker
⅛ l süße Sahne

Kaffee, Rum und Zucker in vorgewärmte Tassen verteilen. Die Sahne steif schlagen und je ein Häubchen davon auf den heißen Kaffee geben. Den Kaffee durch die Sahne hindurch genüßlich schlürfen.

In Nordstrand wird die Geschichte vom Pharisäer so erzählt:

Die männlichen Gemeindemitglieder von Nordstrand waren alle ungeheuer trinkfreudig. Der Pastor sah das gar nicht gern und sprach am Sonntag manches böse Wort dagegen von der Kanzel. Worauf das Trinken ein wenig eingeschränkt wurde. Nur bei Familienfeiern ging das natürlich nicht. Was eine einigermaßen verzwickte Situation schuf, denn der Herr Pastor war natürlich zu jeder solchen Feier herzlich eingeladen. So sannen die listigen Nordstränder anläßlich einer Kindstaufe auf Abhilfe: Sie nahmen große, bauchige Kaffeetassen und füllten starken Kaffee hinein, dazu kam ein tüchtiger Schuß Rum und ein wenig Zucker. Das alles wurde unter einer schneeweißen, dicken Sahnehaube verborgen. Dem solchermaßen getarnten Alkohol wurde nun tüchtig zugesprochen, während der Pastor seinen Kaffee selbstverständlich ohne Rum bekam. Bis dann in fortgeschrittener Stunde die Tassen vertauscht wurden. Der Pastor trank, nahm prüfend einen zweiten Schluck, blickte in die Runde und meinte: „Ihr seid mir richtige Pharisäer!“

Brotpudding mit Saftsauce

**Zutaten
für 6 bis 8 Portionen:
250 g dunkles Vollkornbrot
250 g Rosinen
⅛ l Rum
150 g Butter oder Margarine
150 g Zucker
6 Eier
1 TL Zimt
½ TL Kardamom
1 Zitrone
etwas Butter
⅜ l Kirsch- oder schwarzer Johannisbeersaft
2 EL Speisestärke
Zucker**

Brot fein zerkrümeln, mit den Rosinen in eine Schüssel geben, mit Rum übergießen und zugedeckt über Nacht stehen lassen. Am nächsten Tag weiche Butter oder Margarine mit dem Schneebesen schaumig rühren. Zucker und Eier abwechselnd nach und nach zugeben und verrühren. Zimt, Kardamom, den Saft der Zitrone und die eingeweichte Brotmasse zugeben. Den Teig gut mischen und in eine gebutterte Puddingform füllen. Die Form fest verschließen und in ein kochendes Wasserbad setzen, von dem sie knapp bedeckt sein soll. 1½ Stunden immer am Kochen halten, dabei gegebenenfalls verdampftes Wasser durch neues, heißes Wasser ersetzen. Den Pudding aus dem Wasserbad nehmen, 10 Minuten ruhen lassen, auf einen Teller stürzen. Für die Saftsauce etwas Saft mit der Speisestärke verquirlen. Den übrigen Saft aufkochen, die angerührte Speisestärke hineingeben, verquirlen und kurz aufwallen lassen. Die Sauce mit Zucker abschmecken und heiß zum Pudding reichen.

Bücklingspfannkuchen

**Zutaten
für 4 Portionen:
4 Eier
1 TL Salz
150 g Mehl
¼ l Milch
4 Bücklinge
4 TL Butter
1 Bund Schnittlauch**

Eier mit Salz, Mehl und Milch zu einem glatten Teig verquirlen. Die Bücklinge filieren, dabei sorgfältig Haut und Gräten entfernen. Jeweils 1 TL Butter in eine Pfanne geben und aufschäumen lassen. Dann ¼ des Teiges hineingeben und je 2 Bücklingsfilets hineinbetten. Die Pfannkuchen wenden, wenn die Unterseiten hell gebräunt sind. Auch die andere Seite hell bräunen, die Pfannkuchen noch einmal wenden und auf vorgewärmte Teller gleiten lassen. Mit Schnittlauchringen bestreuen, grünen Salat in weißer Sahnesauce dazu servieren.

Nordfriesische Buttermilchsuppe

Speck mit ½ l Wasser aufsetzen und zugedeckt 2 ½ Stunden siedend garen. Birnen schälen, vierteln, entkernen und in feine Schnitze schneiden. Den Speck aus der Brühe nehmen, Birnen und Rosinen 10 Minuten darin ziehen lassen. Buttermilch, Mehl und Zucker unter ständigem Rühren zum Kochen bringen. Speckbrühe mit Birnen und Rosinen dazuschütten, im offenen Topf noch 10 Minuten ziehen lassen. Den Speck in Scheiben dazu reichen.
In diese nordfriesische Buttermilchsuppe müssen unbedingt Mehlmusklößchen (Rezept auf der nächsten Seite) hinein.

**Zutaten
für 4 Portionen:
250 g Räucherspeck, durchwachsen
500 g Birnen
50 g Rosinen
½ l Buttermilch
2 EL Mehl
3 EL Zucker**

Apfelklöße mit Zimt und Zucker

Eier mit Salz, Zucker, Milch und geschmolzener Butter verquirlen. Mehl zugeben und gut verrühren. Äpfel schälen, vierteln, entkernen und in ½ cm große Stücke schneiden. In den Teig einkneten.
Reichlich Salzwasser in einem weiten Topf zum Kochen bringen. Mit 2 Eßlöffeln aus dem Teig glatte Klöße abstechen und formen. Die Klöße im offenen Topf gar ziehen, aber nicht kochen lassen. Nach etwa 15 Minuten mit einer Schaumkelle herausheben, kurz auf Küchenkrepp abtropfen lassen und dann in eine vorgewärmte Schüssel geben. Etwas Butter in einer Pfanne bräunen, dann über die Klöße gießen. Die Zimtmischung in einer Schüssel auf den Tisch stellen. Jeder nimmt sich davon, soviel wie er mag.

**Zutaten
für 4 bis 6 Portionen:
3 Eier
1 TL Salz
1 EL Zucker
⅛ l Milch
2 EL geschmolzene Butter
400 g Mehl
500 g Äpfel (Boskop oder Holsteiner Coxorange)
Butter zum Begießen
mit Zimt gemischter Zucker**

Büsumer Krabbenragout

40 g Butter und Mehl in einem Topf unter ständigem Rühren kräftig bräunen. Mit ½ l Wasser auffüllen, dabei immerzu rühren, bis die Sauce kocht. Den Fleischextrakt, Weinessig und Zucker hineingeben, die Sauce salzen und pfeffern, dann 15 Minuten leise sieden lassen. Danach Sahne und Krabbenfleisch zugeben und erhitzen. Nicht mehr kochen lassen, weil sonst die Krabben dabei hart werden. Die übrige Butter bräunen und erst unmittelbar vor dem Anrichten in das Krabbenragout rühren. Dazu Reis und grünen Salat reichen.
Das Büsumer Krabbenragout kann – ohne Stilbruch – nach Belieben auch mit Speck statt Butter zubereitet werden.

**Zutaten
für 4 Portionen:
60 g Butter
40 g Mehl
3 TL Fleischextrakt
6 EL Weinessig
3 EL Zucker
½ TL Salz
¼ TL weißer Pfeffer
6 EL süße Sahne
500 g frisches Nordseekrabbenfleisch**

Mehlmusklöße

Zutaten
für 4 Portionen:
1 TL Salz
2 EL Butter oder Schmalz
375 g Mehl
2 Eier

½ l Wasser mit Salz und Fett zum Kochen bringen. 250 g Mehl hineinschütten, mit dem Holzlöffel zu einem glatten Kloß verrühren. Den Topf von der Hitzequelle nehmen, ein Ei in den Teig schlagen und darin verrühren. Das zweite Ei und das übrige Mehl in den abgekühlten Teig geben und verrühren.
Reichlich Salzwasser in einem Topf mit einer möglichst breiten Öffnung zum Kochen bringen. Mit 2 Eßlöffeln aus dem Teig Klöße abstechen und glatt formen. Die Klöße in das Wasser gleiten lassen und im offenen Topf 10 Minuten ziehen, aber nicht kochen lassen. Dann mit einer Schaumkelle herausheben und in eine Schüssel geben, in der auf dem Boden eine umgedrehte Untertasse liegt. Sie soll verhindern, daß die Klöße matschig werden und zusammenkleben.
Diese Mehlmusklöße sind obligatorische Beigabe zu saurer oder frischer Suppe und zu der Holsteiner Specksuppe.

Holsteiner Specksuppe

Zutaten
für 6 bis 8 Portionen:
300 g Räucherspeck, durchwachsen (oder geräucherte Schweinebacke)
1 Bund Suppengrün
250 g Backpflaumen mit Stein
200 g Steckrüben
200 g Möhren
200 g enthülste große Bohnen
200 g enthülste junge Erbsen
je ½ TL Thymian, Majoran, Basilikum und Bohnenkraut (getrocknet)
6 EL Essig
2 EL Zucker

Speck mit ¾ l kaltem Wasser aufsetzen und am besten schon am Vortag 2½ Stunden kochen. Dabei in der letzten halben Stunde das geputzte und gewaschene Suppengrün mitkochen und anschließend entfernen. Speck und Brühe im Topf kalt werden lassen. Backpflaumen in kaltem Wasser einweichen.
Am nächsten Tag die Speckbrühe entfetten und den gegarten Speck herausnehmen. Das Gemüse putzen, waschen und gegebenenfalls in kleine Würfel schneiden. Die Speckbrühe aufkochen, zuerst Steckrüben und Möhren hineingeben und 10 Minuten kochen. Dann die großen Bohnen zugeben und weitere 10 Minuten kochen. Anschließend junge Erbsen und eingeweichte, abgetropfte Backpflaumen hineingeben und 10 Minuten garen. Die Suppe mit den feinzerriebenen Kräutern, Essig und Zucker süß-sauer abschmecken.
Inzwischen Speck von der Schwarte schneiden, würfeln und knusprig ausbraten. Unmittelbar vor dem Anrichten in die Suppe geben. Zur Holsteiner Specksuppe gehören Mehlmusklöße.

Holsteiner Würzfleisch

Zutaten
für 4 bis 6 Portionen:
250 g Schweinenacken
½ TL Salz
1 TL schwarzer Pfeffer
1 EL Schmalz
⅜ l Fleischbrühe
250 g Schweinenieren
1 EL Butter
100 g Räucherspeck, durchwachsen
1 große Zwiebel
400 g Pfifferlinge
2 Kartoffeln, mittelgroß

Schweinenacken in 2 cm große Stücke schneiden, mit Salz und Pfeffer würzen. Schmalz im Schmortopf erhitzen, das Fleisch darin unter ständigem Wenden braun anbraten. Die heiße Fleischbrühe dazugießen, und das Fleisch zugedeckt 15 Minuten garen. Inzwischen die Nieren waschen, Fett und Röhrchen herausschneiden, wieder waschen und dann in etwa 3 mm dicke Scheiben schneiden. Butter in einer Pfanne bräunen, die Nierenscheiben nebeneinander hineinlegen und von beiden Seiten hell anbraten. Die Nieren so in 2 Portionen nacheinander anbraten, dann beiseite stellen. Speck und geschälte Zwiebel würfeln. Pfifferlinge putzen, vorsichtig waschen, trockentupfen und grob hacken. Mit Speck und Zwiebel in einer Pfanne schmoren, bis die Speckwürfel glasig sind. Dann mit den Nieren zum Fleisch geben. Die Kartoffeln schälen, waschen, fein reiben, zum Würzfleisch geben und gut verrühren. Das Gericht auf milder Hitze zugedeckt noch 10 Minuten ziehen lassen. Dann mit Salzkartoffeln und frischem Salat servieren.

Eierbier

In 1 Liter Bier gibt man 150 g Zucker und schlägt 4 ganze Eier hinein. Dann setzt man die Flüssigkeit aufs Feuer und erhitzt sie unter heftigem Schlagen stark. Sie darf aber nicht ins Kochen kommen. Wenn das Eierbier vom Feuer kommt, schlägt man es weiter, bis es ganz kalt ist.

Dithmarscher Mehlbeutel

Zutaten
für 4 bis 6 Portionen:
½ l Milch
1 TL Salz
8 Eier
500 g Mehl
1 EL Zitronenschale, fein abgerieben
375 g Schweinebacke, geräuchert
50 g Zucker
150 g Butter

Milch mit Salz, Eiern, Mehl und Zitronenschale zu einem glatten Teig verrühren. Diesen etwa 1 Stunde ruhen lassen. Eine große Serviette (80 × 80 cm) heiß ausspülen gut auswringen und in eine Schüssel legen. Den Teig hineinlegen und die Tuchzipfel darüber zusammenfassen und so zusammenbinden, daß dem Teig beim Garen Luft zum Aufgehen bleibt.
Einen möglichst großen Topf mit viel Wasser bei starker Hitze aufsetzen, den Speck hineingeben und aufkochen. Den Mehlbeutel an einem Holzlöffelstiel hineinhängen, so daß er den Boden des Topfes nicht berührt. Halb mit dem Topfdeckel zugedeckt 2 Stunden kochen lassen. Dabei eventuell verdampftes Wasser durch neues, heißes Wasser ersetzen. Das Wasser muß immer kochen. Nach der Garzeit den Mehlbeutel herausheben und auf einem Teller 10 Minuten ausdampfen lassen. Dann das Tuch wegnehmen, und den Mehlbeutel auf einen Teller stürzen, dann wie eine Torte aufschneiden.
Jeder nimmt sich ein Stück vom Teller herunter und bestreut es dick mit Zucker und gießt noch flüssige Butter darüber. Dazu werden außerdem zusätzlich Schweinebacke in Scheiben und eine Zitronensauce (oder eine andere Fruchtsauce) gereicht. Als zweiten Gang gibt es dann noch Pellkartoffeln mit scharfer Senfsauce und eine weitere Scheibe Schweinebacke.

Anmerkungen zum Dithmarscher Mehlbeutel:

Der Dithmarscher Mehlbeutel, der in Schleswig-Holstein auch unter dem Namen „Großer Hans“ auftritt, kommt in zwei Arten auf den Tisch: Einmal gibt es die Standard-Ausführung für den täglichen Mittagstisch. Das ist der sogenannte „weiße Mehlbeutel“. Dann gibt's für Geburtstage und andere Feste noch die Luxusausführung, nämlich den „bunten Mehlbeutel“, der sich vom weißen durch teurere Zutaten unterscheidet: In den Teig kommen entscheidend mehr Eier und außerdem auch noch Rosinen und Korinthen.

Zitronensauce

Die Zitronenschale in 1/4 l Wasser kochen lassen, dann entfernen. Speisestärke mit etwas Wasser verquirlen, in die Sauce rühren und einmal aufwallen lassen. Inzwischen Ei und Zucker schaumig rühren, bis sich der Zucker ganz aufgelöst hat. Den süßen Eierschaum an die Sauce rühren. Dann mit dem Zitronensaft abschmecken.

Zutaten für 4 bis 6 Portionen:
2 Streifen Schale von 1 unbehandelten Zitrone
1 EL Speisestärke
1 Ei
2 EL Zucker
4 EL Zitronensaft

Senfsauce

Alle Zutaten in ein kleines Töpfchen geben, gut verrühren und aufkochen. Die Milch nach Belieben auch durch die Kochbrühe ersetzen, die beim Kochen des Dithmarscher Mehlbeutels entstanden ist.

Zutaten für 4 Portionen:
1 Glas Senf, mittelscharf (190 g)
1 EL Butter
1/8 l Milch
1/4 TL Fleischextrakt
1 EL Zucker

Beeter en lütjen Seever as en lüt Fever.
(Hochdeutsche Übersetzung: Besser einen kleinen Rausch als ein kleines Fieber)

Zöllner

Das ist ein „Pharisäer" mit Kakao: Statt Kaffee füllt man Kakao in die Tasse, gibt einen kräftigen Schuß Rum hinein und eine dicke Haube aus Schlagsahne obendrauf.

Lübecker National

Zutaten für 6 bis 8 Portionen:
750 g Schweinefleisch (aus der Keule)
2 TL Salz
750 g Steckrüben
750 g Kartoffeln
3 Zwiebeln
½ TL weißer Pfeffer
4 EL feingehackte Petersilie

Schweinefleisch in ½ l kaltem Wasser mit 1 TL Salz aufsetzen, zum Kochen bringen, dann auf kleiner Hitze 1 Stunde leise sieden lassen. Inzwischen Steckrüben, Kartoffeln und Zwiebeln schälen, bis auf die Zwiebeln waschen und alles in 1 cm dicke Stifte schneiden. Das Fleisch aus der Brühe nehmen, dafür die Rüben, die Kartoffeln, die Zwiebeln und 1 TL Salz hineingeben. Alles zugedeckt 30 Minuten garen. Das Fleisch in 2 cm große Würfel schneiden und wieder in die Brühe zum Gemüse geben. Das Gericht pfeffern, kräftig durchrühren und mit Petersilie bestreut in einer Terrine anrichten.

„National" heißen im norddeutschen Raum die Eintöpfe, deren Geschmack im wesentlichen durch Schweinefleisch und Steckrüben bestimmt wird.

Gekochter Aal mit Rhabarberkompott

Zutaten für 6 bis 8 Portionen:
2 kg große, frische Aale
Salz
1 TL schwarze Pfefferkörner
1 Lorbeerblatt
1 Nelke
1 Zwiebel
2 EL Weinessig
1 kg Rhabarber
300 g Zucker

Die Aale ausnehmen, gründlich waschen, die schleimige Haut mit Salz abreiben. Die Fische dann noch einmal abspülen und anschließend in 10 bis 15 cm lange Stücke schneiden. 1 l Wasser mit Salz, Gewürzen, zerschnittener Zwiebel und Essig aufkochen. Die Aalstücke in den Sud geben und 30 Minuten darin sieden, aber nicht kochen lassen. Vor dem Servieren herausheben und abtropfen lassen.
Den Rhabarber putzen, waschen, in 1 cm lange Stücke schneiden. Zucker und 1 l Wasser aufkochen. Rhabarber in kleinen Portionen nacheinander darin garen. Immer so viel auf einmal in den Topf geben, daß die Flüssigkeit die Fruchtstückchen knapp bedeckt. Sie dürfen nur einmal darin aufkochen und werden dann mit einer Schaumkelle herausgehoben und in eine Schüssel gelegt. Die letzte Portion Rhabarber wird dann mit der Flüssigkeit in die Schüssel gegeben. Das Kompott muß dann mindestens noch 10 Minuten durchziehen.
Der gekochte Aal mit Rhabarberkompott ist zwar eine ungewöhnliche Kombination, aber eine sehr einleuchtende, denn das Fett vom Aal wird durch die Säure des Rhabarbers neutralisiert.
Außerdem gibt es Salzkartoffeln mit brauner Butter dazu.

Schnüsch (oder Schnusch)

Grüne Bohnen putzen und in 3 cm lange Stücke schneiden oder brechen. Grüne und große Bohnen in ³/₄ l kochendes Wasser geben, 1½ TL Salz zufügen, dann zugedeckt auf schwacher Hitze leise sieden lassen. Inzwischen Möhren und Kartoffeln schälen, waschen und in Scheiben schneiden, nach 10 Minuten zu den Bohnen geben. Erbsen waschen und nach weiteren 10 Minuten zugeben. Das Gemüse noch 10 Minuten kochen, dann abgießen und in einer vorgewärmten Terrine warm stellen. Milch, Butter, 1½ TL Salz und Petersilie aufkochen, danach über das Gemüse gießen. „Schnüsch" muß richtig heiß serviert werden. Man ißt ihn aus tiefen Tellern und mit Suppenlöffeln. Der Schinken wird auf einem Brett angerichtet und dazu gegessen.

Zutaten
für 6 bis 8 Portionen:
300 g grüne Bohnen
300 g enthülste große Bohnen
3 TL Salz
300 g Möhren
300 g junge Kartoffeln
300 g enthülste junge Erbsen
³/₄ l Milch
2 EL Butter
1 Tasse feingehackte Petersilie
4 Scheiben Katenschinken (à 100 g)

Es ist der Eßtisch fürwahr ein Ankerplatz in den Stürmen des Lebens!
(Alte holsteinische Lebensweisheit)

Birnen im Teig

Zutaten
für 4 bis 6 Portionen:
1 kg Birnen
300 g Zucker
Saft und Schale von 1 Zitrone
1 Stange Zimt
1 Nelke
Fett für die Form
125 g Butter oder Margarine
1 Prise Salz
250 g Mehl
2 Eier
⅛ l Milch
½ Päckchen Backpulver
2 EL Speisestärke

Birnen schälen, vierteln, entkernen, dann achteln. ⅜ l Wasser mit 200 g Zucker, Zitronensaft, 1 Stück Zitronenschale, Zimt und Nelke aufkochen. Die Birnenachtel in 2 Portionen nacheinander darin auf kleiner Hitze mehr ziehen als kochen lassen. Das dauert für jede Portion etwa 5 Minuten. Die Früchte dann aus dem Saft heben, abtropfen lassen. Den Saft beiseite stellen. ¾ der Früchte auf den Boden einer gut ausgefetteten, möglichst flachen Auflaufform geben.
Für den Teig die Butter in eine Rührschüssel geben, rasch im Wasserbad schmelzen lassen, Schüssel herausnehmen. Salz, restlichen Zucker und die Hälfte des Mehls in die geschmolzene Butter geben, verrühren. Eier und Milch hineinrühren und zum Schluß das restliche, mit dem Backpulver gemischte Mehl daruntergeben. Den Teig auf die Birnen in die Form geben und glattstreichen. Die Auflaufform in den auf 175 Grad (Gas: Stufe 2) vorgeheizten Backofen geben. Die Birnen im Teig etwa 45 Minuten backen.
Inzwischen aus dem Birnensaft und den restlichen Birnenachteln eine Sauce zubereiten: Zitronenschale, Zimt und Nelke aus dem Saft nehmen. Speisestärke mit etwas Wasser verquirlen, in den Saft rühren und dabei zum Kochen bringen. Die Birnenstückchen hineingeben, die Sauce noch einmal abschmecken. Sie wird warm zu den Birnen im Teig gegessen. Außerdem reicht man noch Zucker und flüssige Butter dazu.
Wichtig: Diesem süßen und recht üppigen ersten Gang folgt dann noch ein üppiger und salziger zweiter Gang, zum Beispiel Bratkartoffeln mit sauren Rippen oder eine kräftige Tomatensuppe mit Fleischklößchen.

Angler Muck

½ l Wasser, Rum, Zucker und Zitronensaft in einen Topf geben und erhitzen, aber auf keinen Fall kochen lassen! Dann heiß in Gläser füllen und genüßlich schlürfen, wenn man einer Aufwärmung bedarf.

Zutaten
für 6 bis 8 Gläser:
½ l Rum
4 EL Zucker
8 EL Zitronensaft

Protestant, der er war, hatte der Prediger Petrejus am Ende des 16. Jahrhunderts so gar kein Verständnis für nordfriesische Völlerei: „Nicht von den Fröschen, sondern vom vielen Fressen hat dieses Friesland seinen Namen. Mein Lebtag habe ich kein solches Wohlleben gesehen wie auf Nordstrand. Frisch gesalzene, gekochte und angebratene Gänse werden mit Fett übergossen und halten sich das ganze Jahr. Speck, geräuchertes Ochsen- und Lammfleisch, Käse, Eier und herrliche Milchspeisen, Zukost und Leckereien und goldgelbe Butter. Selbst das Gesinde lebt wie die Herren – wir haben so viel zu essen, daß die Leute täglich fünf Stunden gebrauchen, um zu speisen ...”

Dorsch mit Senfsauce

Zutaten für 4 Portionen:
2 Dorsche (jeder etwa 800 g)
2 EL Salz
1/8 l Essig
1 EL weiße Pfefferkörner
1 Lorbeerblatt
1 TL Senfkörner
1 Zwiebel
125 g Butter oder Margarine
125 g Senf, mittelscharf
1/8 l Milch
1 EL Zucker
1/4 TL Fleischextrakt

Die Dorsche ausnehmen und gründlich waschen. 1 l Wasser mit Salz, Essig, Pfefferkörnern, Lorbeerblatt, Senfkörnern und zerschnittener Zwiebel aufkochen. Die Dorsche in den Sud legen und zugedeckt 20 Minuten ziehen, aber nicht kochen lassen. Dann herausheben, abtropfen lassen und auf einer vorgewärmten Platte anrichten.
Während der Dorsch gart, für die Sauce Butter oder Margarine, Senf, Milch, Zucker und Fleischextrakt zusammen erhitzen und verrühren. Nach dem Aufkochen in einer Saucière anrichten und getrennt zum Dorsch servieren. Dazu paßt noch ein Specksalat.

Specksalat

Von einem ganz knackigen Kopfsalat pflückt man die Blätter, wäscht sie gut und läßt das Wasser gründlich abtropfen. Darüber gießt man eine Specksauce: Würfel vom durchwachsenen Speck werden ganz kroß ausgebraten und dann mit etwas Mehl, ein wenig Essig, etwas Wasser und viel Zucker oder Sirup aufgekocht.
Bierpfannkuchen sollte man nicht ohne diesen Specksalat essen.

Holsteiner Buchweizenklöße

Am Tag vorher die Kartoffeln ungeschält kochen, abgießen, abschrecken und pellen, dann auskühlen lassen. Durch die Kartoffelpresse oder den Fleischwolf geben. Speck fein würfeln, dann mit Kartoffeln, Buchweizenmehl, Eiern, Milch und Salz zu einem glatten Teig verrühren.
Am Tag des Essens reichlich Salzwasser in einem möglichst weiten Topf zum Kochen bringen. Aus dem Teig mit 2 Löffeln Klöße abstechen und glatt formen. Die Klöße ins siedende Salzwasser geben und im offenen Topf 10 Minuten ziehen lassen. Dann mit einer Schaumkelle herausheben und in eine Schüssel geben, in der auf dem Boden eine Untertasse liegt. Sie hält das noch abtropfende Wasser von den Klößen fern und verhindert dadurch, daß diese matschig werden und zusammenkleben.
Buchweizenklöße werden mit brauner Butter übergossen und zu frischem Salat gegessen.

Zutaten
für 4 Portionen:
1 kg Kartoffeln
100 g Räucherspeck, durchwachsen
200 g Buchweizenmehl (aus dem Reformhaus)
3 Eier
6 EL Milch
2 TL Salz

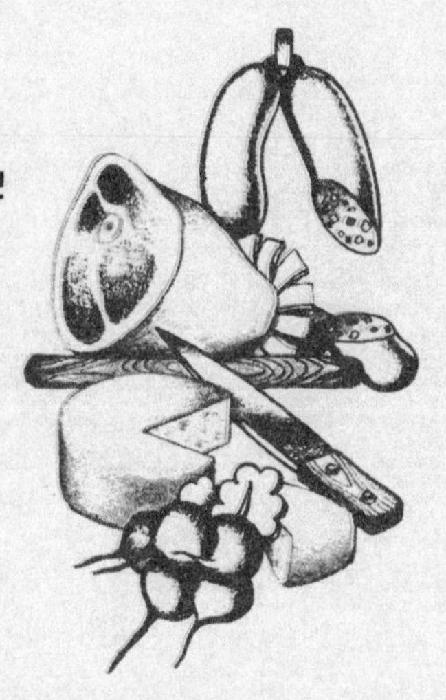

Sitzen der Bauer und der Großknecht und der Lüttknecht nach getaner Tagesarbeit um den runden Tiſch, in der Mitte die Schüſſel mit Buchweizengrütze, jeder einen Löffel in der Hand, mit dem er in die gemeinſame Schüſſel langt, wie das früher ſo war. Über die Buchweizengrütze iſt braune Butter gegoſſen. Da nimmt der Bauer ſeinen Löffel, zieht von der braunen Butter, die ſich in der Mitte der Grütze geſammelt hat, eine Straße durch die Grütze bis zu ſeiner Seite der Schüſſel, läßt die Butter alſo zu ſich hinlaufen und ſagt dabei: „So zog Moſes durch das rote Meer!" Der Großknecht, nicht faul, zieht mit ſeinem Löffel ebenfalls eine Straße zu ſeiner Seite, das bißchen Butter, das noch übrig iſt, läuft zu ſeiner Seite, und er ſagt flink: „Und viel Volks folgte ihm nach!" Der Lüttknecht, vor ſich nur die magere Grütze ganz ohne Butter, nimmt ſeinerſeits den Löffel, rührt die ganze Grütze und die Butter kräftig durch, bis alles gut verteilt iſt, und beſchließt die Diſkuſſion mit: „Und es war alles ein Gewimmel!"

Rummel, rummel, röten,
Giff mi en paar Föten!

Das größte Vergnügen aller Kinder in Schleswig-Holstein war und ist bis heute das „Rummelpottlaufen“ zwischen St. Nikolaus und dem Dreikönigstag. Über eine Blechdose oder einen irdenen Topf wird eine getrocknete Schweinsblase gespannt und in die Mitte hinein ein Stock oder Rohr gestoßen. Mit der nassen Hand wird dieser Stock dann auf und nieder gezogen – dabei entsteht das typische krächzende Schrumm-Schrumm, das die melodische Untermalung für die endlosen Strophen des Rummelpottliedes ist. Die Kinder ziehen so von Haus zu Haus, phantasievoll vermummt und mit Beuteln und Taschen wohl versehen, denn mit ihrem Liedchen und dem Rummelpott „erbitten“ sie allerlei süße Sachen: Förtchen und Äpfel, Zuckerkringel und Pfeffernüsse. Wer nichts gibt, muß sich Spottverse und andere zornige Lieder anhören.

Holsteiner Förtchen

Zutaten
für 20 bis 30 Förtchen:
¼ l Milch
⅛ l süße Sahne
½ TL Salz
60 g Butter
325 g Mehl
5 Eier
½ TL Kardamom
30 g Mandeln, fein gehackt
125 g Rosinen
1 EL Zucker
20 g Hefe
Schmalz zum Backen
Zucker zum Bestreuen

Die Milch (2 Eßlöffel davon zurücklassen) mit Sahne, Salz und Butter zum Kochen bringen. 200 g Mehl hineinschütten, mit einem Holzlöffel zu einem glatten Kloß verrühren. Den Topf vom Herd nehmen, 1 Ei in den Teig rühren. Den Teig dann kalt werden lassen. Anschließend die restlichen Eier nach und nach unterrühren. Kardamom, Mandeln, Rosinen, Zucker, die mit den 2 Eßlöffeln Milch flüssiggerührte Hefe und das restliche Mehl zugeben und verrühren. Den Teig zugedeckt bei Zimmertemperatur so lange aufgehen lassen, bis er sein Volumen ungefähr verdoppelt hat.
Eine Förtchenpfanne mit halbrunden Vertiefungen auf mittlerer Hitze (wichtig!) heiß werden lassen. In jede Vertiefung eine Messerspitze Schmalz geben. Vom Förtchenteig mit 2 Löffeln pflaumengroße Stücke abstechen, in das heiße Schmalz setzen und auf beiden Seiten goldbraun backen. Dann herausnehmen, sofort in Zucker wälzen und warm zum Kaffee essen.

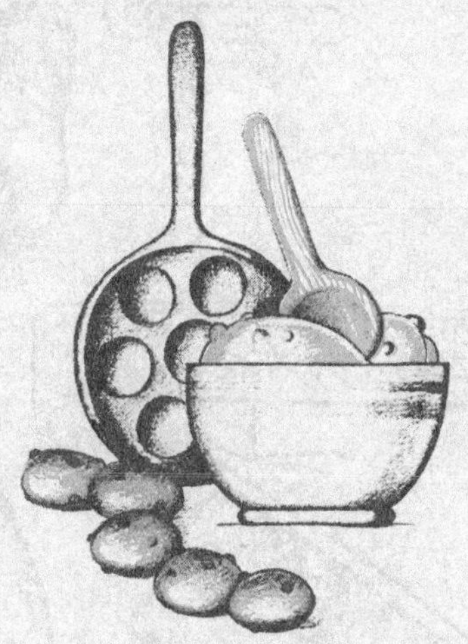

Kleine Anmerkung zu den Förtchen:

In Ostholstein kennt man noch eine andere Art der Zubereitung. Dort benutzt man meistens keine Förtchenpfanne, sondern gibt den Teig löffelweise in siedendes Schmalz oder Öl und backt die Klößchen schwimmend aus, bis sie von allen Seiten knusprig braun sind. So zubereitet, heißen sie dann auch „Kröpel".

Das ohle Jahr, das nie Jahr,
Sind denn nie bald de Futtjens gaar?
Krie ick een, so blief ick stahn,
Krie ick twe, so will ick gahn,
Krie ick dree, so wünsch ick Glück,
Dat de Kökschmit de Futtjens to de Schosten rut flüggt!
(Holsteiner Förtchenlied, von Kindern gesungen)

Hamburg

„Die Hamburger sind gute Leute und essen gut. Über Religion, Politik und Wissenschaft sind ihre respektiven Meinungen sehr verschieden, aber in Betreff des Essens herrscht das schönste Einverständnis.“
(Heinrich Heine)

*„Es ist", so schrieb ein nachdenklicher Beobachter der Hamburger Szene von 1880, „als kämen die Sprachen, die Genüsse und die Bedürfnisse aller Völker im Hamburger Hafen zusammen."
Der Mann hatte ja so Recht! Denn genau bis in den Hafen kamen die fremden Bedürfnisse und die sie stillenden Genüsse. Und keinen Schritt weiter!
Und ehrlich!, wo wären die Hamburger auch hingekommen, hätten sie all diese auswärtigen Appetite bis an die Alster kommen lassen? Gott sei Dank war der Hafen ein erstklassiger Filter für unerwünschte Internationalität und ließ auf wunderbare Weise nur englische Sitten (und, was das Kulinarische anlangt, auch ein paar Unsitten) durch.
Und tatsächlich: „Generell (schreibt unser Gewährsmann vom Jahre 1880) darf man sagen, daß der Hamburger ißt, was die Engländer essen. Und es ist deutlich, daß der Hamburger, wie der Engländer, höchsten Wert auf die Qualität der Rohstoffe, doch nicht gar so viel Sorgfalt auf deren Zubereitung leget." Dann kommt unser Berichterstatter auf ein Thema zu sprechen, das ihn fast umwirft: Hamburgs aberwitziger Verbrauch*

an Hühnereiern. Diese sind „bei allen Ständen ein gleichermaßen beliebter Artikel, und sogar die Berliner Eisenbahn bringt ungeheure Mengen."
Und schließlich: „Noch wichtiger als die Eier ist dem Hamburger die Milch." Und weil das so ist, „so ist das Leben der Hamburger ein gesundes, frisches, volles, dem noch eine große Zukunft bevorsteht." Na ja, bis zum Jahre 1979 haben es die Hamburger inzwischen ja auch gebracht!

Bohnen, Birnen und Speck

Zutaten
für 4 Portionen:
375 g Speck, durchwachsen (oder geräucherte Schweinebacke)
750 g grüne Bohnen
750 g Kartoffeln
2 Zweige Bohnenkraut
500 g Augustbirnen (Bergamottebirnen)
Salz
weißer Pfeffer
1 EL feingehackte Petersilie

Speck oder Schweinebacke in 1/2 l Wasser zum Kochen bringen, zudecken und auf schwacher Hitze 1 Stunde garen. Inzwischen die Bohnen putzen, waschen und in etwa 3 cm lange Stücke brechen. Kartoffeln schälen, waschen und in Scheiben schneiden. Mit den Bohnen zum Speck geben, Bohnenkraut darüberlegen. Birnen waschen, die Blüten herausschneiden. Birnen in den letzten 20 Minuten auf die Bohnen legen. Dann den Speck herausnehmen, in Scheiben schneiden. Bohnen und Kartoffeln mit Salz, Pfeffer und Petersilie abschmecken. Alles zusammen anrichten. Zum Essen Senf reichen.

Bemerkungen zu Bohnen, Birnen und Speck:

Das ist eines der Gerichte, denen Hamburg seinen Ruf als Stadt mit merkwürdiger Küche zu verdanken hat. Merkwürdig wäre das Gericht in der Tat, wollte man es mit süßen, saftigen Birnen zubereiten. Die kleinen, steinharten Augustbirnen jedoch, die in dieses Gericht gehören, empfindet man kaum als fruchtig. Und so schmeckt das Gericht viel „normaler", als es sich anhört.
Selbst der gestrenge Baedeker hält es aber immerhin für notwendig, ein Wort der Einführung in diese Küche in seinen Hamburger Reiseführer einzurücken: „Der Hamburger bevorzugt, wie man weiß, überhaupt die Kochkunst vor den anderen schönen Künsten. Die volkstümliche Hamburger Küche hat eine Vorliebe für süß-saure Gerichte, Mischungen von Fisch und Fleisch oder von Geräuchertem mit Dörrobst, Speisen, die bei Fremden leicht einen gewissen Argwohn wecken, der jedoch meist rasch verfliegt."

Wie Hamburg zu seinen dicken Saucen kommt:

Hamburger Hausfrauen scheinen immer Angst zu haben, daß ihnen jemand am Tisch verhungert. Ein Chronist des 19. Jahrhundert vermerkt zu diesem Problem: „Will man hier jemandem seine Zuneigung beweisen, so lädt man ihn zum Essen ein, und die Verdauungsstörungen des Gastes verbucht man als seinen Dank." Daher wird in Hamburg viel gestoovt (oder gestobt): das heißt mit Mehl und Milch gebunden. Fast alle Gemüsesorten lassen sich auf diese Weise zu Kalorienbomben aufblähen. (Manche Hausfrau dickt sogar ihr Kompott an.) Und die Hamburger Hausfrau, die ihre Gäste wirklich schätzt, überstreut das solchermaßen gestoovte Gemüse dann noch mit gerösteten Speckwürfeln!

Gestoovte Schnippelbohnen

1 1/2 ℔ Bohnen putzen und schnippeln. In reichlich Salzwasser mit einem Zweig Bohnenkraut 15 Min. kochen, dann abgießen. In einem Tiegel 2 Eßl. Butter und 1 knappen Eßl. Mehl durchschwitzen. Gut 1/4 Liter Milch unter Rühren (Schneebesen) zugießen. Kräftig aufkochen lassen. Und dann salzen, pfeffern und die Bohnen zugeben. Wiederum aufkochen. Vorm Servieren gehackte Petersilie drangeben. Gut zu Matjes und dicken Mettwurstscheiben!

Hamburger Krabbensuppe

Zutaten für 4 Portionen:
750 g Nordseekrabben (in der Schale)
1 Bund Suppengrün
2 EL Butter
20 g Mehl
¼ l süße Sahne
¼ l trockener Weißwein
¼ TL Fleischextrakt
2 EL Tomatenmark
2 TL Krebsbutter
1 kleine Dose Spargel
Salz
Cayennepfeffer
etwas Zitronensaft

Krabben schälen, die Schalen in ½ l kaltes Wasser geben, 5 Minuten kochen lassen. Suppengrün putzen, waschen, kleinschneiden und in Butter andünsten. Die Krabbenschalenbrühe durch ein Sieb zugießen, 30 Minuten kochen, dann durchseihen. Mehl und etwas Sahne in einem Topf glatt verrühren. Übrige Sahne, Weißwein und Brühe zugeben und unter Rühren zum Kochen bringen. Fleischextrakt, Tomatenmark, Krebsbutter und Spargelwasser zugeben. Die Suppe mit Salz, Cayennepfeffer und Zitronensaft abschmecken. Spargel in kleinen Stückchen und Krabben in die Suppe geben und erhitzen, aber nicht kochen lassen.

Wie im ganzen Nordseeküstengebiet gibt es auch in Hamburg fast immer frische Nordseekrabben, korrekt Garnelen oder Granat genannt. Am zünftigsten kauft man sie morgens auf dem Hamburger Fischmarkt, nach einer durchfeierten Nacht etwa, pult sie dann im Kreise der Festgenossen und ißt sie pur.

Grützwurst mit Apfelkompott

Zutaten für 4 Portionen:
4 Grützwürste (mit oder ohne Rosinen)
2 EL Öl
1 kg Kartoffeln
⅛ l Milch
⅛ l Sahne
Salz
3 große Äpfel
1 Stück Zitronenschale
Zucker

Die Grützwürste anstechen und im Öl von jeder Seite 10 Minuten knusprig braten. Gekochte Kartoffeln zerstampfen und mit Milch und Sahne auf dem Herd schaumig rühren, salzen. Äpfel schälen, entkernen und in Stücke schneiden. Zusammen mit der Zitronenschale, Zucker nach Geschmack und etwas Wasser in einem geschlossenen Topf etwa 10 Minuten dünsten. Die Äpfel dürfen nicht zerfallen. Grützwürste dann mit Kartoffelpüree und Apfelkompott servieren.

Snuten un Poten

Die gepökelten Teile mit kaltem Wasser bedecken, zum Kochen bringen, abgießen, abspülen, mit frischem Wasser bedecken und noch einmal aufkochen, auf schwacher Hitze etwa 3 Stunden weiterkochen lassen. Zu diesem Zeitpunkt hat das Fleisch noch Biß. Läßt man es 30 Minuten länger kochen, wird es ganz weich. Das Sauerkraut 30 Minuten vor Ende der Garzeit zugeben und zwischen den „Snuten un Poten“ mitgaren.
Zu diesem Gericht werden Salzkartoffeln und Erbsenpüree serviert. Das Erbsenpüree wird mit Zwiebelwürfeln und geröstetem Speck bestreut.

Zutaten für 4 Portionen:
4 Schweinsfüße, gepökelt
750 g Schweinskopf, gepökelt (vorher bestellen)
1 kg Sauerkraut
1 Zwiebel
50 g durchwachsener Speck

**„So'n Pott vull Snuten un Poten,
dat is'n fein Gericht,
Arfen un Bohnen,
wat beeters gifft dat nich!“**
Den Snuten und Poten, Schweinskopf und Schweinsfüßen, oft noch durch ein paar Schweinsohren vervollständigt, ist in Hamburg durch dieses Lied mit Text und schmissiger Musik eine besondere Ehre widerfahren.

Hamburger Aalsuppe

**Zutaten
für 6 Portionen:**
1 Schinkenknochen (mit Schinkenresten)
1 Bund Suppengrün
2 l Fleischbrühe
200 g Sellerie
250 g Möhren
1 Porreestange
300 g frische Erbsen
500 g Backobst, gemischt
Essig
Zucker
reichlich frische Kräuter
2 kleine frische Aale (jeder etwa 300 g)
⅛ l Weißwein

Den Schinkenknochen erst einmal in Wasser 10 Minuten kochen. Das Wasser weggießen. Den Knochen und das geputzte, grob zerkleinerte Suppengrün dann mit der Fleischbrühe aufkochen und gut eine Stunde kochen lassen. Dann Knochen und Gemüse aus der Suppe nehmen, Fleisch vom Knochen lösen, in kleine Stücke schneiden und wieder in die Suppe geben. Das Suppengrün wegwerfen, Suppe am besten über Nacht kalt werden lassen und das Fett abschöpfen (es kann für Bratkartoffeln verwendet werden).
Das Gemüse putzen und in Stücke schneiden. Die Erbsen enthülsen. Das Backobst mit Wasser bedeckt ausquellen lassen. Gemüse und Obst in die Suppe geben, 20 Minuten kochen lassen. Suppe dann mit Essig und Zucker deutlich süß-sauer abschmecken, mit reichlich gehackten frischen Kräutern würzen. Die Aale gut waschen, in Stückchen schneiden und in Wein und der gleichen Menge Wasser 10 Minuten dünsten. Dann das Fleisch häuten und entgräten und mit dem Kochfond in die Suppe geben. Zur Aalsuppe werden noch Schwemmklößchen serviert.

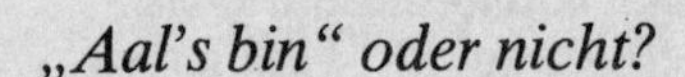

„Aal's bin" oder nicht?

Zur Hamburger Aalsuppe gehören fast ebenso viele Geschichten wie Zutaten. So wird zum Beispiel behauptet, in der Aalsuppe sei ursprünglich überhaupt kein Aal drin gewesen. Aber schon bei Begründung dieser These liegen sich die Aalsuppen-Experten in den Haaren. Die einen sagen, die Aalgruppe hieße so, weil sie mit reichlich Aalkraut (Bohnenkraut) gewürzt ist, die anderen behaupten, der Name käme daher, weil schließlich „aal's bin" ist, alles drin. Einig ist man sich hingegen darüber, daß ortsfremde Nichthamburger sich geneppt fühlten, wenn sie in Hamburg in ihrer Hamburger Aalsuppe keinen Aal fanden. Und so gaben die Hamburger Gastronomen denn den Fisch um des lieben Friedens willen in die Suppe, was ihrer Qualität auf keinen Fall geschadet hat. Um die Begriffsverwirrung vollkommen zu machen: Die Hamburger Aalsuppe ohne Aal heißt auch noch „Frische Suppe" oder „Saure Suppe".

Pannfisch

Den Fisch in einem Sud aus 1 l Wasser, Salz, Zwiebelstücken, Lorbeerblatt, Pfefferkörnern und Essig 20 Minuten sieden, aber nicht kochen lassen. Dann im Sud kalt werden lassen, Lorbeerblatt entfernen. Den Fisch häuten und entgräten, dann in kleine Stücke zupfen. Den Sud mit dem Senf verrühren. Kartoffeln in Scheiben schneiden. Butter in einer tiefen Pfanne auf mittlerer Hitze bräunen. Die Kartoffeln hineingeben, salzen, pfeffern und anbraten. Fisch und Senfsud zugeben und alles zugedeckt 10 Minuten auf schwacher Hitze ziehen lassen. Mit Petersilie bestreut servieren.

Pannfisch wurde ursprünglich mit Resten von gegartem Fisch bereitet. Will man das heute auch tun, verwendet man statt des Fischsuds Wasser oder Fleischbrühe.

Zutaten
für 2 bis 3 Portionen:
500 g Dorsch
Salz
1 Zwiebel
½ Lorbeerblatt
10 Pfefferkörner
2 EL Essig
3 EL Senf, mittelscharf
750 g Kartoffeln, gekocht
2 EL Butter
Salz
schwarzer Pfeffer
2 EL gehackte Petersilie

Hamburger National

Schweinebauch würfeln, in ½ l Wasser 30 Minuten kochen lassen. Steckrüben und Kartoffeln schälen, waschen und würfeln, zum Schweinebauch in den Topf geben und weitere 30 Minuten kochen. Mit Salz, Pfeffer und Majoran würzen und noch 5 Minuten ziehen lassen. Inzwischen Speck und Zwiebeln würfeln. Speck knusprig ausbraten, Zwiebeln zugeben und goldgelb werden lassen. Dabei hin und wieder umrühren. Beim Anrichten über den Eintopf geben.

Zutaten
für 4 Portionen:
350 g Schweinebauch, frisch
1 kg Steckrüben
1 kg Kartoffeln
Salz
weißer Pfeffer
Majoran
50 g Speck, durchwachsen
2 Zwiebeln

„Während man sämtliche anderen Künste in Hamburg darben läßt, blüht und gedeiht die Gastronomie umso üppiger, und man kann dreist behaupten, daß es in dieser Stadt mehr Menschen gibt, welche leben, um zu essen, als solche, welche essen, um wirklich zu leben." (Der chinesische Spion in Hamburg, 1835)

Eingelegte Bratheringe

**Zutaten
für 4 bis 5 Portionen:
12 grüne Heringe, bratfertig (vom Fischhändler ausgenommen)
½ TL Pfeffer
1 TL Salz
etwas Mehl
etwa ⅛ l Öl
½ l Weinessig
½ l fettlose Fleischbrühe oder Wasser
2 Lorbeerblätter
2 EL Senfkörner
10 Pimentkörner
1 EL Pfefferkörner
1 EL Zucker
1 Bund Dill
4 Zwiebeln**

Die bratfertigen Heringe innen und außen mit Pfeffer und Salz einreiben. Die Fische in Mehl wenden, in das erhitzte Öl legen und ringsum braun braten. Anschließend auf Küchenpapier ausbreiten. Inzwischen Essig und Brühe aufkochen. Die Gewürze einschließlich Zucker hineingeben, den Sud 5 bis 10 Minuten ziehen lassen. Dillästchen abzupfen, Zwiebeln schälen und in dünne Ringe schneiden. Beides mit den gebratenen Heringen in ein Glas schichten und mit dem heißen Essigsud übergießen. Mindestens 3 Tage ziehen lassen, dann mit Pellkartoffeln oder Bratkartoffeln und grünem Salat in Sahnesauce servieren. Die Bratheringe halten sich zugedeckt im Kühlschrank bis zu drei Wochen.

**„Joor veel eeten bün ich nich, aber'n beeten wat good's und denn satt!
(Hamburger Lebensweisheit)**

Matjes mit Specksauce

**Zutaten
für 4 Portionen:
8 Matjesfilets
½ l Mineralwasser oder Milch
200 g durchwachsener Speck, geräuchert
4 Zwiebeln
20 g Mehl
¼ l Wasser
¼ l Milch
2 EL Weinessig
1 TL Zucker
Salz
schwarzer Pfeffer**

Von den Matjesfilets die restlichen Gräten abschneiden. Filets waschen und 2 Stunden in Mineralwasser oder Milch legen. Inzwischen Speck und geschälte Zwiebeln fein würfeln, Speck knusprig ausbraten. Zwiebeln zugeben, Mehl hineinrühren und hellgelb anrösten. Wasser und Milch unter Rühren zugießen und aufkochen. Die Sauce mit Essig, Zucker, Salz und Pfeffer abschmecken. Matjesfilets mit Küchenpapier trockentupfen, auf einer Platte anrichten und gut durchkühlen lassen. Mit der heißen Sauce und den Pellkartoffeln servieren.

Matjestopf auf Hausfrauenart

Von den Matjesfilets die restlichen Gräten abschneiden. Filets waschen und 2 Stunden in Mineralwasser oder Milch legen. Inzwischen die Zwiebeln pellen und in feine Streifen schneiden. Äpfel schälen, vierteln, entkernen und in dünne Scheibchen schneiden. Sahne mit den übrigen Zutaten verrühren, Zwiebelstreifen und Apfelscheibchen daruntermischen. Gut trockengetupfte Matjesfilets in breite Streifen schneiden. Mit der Sahnesauce in eine Schüssel schichten, bis zum Servieren gut durchkühlen lassen. Dann mit Pellkartoffeln servieren.

Zutaten für 4 Portionen:
8 Matjesfilets
½ l Mineralwasser oder Milch
4 Zwiebeln
2 säuerliche Äpfel
¼ l süße Sahne
1 Becher Vollmilch-Joghurt
1 EL Zitronensaft
1 TL Zucker
Piment

Orden für die Hamburger

„In diesem Lande, das an allerlei Gewöhnlichem Überfluß hat, gibt es nun überhaupt nichts Gewöhnlicheres als die Tafelfreuden, und solange es noch Kinnbacken in Hamburg gibt – und an denen wird es niemals fehlen –, werden Diners immer an der Mode sein. Es erscheint durchaus nicht gewagt, wenn man behauptet, daß nirgends so viel diniert wird wie hier, und wenn es hier auch so manchen Hohlkopf gibt, so kann man von den entsprechenden Mägen wohl kaum dasselbe sagen. Der Eßtisch ist das einzige Schlachtfeld, auf dem die Hamburger sich auszeichnen und sich als wirkliche Helden zeigen. Als Auszeichnung müßten sie den Suppenlöffel am Ordensbande und die Gabel im Knopfloch tragen." (Der chinesische Spion in Hamburg, 1835)

Finkenwerder Ewerscholle

Zutaten
für 4 Portionen:
200 g durchwachsener Speck
8 EL Butter
4 frische Schollen
Salz
Zitronensaft
8 EL Mehl
Zitronenscheiben

Den Speck fein würfeln. In einer großen Pfanne die Butter erhitzen, die Speckwürfel darin auslassen, dann mit einer Schaumkelle aus der Pfanne nehmen und beiseite stellen.
In der Zwischenzeit die ausgenommenen und gewaschenen Schollen salzen, mit Zitronensaft beträufeln und in Mehl wenden. In dem Gemisch aus Butter und Speckfett nacheinander alle Schollen von jeder Seite goldbraun braten, fertige Schollen warm stellen. Auf vorgewärmte Teller legen, mit der hellen Seite nach oben. Den Speck in der Pfanne kurz erhitzen, auf die Schollen geben. Außerdem Zitronenscheiben und einen säuerlich angemachten Kartoffelsalat reichen.

Die Ewerschollen sollen leben:

Finkenwerder ist eine größere Elbinsel südlich von Hamburg. Auf ihr haben sich Traditionen besonderer Art ausgebildet. Die Einwohner der Insel, die seit langem zu Hamburg gehört, sprechen nach wie vor ihr eigenes Platt und sind schon immer Elbfischer gewesen. Als jedoch die Fische in der Elbe knapp wurden, vergrößerten die Finkenwerder ihre einfachen, offenen Ewer zu seetüchtigen Fischerbooten und fischten damit auch in der Nordsee. Die Finkenwerder Fischer waren es, die Hamburg mit frischem Fisch versorgten, besonders mit lebenden Schollen.
Keine Hamburger Hausfrau, die auf sich hält, würde eine Scholle kaufen, die nicht mehr lebt. Und deshalb sind die Ewer mit besonderen Bassins ausgestattet, in denen die Schollen zwar dicht an dicht, aber lebend im Meerwasser liegen.
Man sagt, eine richtige Hamburger Familie mache ihren Sonntagsspaziergang sonntagmorgens um 7 Uhr zum Hamburger Fischmarkt, um sich da mit frischen Schollen zu versorgen.

Graupensuppe

Hammelknochen waschen, mit 1½ l kaltem Wasser bedekken und zum Kochen bringen, abschäumen. Inzwischen das Suppengrün putzen, waschen und kleinschneiden, Zwiebeln schälen und würfeln. Gemüse, Zwiebeln, Lorbeerblatt und Pfefferkörner in die Hammelbrühe geben. Auf schwacher Hitze 2 Stunden leise kochen lassen. Die Brühe durch ein Sieb gießen und wieder in den gesäuberten Suppentopf geben. Perlgraupen zufügen, salzen. Die Suppe etwa 1 Stunde kochen lassen, dann mit Butter und Muskat abrunden. Inzwischen das Fleisch von den Knochen lösen und die Häute abschneiden. Das Fleisch in kleine Stücke schneiden und, wenn die Graupen gar sind, mit den Kräutern in die Suppe geben.

Zutaten für 4 Portionen:
750 g Hammelknochen mit Fleisch (z. B. untere Haxe)
1 Bund Suppengrün
2 Zwiebeln
1 Lorbeerblatt
1 EL schwarze Pfefferkörner
100 g Perlgraupen (kleine Gerstengraupen)
Salz
1 TL Butter
geriebene Muskatnuß
1 Tasse feingehackte Kräuter (Schnittlauch, Petersilie, Selleriegrün und Porree)

Rundstück warm

Rundstück warm ist ein typisches und sehr gelungenes Resteessen, das meistens am Montagabend serviert wird. Man braucht dafür nur die (Schweine-)Bratenreste vom Sonntag, den Rest der dazugehörigen Sauce und ein paar Hamburger Rundstücke. Das sind die speziellen Hamburger Brötchen, weiß, rund bis länglich und ohne Kniff und ohne Falte. Das Rundstück wird so in Hamburg seit 1623 gebacken.
Die Rundstücke (wenn sie nicht frisch sind, werden sie im Ofen aufgebacken) werden aufgeschnitten, dann mit je 1 Scheibe kaltem Schweinebraten belegt und mit der kochenden Sauce begossen. Dazu kriegt dann jeder noch eine knackig-saftige Gewürzgurke.
Wenn Gäste kommen, wird für sie der Schweinebraten natürlich erst erhitzt, dann geschnitten und auf die Rundstückhälften gelegt.

„Och, dat sün man Knüüst, seggt de Jung, da sneed he dat Brot half dorch." (Hamburger Lebensweisheit)

Vierländer Stubenküken

**Zutaten
für 4 Portionen:
4 Stubenküken (junge Hähnchen von 200 bis 250 g), küchenfertig
125 g Hähnchenleber
125 g gekochter Schinken
10 g Mehl
(1 gestrichener EL)
40 g Butter
4 EL Sahne und
200 ccm Sahne
1 Ei
Salz
30 g Trüffeln aus der Dose
2 EL Madeira
½ EL Weinbrand
8 dünne Scheiben Frühstücksspeck**

Stubenküken waschen und gut abtrocknen. Hähnchenleber und Schinken sehr fein pürieren. Mehl und 20 g Butter in ein Töpfchen geben, erhitzen, mit 4 EL Sahne verrühren und aufkochen. Vom Herd nehmen, mit dem Püree und dem Ei verrühren, mit Salz abschmecken.
Trüffeln zuerst in feine Scheiben, dann in Streifen schneiden. In der restlichen Butter andünsten, dann Trüffelsaft aus der Dose zugeben, 5 Minuten schmoren lassen. Madeira und Weinbrand zugeben und etwas abkühlen lassen. Angedünstete Trüffeln vorsichtig mit der Leberfarce mischen. Küken damit füllen und zunähen. Speckscheiben auf die Brüste legen und mit Küchengarn befestigen. Die Küken mit der Brust nach oben in eine passende Bratform legen und bei 200 Grad (Gas: Stufe 3) 45 Minuten im vorgeheizten Backofen garen.
Dann die Speckscheiben abnehmen und mit 200 ccm Sahne zum Trüffelsahnefond in den Topf geben, einkochen lassen. Die Küken weitere 15 Minuten braten, bis die Brüste hell gebräunt sind. Dabei einige Male mit dem Bratenfond beschöpfen. Dann auf eine Servierplatte legen und warm halten. Den Bratfond entfetten, mit etwas Wasser loskochen und in die eingekochte Sahne geben, wieder so lange einkochen lassen, bis sie leicht sämig ist. Abschmecken und durch ein Sieb in eine Saucière geben. Stubenküken mit Erbsen, Spargel und neuen Kartoffeln servieren.

Was machen die Küken in der Küchenbank?

In den Vierlanden, einem von Holländern eingedeichten Marschgebiet im Osten der Stadt, betreibt man intensive Gemüse- und Blumenzucht und versorgt Hamburg mit Frühgemüse und „Frühgeflügel“. Ursprünglich wurden dort im Winter die Hühner mit den Fischen, die zum Laichen die Elbe hinaufzogen, gefüttert. Die solcherart wohlgenährten Hühner brüteten deshalb viel früher als sonst. Die Küken, die natürlich nicht winterfest waren, nahm man in die warme Stube und zog sie dort auf. Sie wohnten in der „Hühnerbank“ und wurden so lange gemästet, bis sie sehr fleischig, aber immer noch klein waren. Dann ereilte sie das Schicksal allen Nutzviehs, und sie kamen in einer Zeit auf den Markt, zu der es sonst kein Geflügel gab.

Heringssalat

Die Matjesfilets unter fließendem Wasser abspülen. Dann in einer Schüssel in Milch und 1/4 l Wasser über Nacht stehenlassen.
Das Schweine- und Kalbfleisch leicht salzen. Die Butter in einem Topf erhitzen, das Fleisch darin rundherum anbraten, dann mit 1/4 l heißem Wasser ablöschen. Das Fleisch auf milder Hitze 45 Minuten schmoren und anschließend im Schmorsaft abkühlen lassen.
Die Kartoffeln, die rote Bete und den Sellerie waschen, in etwa 30 Minuten getrennt garen und dann schälen. Auch die Äpfel schälen, vierteln und entkernen. Die Eier schälen. Die Heringe häuten. Die Matjesfilets trockentupfen.
Das Fleisch, die Matjesfilets, die Bismarckheringe, die Kartoffeln, rote Bete, den Sellerie, die Äpfel, die Eier und die Gewürzgurken in 1/2 cm große Würfel schneiden. Die abgetropften Kapern und die Petersilie hacken. Alles in einer Steingutschüssel miteinander mischen.
Für die Marinade 8 EL Schmorsaft, Essig, Öl und Senf verrühren. Mit Salz, Pfeffer und Zucker pikant abschmecken. Die Marinade über die Zutaten in der Schüssel gießen und mindestens 1, besser 2 Stunden vor dem Servieren durchziehen lassen. Den Salat vor dem Anrichten noch einmal durchheben. Dann mit kräftigem Brot reichen.

Zutaten
für 6 bis 8 Portionen:
6 Matjesfilets
1/8 l Milch
250 g Schweinefleisch, mager
1250 g Kalbfleisch
Salz
40 g Butter
250 g Kartoffeln
250 g rote Bete
250 g Sellerie
3 saure Äpfel
5 Eier, hartgekocht
4 Bismarckheringe
4 Gewürzgurken
1 Röhrchen Kapern
2 Bund Petersilie
4 EL Essig
4 EL Öl
1 EL Senf, scharf
Pfeffer aus der Mühle
Zucker

Dieser Salat ist gute Hamburger Tradition in den Tagen zwischen Weihnachten und Neujahr, an denen man nach all den süßen Sachen etwas herzhaftes bestens vertragen kann.

Milchreis mit Kaneel und Zucker

In 1 Liter heiße Milch 125g Reis streuen und unter Rühren aufkochen. 1 Prise Salz zugeben. Auf ganz kleiner Flamme 1 Stunde quellen lassen. Umrühren nicht vergessen! Reis auf heiße Teller füllen. Obendrauf jeweils 1 Stück Butter geben und reichlich Zucker und Kaneel (Zimtpulver).

Beefsteak mit Zwiebeln

Zutaten
für 4 Portionen:
4 Beefsteaks aus der Kluft (à 200 g)
Pfeffer
250 g Zwiebeln
2 EL Butter
Salz
1 EL Öl

Die Beefsteaks mit Pfeffer einreiben und bei Zimmertemperatur liegenlassen. Inzwischen die gepellten Zwiebeln in Streifen oder Ringe schneiden. Butter in einer Pfanne bräunen, die Zwiebeln hineingeben und unter Wenden goldbraun braten, zum Schluß mit etwas Salz bestreuen. Öl in eine schwere Pfanne geben und heiß werden lassen. Die Fleischscheiben hineingeben und von jeder Seite anbraten. Die Hitze herunterschalten und unter gelegentlichem Wenden das Fleisch insgesamt 8 bis 10 Minuten braten. Salzen und auf vorgewärmte Teller legen, die Zwiebeln darüberdecken. Den Bratfond mit wenig Wasser loskochen, über die Zwiebeln geben. Dazu Gemüse und Salzkartoffeln reichen.

Das beste Gemüse ist ein Beefsteak:

Die größte Kunst eines Hamburger Schlachters ist es, Beefsteaks so abzuhängen und zu schneiden, daß sie zart wie Filets werden, aber im Gegensatz zu diesen einen kräftigeren Geschmack haben. Der in Hamburg ansässige Dichter Detlev von Liliencron besang die Stadt und ihr Fleisch in poetischer Weise so:
„Am besten wird gegessen in der Welt
in Hamburg, diesem edlen Beefsteakhorte."
Prosaischer drückt es der Hamburger Volksmund aus:
„Das beste Gemüse ist ein Beefsteak."

Rote Grütze

Gewaschene Früchte mit ¼ l Wasser und Zucker zum Kochen bringen. Ein Durchschlagsieb mit einem feuchten Mulltuch auslegen und die Früchte hineinschütten. Den Saft ohne Druck durch das Tuch in einen Topf laufen lassen. Wenn nötig, mit Wasser auf 1 l Flüssigkeit ergänzen. Saft aufkochen. Speisestärke mit etwas kaltem Wasser anrühren, unter den Saft rühren und mehrfach aufkochen lassen. In eine mit kaltem Wasser ausgespülte Schüssel gießen und im Kühlschrank kalt werden lassen. Vor dem Servieren stürzen. Bei Tisch füllt sich jeder Rote Grütze und Milch, Sahne oder Vanillesauce auf seinen Teller.

Zutaten
für 4 Portionen:
1 kg Beerenfrüchte in beliebiger Mischung (Himbeeren, rote und schwarze Johannisbeeren, Erdbeeren)
250 g Zucker
80 g Speisestärke

Die Rote Grütze ist natürlich nicht nur auf Hamburg beschränkt, sie wird auch überall in Schleswig-Holstein zubereitet und gegessen, wenn auch nach sehr unterschiedlichen Rezepten. Das schönste Denkmal hat ihr der Dichter Hermann Claudius gesetzt:

Rodegrütt! Rodegrütt!
Kik mal, wat lütt Hein hütt itt.
Alls rundum hett he vergeten.
Rodegrütt, dat is en Eten!
Rodegrütt!

Braune Kuchen

Zutaten für etwa 100 kleine Kekse:
500 g Sirup
125 g Butter
125 g Schmalz
½ TL Kardamom
½ TL Zimt
½ TL Nelkenpulver
125 g Mandeln, gemahlen
50 g Succade, fein gehackt
4 EL Rosenwasser
10 g Pottasche
1 Päckchen Backpulver
550 g Mehl
Fett fürs Backblech

Sirup, Butter und Schmalz erwärmen und gut miteinander verrühren. Abkühlen lassen, bis die Masse nur noch lauwarm ist. Dann Gewürze, Mandeln, Succade, in Rosenwasser gerührte Pottasche und das mit Backpulver gemischte Mehl zugeben. Alles zu einem glatten Teig kneten und 3 bis 4 Tage zugedeckt bei Zimmertemperatur stehen lassen. Anschließend gut durchkühlen lassen und zwischen Klarsichtfolie 2 mm dick ausrollen. Die Teigplatte in Rechtecke schneiden, dicht nebeneinander auf ein gefettetes Backblech legen und bei 200 Grad (Gas: Stufe 3) 15 Minuten backen. Die Plätzchen noch warm vom Blech lösen, abkühlen lassen und in fest verschließbaren Dosen aufbewahren.

Zum weihnachtlichen Bunten Teller gehören in Hamburg unbedingt Braune und Weiße Kuchen, dünne rechteckige Kekse mit intensivem Gewürz-Aroma. Kinder streiten sich gern darüber, welche Sorte nun die „schönere“ sei. (In Hamburg sagt man zum Essen „schön“, wenn es das verdient.) Den Sieg haben die Braunen Kuchen davongetragen, die Weißen sind leider fast ausgestorben.

„Dat is'n nett Gesicht, seggt de Buer, da bröchten se een Swienskopp op den Disch.“ (Hamburger Lebensweisheit)

Weiße Kuchen

Eier in die Rührschüssel schlagen und mit dem Schneebesen tüchtig verschlagen. Dabei nach und nach den Zucker hineinrieseln lassen. Zitronenschale, Succade, Gewürze, Pottasche und zum Schluß das Mehl zugeben, erst rühren, dann gut kneten. Den Teig über Nacht zugedeckt in den Kühlschrank legen. Am nächsten oder übernächsten Tag den Teig zwischen Pergamentpapier 2 mm dick ausrollen. In Vierecke schneiden und dicht aneinander auf ein gefettetes Backblech legen. Eventuell mit kleinen Stückchen Succade garnieren. Bei 150 Grad (Gas: Stufe 1) im vorgeheizten Backofen 25 Minuten backen. Noch warm vom Blech lösen, abkühlen lassen und in fest verschließbaren Dosen aufbewahren.

Zutaten für etwa 100 kleine Kekse:
5 Eier
500 g Zucker
fein abgeriebene Schale von 1 Zitrone
80 g Succade, fein gehackt
½ TL Zimt
½ TL Nelkenpulver
15 g Pottasche
600 g Mehl
Fett fürs Backblech

Hamburger Butterbrot, werktags

Eine Scheibe Schwarzbrot buttern und in der Mitte durchschneiden. Auf jede Hälfte ein halbes Rundstück legen.

Hamburger Butterbrot, sonntags

Ein halbes Rundstück dick buttern und ein Stück Braunen Kuchen darauf legen.

Fliederbeersuppe mit Klüten

Zutaten
für 4 Portionen:
1 l Holunderbeersaft (fertig gekauft oder zubereitet aus 1,5 kg Holunderbeeren, 125 g Zucker und ¼ l Wasser)
Stück Schale von 1 Zitrone
½ Stange Zimt
2 Nelken
5 g Speisestärke
3 säuerliche Äpfel
90 g Zucker
1 EL Zitronensaft
für die Klüten:
Salz
40 g Butter
80 g Grieß
2 Eier

Holunderbeersaft mit Zitronenschale, Zimt und Nelken aufkochen, mit in Wasser angerührter Speisestärke binden. Äpfel schälen, vierteln, entkernen und in kleine Stücke schneiden. Mit Zucker, Zitronensaft und ⅛ l Wasser aufkochen, zugedeckt gar ziehen lassen. Äpfel erst kurz vor dem Servieren in die Suppe geben, damit sie sich nur leicht rosa färben.
Für die Klüten ¼ l Wasser mit Salz und Butter aufkochen. Den Grieß hineinrühren und zu einem festen Brei umrühren. Wenn sich der Teig vom Topfboden löst und sich ein heller Belag bildet, Topf vom Feuer nehmen und nacheinander die Eier hineinrühren. Den Teig abkühlen lassen, mit einem in kochendes Wasser getauchten Eßlöffel Klöße abstechen. Im Salzwasser 20 Minuten ziehen lassen, bis sie an der Oberfläche schwimmen. Mit einer Schaumkelle herausnehmen und in einer Schüssel anrichten, in die man eine umgedrehte Untertasse gelegt hat, damit die Klüten gut abtropfen. Klüten in Suppenteller legen und die heiße Fliederbeersuppe darübergießen.

Fliederbeeren sind Holunderbeeren, und Klüten nennt man anderswo Klöße oder Knödel.

Hamburger Grog-Geschichten

Den Grog verdanken die Hamburger der Sage nach dem britischen Admiral Vernon, der wegen seines Jacketts aus grobem Stoff, genannt „gros grain“ oder „groggram“, den Spitznamen „Old Groggram“ erhalten hatte. Admiral Vernon nun sah es nicht gern, daß die Angehörigen der Marine die ihnen zustehenden wöchentliche Rum-Ration in einem Zug hinunterkippten. Und so befahl er, das Getränk mit Wasser zu verdünnen. Damit wurde er zum Vater und zum Namengeber des Grogs, den man in manchen Küstenstrichen Norddeutschlands zu den Grundnahrungsmitteln zählt.
Anmerkung: Admiral Vernon ließ den Rum natürlich mit kaltem Wasser verlängern. Es muß sich bei dem ursprünglichen Grog also um ein ziemlich ekelhaftes Getränk gehandelt haben. Ein Rezept für einen echten Grog von Rum finden Sie anschließend.

Grog von Rum

In ein richtiges Grogglas (mit Stiel!) ein gläsernes Grogstäbchen stellen, dann zu 2/3 mit kochendem Wasser füllen. Nach Geschmack 1 bis 2 Stück Würfelzucker darin auflösen. Jetzt erst 1 Schnapsglas braunen Rum (oder mehr) zugießen. Dieser sei möglichst vorgewärmt. Das ist alles. Alles andere ist falsch.

Bremen und Ostfriesland

„Bremer und Ostfriesen sind allem poetischen Überschwang abhold, aber wer ihnen zuschaut, wenn sie ihren Braunkohl oder ihr deftiges hausgemachtes Gebäck verzehren, der liest in ihren Augen die ungeschriebenen Gedichte dieses wortkargen Schlages.“

Neben mannigfachen Verschiedenheiten weisen Bremer und Ostfriesen auch gemeinsame Züge auf. So zum Beispiel in ihrem ungebrochenen Verhältnis zum Fett und zwar zum menschlichen. Sowohl aus dem Ostfriesischen wie aus dem Bremer Umland ist uns die Anekdote von dem zärtlich-stolzen Ausspruch eines Bauersmannes bei sinnender Betrachtung seines Weibes bezeugt: „Kuck an", sprach jener biedere Agronom (er tat es natürlich auf Platt), „ich hab' ihr als traurig-schmales Läuferschwein gekriegt, und jetzt hab' ich ihr zu einem feinen fetten Mastschwein rausgefüttert!«
Bei solcher Wertschätzung des Behäbigen sowohl bei Bremern als auch bei Ostfriesen ist es kein Wunder, wenn Durchreisende in älterer Zeit immer wieder einen gewissen Mangel an Grazie, gefälliger Haltung und flinkem Gang beklagten. „ Bremer und Ostfriesen", behauptet ein Autor des vorigen Jahrhunderts, „schreiten wie mit bleiernen Füßen. Was zum Teil von den Holzschuhen herrühren mag, die man dortzulande von Kindheit auf trägt, besonders in den ärmeren Klassen." Wenn wir unseren Gewährsmann korrekt interpretieren, dann haben in Deutschlands Nordwesten die Betuchten wegen ihres Fettes, die Minderbetuchten wegen ihres Schuhzeugs gewatschelt, womit beide, selbstverständlich rein äußerlich, eine klassenlose Gesellschaft abgaben.

Ebenfalls in einem alten Buch finden wir eine ganz verblüffend einleuchtende Theorie über die Ursprünge des Bremer Wohlstandes: Die Stadt Bremen, so heißt es da, ist ein so unsagbar langweiliger Ort, daß jeder junge Mann froh ist, wenn er sie im Rücken hat. Folglich geht er ins Ausland, tut sich um und betreibt Geschäfte. Kommt er dann wieder heim und heiratet, so weiß er wieder nichts anderes zu beginnen, als zu rechnen, zu spekulieren und zu sinnen, wie er sein Geschäft vergrößern kann, denn keine Zerstreuungen halten ihn davon ab. Die Hauptunterhaltung des Bremers besteht im gewandten Rechnen, im Anhören der Sonntagspredigt und im guten Essen und Trinken.

Kohl und Pinkel

Zutaten für 4 Portionen:
2 kg Grünkohl (schon von den Rispen gestreift)
1 kg Kasseler
75 g Schweineschmalz
500 g Zwiebeln
Salz
Pfeffer
1 TL Zucker
8 Kochwürste
300 g durchwachsener Speck
50 g Hafergrütze
3 Pinkelwürste

Den Kohl waschen, bis er sauber ist, und gut abtropfen lassen. Das Kasseler im Schmalz zusammen mit einigen in Scheiben geschnittenen Zwiebeln von allen Seiten anbraten. Das Fleisch aus dem Topf nehmen, den Kohl hineingeben und bei milder Hitze so lange kochen, bis er zusammengefallen ist. Dann die restlichen, in Scheiben geschnittenen Zwiebeln zugeben. Mit Salz, Pfeffer und Zucker kräftig würzen. Kasseler, Kochwürste und Speck auf den Kohl legen, mit 3/4 l kaltem Wasser begießen. Im geschlossenen Topf weitere 1 1/2 Stunden sanft kochen lassen. Dann das Fleisch herausnehmen. Die Hafergrütze über den Kohl streuen, die Pinkelwürste obendrauf legen. Noch einmal 30 Minuten auf kleiner Flamme kochen lassen. Dann eine Pinkelwurst aufschneiden und das Innere unter den Kohl mischen. Mit Salz und Pfeffer noch einmal abschmecken. Das Fleisch wieder hineinlegen und erhitzen.
Kohl und Pinkel sehr heiß mit Salz- oder Bratkartoffeln servieren. Senf und eisgekühlter Korn gehören dazu!

Selbstgemachter Pinkel

500 Gramm Flomen durch den Fleischwolf drehen, 500 Gramm Zwiebeln schälen, würfeln und in 2 Eßlöffeln Flomen andünsten Dann daraus, aus dem restlichen Flomen, 500 Gramm Hafergrütze und Piment, Salz und Pfeffer einen Teig kneten. Die geschmeidige Masse in einen Leinenbeutel füllen und etwa 1 1/2 Stunden auf dem Grünkohl mitkochen. Danach ein paar Eßlöffel Pinkel aus dem Beutel nehmen und unter den Kohl mischen. Die Pinkelmasse wird zusammen mit dem Kohl, dem Fleisch und den Kartoffeln angerichtet.

Ganz verrückt nach Kohl und Pinkel:

Die ansonsten sehr zurückhaltenden Bremer sind derartig versessen auf Kohl und Pinkel, daß sie in den Wintermonaten – die Saison beginnt offiziell am Buß- und Bettag, wenn der Grünkohl den ersten Frost bekommen hat – sogenannte Kohl- und Pinkelfahrten veranstalten. Jeder Verein, jeder Club, jede Firma veranstaltet eine solche, zu der im allgemeinen Strohhüte, Kohlstrünke als Schmuck, um den Hals gehängte Eierbecher und große Mengen Korn gehören (sonst wären die Eierbecher überflüssig!). Wer die größte Menge Kohl und Pinkel gegessen hat, kriegt einen „Freß"-Orden. Das ist häufig ein Wanderpreis. Er ist sehr begehrt, und ihn zu tragen gilt als hohe Ehre.

Scholle im eigenen Saft

Zutaten für 4 Portionen:
4 Schollen
Salz
1 EL Butter
1 EL Mehl
etwa ¼ l Fischsud
1 EL Senf
Zucker
1–2 EL Sahne

Die Schollen ausnehmen, säubern, salzen und einzeln in Alufolie legen. Folien schließen und in den vorgeheizten Backofen schieben. Schollen im vorgeheizten Backofen bei 225–250 Grad (Gas: Stufe 4–5) garen, je nach Größe 20 bis 25 Minuten. Keine Flüssigkeit zugeben, die Schollen verfügen selbst über sehr viel Flüssigkeit, die vom Salz herausgezogen wird.
In Ostfriesland wird zu der Scholle gern eine Senfsauce gegessen: Aus Butter und Mehl eine helle Mehlschwitze bereiten und mit etwas Fischsud aus der Alufolie ablöschen. Danach den Senf zugeben, mit Zucker, Salz und Sahne abschmecken.
Außerdem Salz- oder Pellkartoffeln dazu reichen.

Bremer Kükenragout

Zutaten für 4 Portionen:
2 junge Hühnchen (Küken) á 200 g
Salz
2 Möhren
¼ Sellerieknolle
1 Stange Porree
1 Zwiebel
50 g Butter
50 g Mehl
¼ l von der Hühnerbrühe
100 g Champignons
1 EL Zitronensaft
125 g Spargel
125 g Erbsen
125 g Krebsschwänze
1 Eigelb
½ Glas Weißwein, trocken
125 g Krabben, geschält

Die ausgenommenen, jungen Hühnchen in etwa 1 l leicht gesalzenem Wasser zusammen mit dem geputzten, kleingeschnittenen Gemüse (Möhren, Sellerie und Porree) und der geschälten Zwiebel weich kochen. Hühnchen in der Brühe kalt werden lassen, dann herausnehmen, und die Brühe durch ein Sieb geben. Aus Butter und Mehl eine helle Mehlschwitze herstellen, mit ¼ l Hühnerbrühe (etwas davon zurücklassen) glattrühren. In der restlichen Hühnerbrühe die geputzten, in Scheiben geschnittenen Champignons garen. Beides dann in die Sauce gießen und mit Zitronensaft abschmecken. Den Spargel in reichlich Salz-

Die Legende vom Bremer Kükenragout

Einer Glucke und ihren Küken verdanken die Bremer ihr Dasein. So behaupten sie es jedenfalls. Ein altes Volksmärchen erzählt, daß auf der Flucht befindliche Fischer nachts auf der sturmgepeitschten Weser in Seenot geraten seien. Eine aufgescheuchte Glucke mit ihren Küken habe ihnen sozusagen in letzter Sekunde den Weg auf eine rettende Düne gewiesen. Auf dieser Düne gefiel es den Fischern außerordentlich. Und so beschlossen sie, einfach dazubleiben. Auf dieser Düne, die noch heute deutlich zu erkennen ist, steht jetzt der Bremer Dom. Für die Glucke und ihre Küken freilich nahm die Geschichte kein gutes Ende. Denn Dankbarkeit ist nie eine Sache der Menschen gewesen. Und so ist es auch nicht weiter verwunderlich, daß die gefiederten Lebensretter flugs in den Topf wanderten. Zum ersten Bremer Kükenragout.

wasser garen, herausnehmen, abtropfen lassen, dann klein schneiden. Die Erbsen in wenig Salzwasser garen, abgießen. Spargel, Erbsen und Krebsschwänze in die Sauce geben. Das Hühnerfleisch häuten und in mundgerechte Stücke schneiden. Dann in die heiße Sauce geben. Das Eigelb mit Weißwein verrühren, das Ragout damit legieren. Zum Schluß, kurz vor dem Servieren, die geschälten Krabben ins Ragout geben und nur noch heißwerden lassen.
Zum Bremer Kükenragout wird körniger Reis gereicht.

Matjes mit grünen Bohnen, Pellkartoffeln und Specksauce

Zutaten für 4 Portionen:
1½ kg Kartoffeln
1 kg grüne Bohnen
4 Zwiebeln
250 g gestreifter Speck, durchwachsen
12 Matjesfilets
reichlich Eiswürfel
1 Bund Petersilie, gehackt

Die ungeschälten Kartoffeln waschen und als Pellkartoffeln kochen. Bohnen putzen, auch kochen. Inzwischen die Zwiebeln schälen und in Ringe schneiden. Den Speck würfeln und in einer Pfanne ausbraten. Die Matjesfilets abtupfen, eventuell fischige Stellen an der Bauchseite abschneiden. Die Eiswürfel auf eine Platte legen, die Matjesfilets darauf anrichten und mit den Zwiebelringen belegen. Die grünen Bohnen mit Petersilie bestreuen und extra reichen. Die gepellten Kartoffeln in einer Schüssel anrichten und mit der Specksauce und den Grieben begießen.

Ein Wort zum Matjes:

Die Matjessaison beginnt im Juni, wenn die Heringslogger, von denen es leider nur noch sehr wenige gibt, mit den ersten Heringsfängen der Saison nach Hause kommen. Der Matjes (sein Name kommt aus dem Niederländischen von „Meisjes" – junge Mädchen) muß seinem Namen entsprechend ein jungfräulicher Hering sein. Er wird auf See gekehlt (geschlachtet) und gesalzen. Noch vor wenigen Jahren konnten durchaus ernsthafte Leute stundenlange Streitgespräche darüber führen, welche Matjesheringe die besseren seien, die aus Glückstadt, die aus Vegesack oder die aus Holland. Diese Diskussionen haben sich erübrigt: Mangels Masse in der Ostsee bekommen wir nur noch Matjes aus Holland.

Gestoovter Schellfisch

Zutaten für 4 Portionen:
750 g Schellfischfilet
2 Zitronen
Salz
Pfeffer
Muskatnußpulver
Butter für die Form
200 g Erbsen
200 g Blumenkohl
200 g Möhren
200 g Sellerie
2 Zwiebeln
2 Zwiebacke, zermahlen
30 g Butter
½ l heiße Fleischbrühe
6 EL Weißwein

Das Schellfischfilet waschen, trockentupfen, mit dem Saft von 1 Zitrone beträufeln und 10 Minuten ziehen lassen. Dann salzen, pfeffern und mit Muskat einreiben. Eine feuerfeste Form mit Butter ausfetten. Den Fisch hineinlegen. Die zweite Zitrone schälen, auch die weiße Haut entfernen. Die Zitrone in dünne Scheiben schneiden und auf den Fisch legen. Das Gemüse putzen, waschen, in heißem Wasser 5 Minuten blanchieren, abtropfen lassen, dann wie die Zwiebel ganz fein hacken und über den Fisch geben. Die Zwiebackbrösel auf das Gemüse streuen. Die Butter in der heißen Fleischbrühe auflösen, den Wein zugeben, die Flüssigkeit über den Fisch gießen. Die Form auf die mittlere Schiene im vorgeheizten Backofen stellen. Den Auflauf bei 220 Grad (Gas: Stufe 4) in etwa 20 Minuten garen. Dann herausnehmen und in der Form servieren.

Wer Ernstes vorhat, sei es Verlobung, Hochzeit, Kindtaufe, der sorgt für seine Gäste ernsthaft vor. Er füllt in ein mehr oder weniger kleines Fäßchen Genever nicht nur eine Menge Kluntjes, sondern auch reichlich schönste Rosinen und läßt das Ganze wohlverschlossen miteinander stehen. Dann holt er angesichts der Freunde eine alte tiefe Silberschale, schöpft aus dem Fäßchen, gibt jedem einen Zinn- oder Silberlöffel mit Vierkantstiel und runder Laffe in die Hand und läßt die Schale rundgehen um den Tisch, auf daß ein jeder daraus schöpfe. Das nennt sich friesische Bohnensuppe.

Jan im Hemd

Das ist ein ganz normaler Hefeteig, der zunächst schön aufgehen muß, ehe er ins „Hemd" gesteckt wird, in ein Geschirrtuch. Dieses Tuch wird unter einen Topfdeckel gebunden (Knoten oben auf dem Deckel). Dann wird der Deckel auf den Topf gelegt, und Jan hängt im Kochtopf. In diesem wird auf kleiner Flamme Wasser zum Kochen gebracht. Es darf nicht „brusen" (also nicht brausend kochen). Auch darf der Teig nicht mit dem Wasser in Berührung kommen. Er gart quasi im Dampf. Der Kloß braucht, um gar zu werden, etwa eineinhalb Stunden. Und wenn er auf den Tisch gestellt wird, zittert er. Vermutlich weil ihm kalt ist, ohne Dampf und ohne Beutel. Die Ostfriesen hingegen behaupten, er zittere vor Freude über die ihm bevorstehende Vereinigung mit dem köstlichen Birnenkompott, zu dem – als Krönung – auch noch Vanilleeis gereicht wird. Die alten Ostfriesen aßen den Jan seinerzeit schlicht mit Milch und Sirup.

Curryfleisch

Zutaten für 4 Portionen:
3–4 Zwiebeln
150 g Butter
3 EL Currypulver
750 g Hühnerfleisch, roh
1 Lorbeerblatt
Salz

Die Zwiebeln schälen und kleingehackt in Butter glasig braten. Currypulver zugeben, kurz durchschwitzen lassen, dann 2 Tassen Wasser zugießen und zum Kochen bringen. Dann das in mundgerechte Stücke geschnittene Fleisch (ohne Haut und Knochen) in die Sauce geben. Das Lorbeerblatt auch. Jetzt mit Salz abschmecken. Das Gericht zugedeckt bei mäßiger Hitze etwa 60 Minuten schmoren lassen. Darauf achten, daß nichts anbrennt. Deshalb ab und zu umrühren und – wenn erforderlich – etwas Wasser zugießen. Zum Curryfleisch körnig gekochten Reis servieren.
Außerdem pflegen sich Bremer verschiedene Sambals in das Gericht zu heben. Sambal ist der Name für Würzpasten, die als Beilage zur indonesischen und indischen Reistafel serviert werden. Sambals gibt es fertig in einschlägigen Geschäften und Kaufhäusern.

Curry-Essen können auch mit Kalbfleisch, Hammelfleisch oder aus Fisch gekocht werden. Das Fleisch ist nämlich gar nicht so wichtig. Alle Zutaten bilden letztlich nur die Basis für den Curry. Denn die weltbefahrenen Leute an der Küste mögen es scharf. Und ein Curry-Essen muß so scharf sein, daß einem die Flammen aus dem Mund schlagen. Wer nun gar einen Seemann bei sich zu Gast hat und ihn mit einem Curry-Essen bewirten will, der sollte mit Curry nicht sparen. Für den sind dann drei Eßlöffel Curry viel zu wenig.
Zum Essen wird im übrigen nichts getrunken, allenfalls ein leichter Tee. Das zischende Bier, sicherlich von manch einem herbeigesehnt, würde den Geschmack zerstören. Allerdings ganz zum Schluß, nach dem Essen, darf man dann auch beim Bier tüchtig zugreifen.

Ostfriesische Kartoffelsuppe

**Zutaten
für 4 Portionen:
1 kg Kartoffeln
2 Bund Suppengrün
Salz
4 Zwiebeln
1 EL Butter
375 g Schinkenspeck,
grob gewürfelt
750 g Granat
(Krabben),
nicht geschält
1 Bund Petersilie**

Die Kartoffeln schälen, waschen und vierteln. Das Suppengrün putzen, waschen und kleinschneiden, mit den Kartoffeln in einem Liter Salzwasser garen. Das Gemüse und Kartoffeln aus dem Wasser heben und durch den Fleischwolf drehen. Das Gemüsewasser aufheben.
Die Zwiebeln schälen, würfeln und in der Butter dünsten. Die Schinkenreste darin anbraten, einen halben Liter Wasser zugießen. Alles etwa 15 Minuten zugedeckt leise kochen lassen. Die Schinkenreste aus dem Topf nehmen. Das passierte Gemüse und das Gemüsewasser hineingeben. Eventuell noch einmal mit Salz abschmecken.
In der Zwischenzeit die Krabben pulen und in vier Suppenteller verteilen. Die heiße Suppe darübergießen. Jede Portion mit gehackter Petersilie bestreuen.

Ein Wort zum gestreiften Speck:

Gestreifter Speck ist ein wesentlicher Bestandteil der bremischen und der ostfriesischen Küche. Für letztere ist er sogar ein unverzichtbares Nahrungsmittel. Die Bremer hingegen haben ein so inniges Verhältnis zu zu ihm, daß sie sogar ihre Staatsflagge schlicht als Speckflagge bezeichnen. Ist sie doch rot-weiß-gestreift und zum Flaggenstock hin gewürfelt.

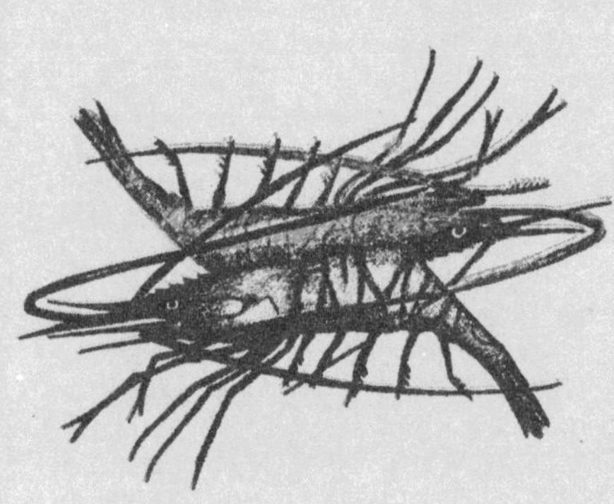

Vom richtigen Krabbenpulen

Die Krabbe wird mit dem (stärkeren) Kopfende zwischen Daumen und Zeigefinger der linken Hand genommen. Mit Daumen und Zeigefinger der rechten Hand wird das Schwanzende vorsichtig gefaßt und unter leichter, rascher Drehung abgezogen.
Nebenbei: Krabben schmecken am besten, wenn man sie sich frisch in den Mund pült.

Labskaus

Zutaten für 4 Portionen:
750 g gepökeltes Rindfleisch
750–1000 g Kartoffeln
500 g rote Bete
4 Zwiebeln
Pfeffer
½ l Essig
1 ½ TL Meerrettich, fein gewürfelt
Salz
Zucker
5 Gewürzgurken
8 Matjesfilets
2 Äpfel
4 Eier

Vorweg eines: Labskaus sollte man am Tage zuvor zubereiten. Aufgewärmt schmeckt es am besten.
Das Pökelfleisch in reichlich Wasser in etwa eineinhalb Stunden weich kochen. Gleichzeitig die Kartoffeln kochen. Die roten Bete in Salzwasser etwa eineinhalb Stunden garen. Fleisch, Kartoffeln und drei Zwiebeln durch den Fleischwolf drehen. Alles gut miteinander mischen, pfeffern und mit Pökelbrühe geschmeidig rühren. Danach das Labskaus bis zum nächsten Tag kalt stellen. Eine Salatsauce aus je ½ Liter Essig und Wasser, der restlichen gewürfelten Zwiebel, dem feingewürfelten Meerrettich, Salz und Zucker nach Geschmack zubereiten. Die Sauce über die noch lauwarmen, in Scheiben geschnittenen roten Bete geben, dann kalt stellen. Am nächsten Tag eine gewürfelte Gewürzgurke in das Labskaus rühren. Alles erhitzen. Die Matjesfilets mit Apfel- und Zwiebelscheiben belegen, aufrollen und mit Stäbchen zusammenhalten. Das Labskaus auf vorgewärmte Teller füllen und mit roten Beten, den restlichen Gurken, Matjes und Spiegeleiern garnieren.

Sie werden an der Küste so viele Labskaus-Rezepte finden, wie es Seemannsfrauen und Schiffsköche gibt. In den skandinavischen Ländern ist es sogar noch schlimmer. Da gibt es nicht nur die verschiedensten Labskauszubereitungen, sondern auch noch eine grundsätzliche Trennung zwischen dem Labskaus für den Kapitän und dem Labskaus für die Mannschaft.

Moppen

Zutaten für etwa 60 Plätzchen:
750 g Mehl
500 g Zucker
2 g Nelkenpulver
4 Eier
2 EL Milch
7 g Pottasche
30 Mandeln, geschält und halbiert
Fett und Semmelbrösel fürs Backblech

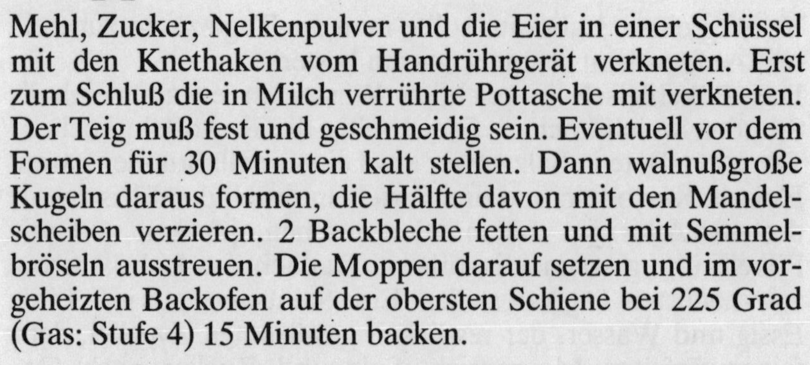

Mehl, Zucker, Nelkenpulver und die Eier in einer Schüssel mit den Knethaken vom Handrührgerät verkneten. Erst zum Schluß die in Milch verrührte Pottasche mit verkneten. Der Teig muß fest und geschmeidig sein. Eventuell vor dem Formen für 30 Minuten kalt stellen. Dann walnußgroße Kugeln daraus formen, die Hälfte davon mit den Mandelscheiben verzieren. 2 Backbleche fetten und mit Semmelbröseln ausstreuen. Die Moppen darauf setzen und im vorgeheizten Backofen auf der obersten Schiene bei 225 Grad (Gas: Stufe 4) 15 Minuten backen.

Kein Bremer Freimarkt ohne Moppen. Die kleinen runden Kügelchen ißt der Bremer konsequenterweise dann auch zu keiner anderen Jahreszeit als im Winter. Die Ostfriesen hingegen nehmen es nicht so genau: Sie meinen, man soll sie essen, wenn man gerade Appetit drauf hat.

Daß die Ostfriesen in Hinsicht der allgemeinen deutschen Unart des Trinkens keine Ausnahme machen, beweist zur Genüge die große Anzahl der diesbezüglichen Sprichwörter und Redensarten.
Das gewöhnlichste Getränk des gemeinen Mannes ist der Kornbranntwein (Jannever oder Kur). Am meisten wird von diesem Getränke an den Küstenstrichen verbraucht, welche Erscheinung man aus der Annahme erklärt, daß die feuchte und ungesunde Marschluft mehr zum Trinken reize, als die Binnenluft.
(Carl-Julius Hibben-Leer, 1919)

Heißwecken

Hefe zerbröseln und etwa 10 Minuten in der lauwarmen Milch quellen lassen. Mehl auf ein Backbrett geben, flüssige Butter und die Hefemilch zugießen. Alle Zutaten mischen, gut durchkneten und an einem warmen Platz etwa 2 Stunden gehen lassen. Danach noch einmal gut durchkneten und dann auf bemehlter Arbeitsfläche etwa 2 cm dick ausrollen. Mit einem Wasserglas (6 cm ⌀) runde Plätzchen ausstechen. Die Plätzchen auf ein gefettetes Backblech legen und noch einmal 30 Minuten gehen lassen. Danach mit dem verquirlten Eigelb bestreichen und im vorgeheizten Backofen 20 bis 25 Minuten bei 200 Grad (Gas: Stufe 3) backen.

Zutaten
für etwa 16 Wecken:
40 g Hefe
¼ l Milch, lauwarm
500 g Mehl
250 g Butter
125 g Korinthen, gewaschen
Fett fürs Backblech
1–2 Eigelb

In Bremen heißen diese Wecken auch Hedwigs. Das hat nun aber nichts zu tun mit einer Dame gleichen Namens. Es ist vielmehr die Verballhornung des plattdeutschen „Hede Wecken“, was wiederum nichts anderes als „Heiße Wecken“ heißt.

Wickelkuchen

Das Mehl in eine Schüssel geben, in die Mitte eine Mulde drücken. Die Hefe mit ⅛ l lauwarmer Milch verrühren und in die Mulde gießen. Die angerührte Hefe dick mit Mehl (ungefähr 1 cm) bestreuen. Diesen Hefevorteig 20 Minuten an einem warmen Platz gehen lassen. Dann die flüssige Butter, die restliche lauwarme Milch und Salz zugeben. Alles zu einem glatten Teig verarbeiten und kräftig durchkneten. Den Teig an einem warmen Platz weitere 20 Minuten bis zur doppelten Größe aufgehen lassen. Den Teig dann auf der bemehlten Arbeitsfläche ½ cm dick ausrollen. Die Teigplatte muß etwa 50 cm lang und 30 cm breit werden.
Für die Füllung die Butter flüssig werden lassen und auf die Teigplatte streichen. Dann Mandeln, Korinthen, Zucker und etwas Zimt darüberstreuen. Die Teigplatte der Länge nach aufrollen und an den offenen Seiten zusammendrücken. Die Rolle noch einmal 10 Minuten gehen lassen, dann oben einige Male quer mit dem Messerrücken eindrücken.
Die Rolle im vorgeheizten Backofen bei 175 bis 200 Grad (Gas: Stufe 2 bis 3) 45 Minuten backen, herausnehmen und abkühlen lassen. Für den Zuckerguß den Puderzucker mit dem Zitronensaft verrühren, und den Wickelkuchen rundherum damit bestreichen.

Zutaten
für etwa 20 Scheiben:
500 g Mehl
30 g Hefe
¼ l Milch, lauwarm
100 g Butter
1 Prise Salz
Füllung:
100 g Butter
100 g Mandeln, gestiftelt
250 g Korinthen, gewaschen
150 g Zucker
etwas Zimt
Guß:
100 g Puderzucker
Zitronensaft

Rotwein-Punsch

Zutaten für 6 bis 8 Portionen:
2 Flaschen Bordeaux
½ Flasche Jamaica-Rum
250 g Zucker
¼ l Wasser
1 Zitronenschale, ungespritzt
Nelken und Zimt

Die Zutaten zusammen in einen Topf geben und erhitzen. Der Zucker muß sich völlig auflösen. Der Punsch darf nicht kochen. Er wird sehr heiß getrunken.

Seit dem 18. Jahrhundert führen die Bremer Rotweine ein. Zusammen mit den Lübeckern stehen sie in dem Ruf, die Rotwein-Experten Europas zu sein. Den Bordeaux lieben sie am meisten. Weil sie aber auch den Rum ziemlich gerne mögen, kamen sie irgendwann auf die Idee, diese beiden Herrlichkeiten miteinander zu mischen.
Das Resultat wird am besten an kalten Abenden getrunken.

Bremer Spezialgericht für kalte Nächte: Doppelpoppel

Man rühre 2 Eigelb tüchtig mit 2 Eßlöffeln zerstoßenem braunen Kandis schaumig. Darauf gieße man erst 4 Eßlöffel guten Arrak und dann 4 Eßlöffel heißes Wasser. Dies Gebräu verteile man auf 2 Groggläser und trinke es so heiß wie möglich.

Ostfriesen-Tee

Die Ostfriesen trinken mehr Tee, als alle anderen Deutschen zusammen. Klar, daß sich deshalb auch nur bei ihnen eine eigene Tee-Zeremonie entwickelt hat, die heute noch gepflegt wird. Selbstverständlich hat auch die Tee-Zubereitung der Ostfriesen viele Varianten.
Dieses hier ist die Variation, die auf Norderney, in Marienhafe, in Dornum und in Stickhausen bei Detern bei der Teezubereitung bevorzugt wird:
In eine vorgewärmte Teekanne werden soviel Teelöffel mit Tee gegeben, wie Tassen getrunken werden sollen.
Dazu kommt noch ein Teelöffel für die Kanne. Das Wasser wird zum Kochen gebracht, darf aber nur ganz kurz „brusen" und wird dann über den Tee gegossen. Der zieht jetzt fünf Minuten. Dann wird er durch ein Sieb in eine zweite vorgewärmte Porzellankanne gegossen. Jetzt kann der Tee getrunken werden:
In die Teetasse werden 1 bis 2 große Stücke weißer Kandis gelegt. Darauf wird der Tee gegossen, so daß es schön knistert. Danach wird mit einem Löffel Sahne in den Tee gehoben. Der Tee darf nicht umgerührt werden. Die Sahne muß im Tee ein Wölkchen bilden. Beim Trinken muß man zunächst den bitteren Tee auf der Zunge erleben, danach die sanfte Sahne, schließlich die Süße des Kandiszuckers. Bei der zweiten und dritten Tasse darf gerührt werden. Nach der dritten Tasse stellt man den Teelöffel in die Tasse – Zeichen dafür, daß erst einmal Schluß ist. Bis zu den nächsten drei Tassen. Es ist unhöflich, die Dreier-Reihenfolge nicht einzuhalten.
Übrigens: Das häufigste Teeservice in Ostfriesland ist das Porzellan mit der geschlossenen Rose – die offene Rose, so sagt man, ist nicht ganz echt.
Ein Wort zum Wasser: In Ostfriesland gibt es im allgemeinen gutes Wasser, was man zum Beispiel von den nahen großen Städten nicht immer sagen kann.
Wer sich hier einen besonders guten Tee leisten will, sollte ihn mit Mineralwasser aufbrühen.
In Gegenwart eines Ostfriesen sollte man niemals von einem gekochten Tee reden. Tee kocht man nicht, den brüht man auf. Es ist übrigens nicht wahr, daß der erste Tee als Strandgut nach Ostfriesland kam und von den Ostfriesen zunächst wie Kohl zubereitet und gegessen wurde. Das ist nur – wie die anderen – ein dummer Witz auf Kosten der netten Menschen aus Ostfriesland.

Hasensuppe

Zutaten
für 4 bis 6 Portionen:
1 kg Hasenklein
60 g Butter
100 g magerer Speck
3 große Zwiebeln
1 Stange Porree
3 große Möhren
ein paar Schinkenschwarten
1 Lorbeerblatt
2 Nelken
1 EL gekörnte Brühe
2 Glas Rotwein
Salz

Hasenklein in Butter und gewürfeltem Speck anbraten, dann mit 1½ l Wasser aufgießen. Das geputzte, kleingeschnittene Gemüse, die Schinkenschwarten, das Lorbeerblatt und die Nelken auf eine Zwiebel gespickt zugeben. Die Suppe 1½ Stunden auf mittlerer Hitze kochen lassen. Danach die Speckschwarten, die gespickte Zwiebel und das Hasenklein aus der Suppe nehmen. Das Hasenfleisch von den Knochen lösen, in mundgerechte Stücke schneiden und wieder in die Suppe geben. Die Suppe mit Brühe, Rotwein abschmecken und eventuell salzen. Die Hasensuppe in eine Terrine umfüllen.

Eigentlich ist es schade um diese feine, klare Suppe: aber sie kann natürlich auch mit 2 Eßlöffeln süßer Sahne gebunden werden.

Biersopp

Zutaten
für 4 Portionen:
½ l Milch
60 g Sago
1 EL Zucker
2 EL Sirup
½ l Braunbier
2 Eier, getrennt
Zimt
Salz

Die Milch zum Kochen bringen, den Sago hineinstreuen, die Hitze herunterschalten. Den Sago in der Milch quellen lassen. Dann Zucker, Sirup und Bier zugeben. Alles kurz aufkochen. Die Suppe mit den Eigelben legieren und dann mit Zimt bestreuen. Den Topf zudecken, die Suppe noch einmal 5 Minuten auf kleiner Hitze ziehen lassen. In dieser Zeit die Eiweiße mit einer Prise Salz sehr steif schlagen. Kleine Klößchen daraus abstechen und 10 Minuten vor dem Servieren in die Suppe geben, dann gehen sie besonders schön auf.
Die Ostfriesen essen diese Biersopp warm oder kalt.

Heimat an der Küste

Wo die Orchidee lockend blüht
Und der Kreolin Purpurlippe lacht,
Bleibt dennoch kalt, das nordische Gemüt.
Und denket an der lieben Heimat Pracht,
An Braunkohl, der im Meereswind sich wiegt,
Und auch an Stine, die nach Selbstgebackenem riecht.
(Ernst Detjen)

Pluckte Finken

Die Bohnen am Vorabend in Wasser einweichen. Gewürfelte Zwiebeln in der Butter glasig braten, den Speck im Stück zugeben und 10 Minuten mit anbraten. Die Bohnen mit ³/₄ l Einweichwasser zugeben und 30 Minuten kochen lassen. In der Zwischenzeit die Möhren putzen und würfeln, die Kartoffeln schälen, auch würfeln. Ebenso die Äpfel. Den Speck aus den Bohnen nehmen und die Möhren hineingeben. Nach 15 Minuten die Kartoffeln und die Äpfel zugeben und weich kochen. Zum Schluß mit Essig, Pfeffer und Salz pikant abschmecken. Den in Scheiben geschnittenen Speck wieder in den Eintopf geben und mit erhitzen. Dann in einer vorgewärmten Schüssel servieren.
Die Pluckten Finken sind in Bremen leider ein wenig aus der Mode gekommen.

**Zutaten
für 4 bis 6 Portionen:
250 g weiße Bohnen
4 Zwiebeln
1 TL Butter
375 g geräucherter Speck, durchwachsen
500 g Möhren
500 g Kartoffeln
500 g Äpfel (Boskop)
2–3 EL Obstessig
Pfeffer
Salz**

Küsterkuchen

Die Butter sahnig rühren, nach und nach 430 g Zucker zugeben, weiterrühren, bis er sich aufgelöst hat. Dann Stück für Stück die Eier unterrühren. Anschließend die Mandeln, den Vanillezucker und die Zitronenschale zugeben. Langsam das Mehl unterkneten. Weiterkneten, bis der Teig ganz geschmeidig ist, dann mit einem Teigschaber fingerdick auf ein bemehltes Backblech streichen. Den Kuchen auf der mittleren Schiene im vorgeheizten Backofen bei 200 Grad (Gas: Stufe 3) in 25 bis 30 Minuten hellbraun backen. Nach 10 Minuten Backzeit den restlichen Zucker auf den Kuchen streuen, damit er etwas karamelisiert.

**Zutaten
für etwa 20 Stücke:
500 g Butter
450 g Zucker
9 Eier
250 g süße Mandeln, gehackt
10 g bittere Mandeln, gerieben
1 Paket Vanillezucker
abgeriebene Schale von 1 Zitrone
500 g Mehl**

In Ostfriesland wird der Küsterkuchen zum Tee gegessen und mit Pflaumenmus oder Johannisbeergelee dick bestrichen.

Ostfriesische Lammkeule

**Zutaten
für 6 bis 8 Portionen:
1 Lammkeule
(etwa 2 kg)
Salz
Pfeffer
2 EL Senf
¼ l Brühe
2 Zwiebeln
1 EL Mehl
5 EL süße Sahne**

Das Fett vom Fleisch schneiden. Die Keule mit Salz und Pfeffer tüchtig einreiben, dann von allen Seiten mit Senf bestreichen. Das abgeschnittene Lammfett zerkleinern und in einem Bräter auslassen. Die Keule darin von allen Seiten scharf anbraten. Dann mit der Brühe ablöschen. Die geschälten, halbierten Zwiebeln in die Sauce legen. Die Keule im vorgeheizten Backofen bei 200 Grad (Gas: Stufe 3) zudeckt etwa 2 Stunden schmoren. Zwischendurch muß sie immer wieder mit kaltem Wasser begossen werden.
Die fertige Keule aus dem Fond nehmen und warm stellen. Den Fond durchgießen, Mehl und Sahne verrühren. Die Sahne damit binden und noch einmal mit Salz und Pfeffer abschmecken.
Zur Lammkeule werden in Ostfriesland sehr gern grüne Bohnen mit Petersilie gegessen.

Ostfriesische Teecreme

Zutaten
für 4 Portionen:
4 Blatt Gelatine
4 EL schwarzer Tee
100 g Zucker
3 Eigelb
100 ccm Milch
250 g süße Sahne
½ Vanilleschote
1 Glas Rosinen in Rum

3 Blatt Gelatine einweichen. Tee mit ⅛ l heißem Wasser überbrühen, ziehen lassen, dann 50 ccm Flüssigkeit davon abnehmen. Zucker und Eigelb schaumig rühren. Milch, 50 g Sahne, Tee und Vanillemark aufkochen, vom Herd nehmen, die Eigelbmischung zugeben, rühren, bis die Creme fast kocht, dann sofort vom Herd nehmen. Die eingeweichte Gelatine in die warme Creme geben, verrühren, kalt stellen. Wenn die Creme an den Seiten fest wird, die restliche geschlagene Sahne unterheben. Die Rosinen abtropfen lassen, entsteinen, die Hälfte davon vorsichtig unter die Masse heben. In eine Schüssel füllen und kalt stellen. Die zweite Hälfte Rosinen halbieren und nach 20 Minuten auf die kalte Creme legen. Das letzte Blatt Gelatine einweichen und in erwärmtem Rum auflösen, über die Rosinen gießen und bis zum Servieren kalt stellen.

Muscheln zu kochen

Wenn man die Muscheln von dem gröbsten Unrath gesäubert hat, so gießt man einigemal reines Wasser darauf, und macht sie mit einem neuen Besen vollends rein; giebt sie dann in einen Netzbeutel, und hängt diesen in einen Kessel voll stark kochendes, gut gesalzenes Wasser; läßt sie nur eben aufkochen und zieht sie dann gleich heraus, sie müssen nur ein wenig die Schale öffnen; die größesten Muscheln können dadurch, daß man sie einen Augenblick zu lange kochen läßt, so einschrumpfen, daß sie ganz klein werden und nicht zu genießen sind. Die Muscheln werden mit Butter und Senf, oder mit einer sauren Sauce gegessen.
Anmerkung: Man thut wohl, eine Zipolle oder einen silbernen Löffel in das Wasser hinein zu werfen, in welchem die Muscheln gekocht werden. Wird der Löffel oder die Zwiebel schwarz, so ist das ein Beweis, daß unter den Muscheln giftige sind.
Sollte man dies versäumt haben, oder, obgleich dies nicht der Fall ist, sich dessenungeachtet nach dem Genusse der Muscheln nicht wohlbefinden, so ist es gut, den Saft einer Citrone mit süßem Wein oder etwas Wasser zu nehmen, man wird denn in wenigen Minuten Besserung spüren.
(Bremisches Koch- und Wirtschaftsbuch)

Wenn alle Berge Butter wären und alle Gründe Grütze,
Und es käm ein warmer Sonnenschein,
Und es flöß' die Butter in die Grütze hinein,
Himmlischer Herr, was müßte das für ein Fressen sein!
(Altes niedersächsisches Grützen-Loblied)

Der Niedersachse ist ein Meister im Wurstmachen, und Wurst ist ein Stück Niedersachsen-Schicksal. Philosophischen Naturen bietet die innige Verwobenheit des Sachsenstammes mit seinen Würsten eine Fülle reizvoller Probleme. Zum Beispiel: Wie konnte es geschehen, daß die Sachsen, die doch nach dem Zeugnis alter Chronisten eigentlich Makedonen sind und erst nach dem Tod Alexanders des Großen ins Hannoversche, Braunschweigische und Oldenburgische auswanderten, unterwegs ihr Griechisch total verschwitzten (vielleicht wanderten sie nur im Sommer?), dafür aber die altgriechische Grützwurst bis heute als Stammesnahrung bewahrt haben? Ist, so fragen wir, Grützwurst etwas lieblicher auf der Zunge als Griechisch? Und noch ein Rätsel: Wie war es möglich, daß die wurstliebenden Sachsen bei ihrer Eroberung Englands ganz plötzlich den Wurst-Gedächtnisschwund bekamen? Denn England, wie jeder weiß, ist ein weißer Fleck in der Wurstgeographie. Könnte es sein, daß die Sachsen nur diejenigen Stammesgenossen nach England abschoben, die so artvergessen waren, keine Wurst zu mögen? Bemerkenswert wie die niedersächsische Wurstliebe ist die hohe Schätzung des wurstliefernden Schweines, die sich ebenfalls durch das ganze Stammesgebiet zieht, besonders aber im Oldenburgischen Maßstäbe setzt. Außer der Grützwurst haben die Niedersachsen von ihren griechischen Ahnen übrigens noch die Neigung zur Philosophie geerbt, die sich auf dem Eßsektor darin äußert, daß sie das bekannteste Backerzeugnis ihres Landes nach dem großen Denker Leibniz genannt haben: den Leibniz-Keks. Was die Tischmanieren dortzulande betrifft, so sind sie – wenigstens in Hannover – einwandfrei: Bekanntlich spricht man im Hannöverschen das feinste Hochdeutsch, was mit vollem Mund einfach unmöglich ist.

Kehdinger Klüten mit Backobst

Zutaten für 4 Portionen:
250 g Backobst
500 g durchwachsener Speck, geräuchert
Schale von ½ Zitrone
40 g Butter
200 g Mehl
Salz
1 EL Speisestärke

Das Backobst mit Wasser bedecken und eine Nacht lang einweichen. Am nächsten Tag das Stück Speck mit Wasser bedeckt (dabei das Einweichwasser vom Backobst mitverwenden) aufsetzen und 30 Minuten kochen lassen. Dann das Backobst und die Zitronenschale zugeben und alles weitere 20 Minuten kochen lassen.
Inzwischen die Klüten (die Mehlklöße) zubereiten. Dazu ¼ l Wasser zum Kochen bringen und die Butter darin schmelzen lassen. Das Mehl und das Salz unter kräftigem Rühren in die kochende Flüssigkeit geben und weiterrühren, bis ein Kloß entsteht. Vom Teig mit nassen Eßlöffeln Klößchen abstechen und in siedendem Salzwasser gar ziehen lassen.
Den Speck aus dem Topf nehmen. Die Flüssigkeit mit der angerührten Speisestärke binden. Vorher die Zitronenschale herausnehmen. Den Speck in Scheiben schneiden und mit Klüten und Backobst servieren.

Kartoffeln gediehen im Kehdinger Land immer schlecht, deshalb aß man Klüten, entweder, so wie im Rezept beschrieben, mit Backobst, oder auch zu Braten mit Sauce. Auf traditionelle Kehdinger Art bereitet man den Klütenteig so zu: Mehl, kochendes Wasser und Butter mit einem Messer durchhacken, bis ein Kloß entsteht, auf keinen Fall rühren!

Kehdinger Hochzeitssuppe

Zutaten für 6 bis 8 Portionen:
1 kg Suppenfleisch (z. B. Rinderbrust)
2 Bund Suppengrün
2 EL gekörnte Brühe
500 g Hackfleisch vom Rind
Salz
Pfeffer
2 Eier
250 g Reis
125 g Rosinen

Das Rindfleisch mit dem geputzten Suppengrün und der gekörnten Brühe in 3 l kaltem Wasser aufsetzen und 2 bis 3 Stunden leise kochen lassen. Inzwischen das Hackfleisch mit Salz und Pfeffer kräftig abschmecken und mit den Eiern mischen. Aus dem Fleischteig kleine Klößchen formen, die in Salzwasser (nicht in der Brühe) gegart und anschließend warm gestellt werden. Den Reis in ½ l Salzwasser ausquellen lassen, dann die eingeweichten Rosinen darin erhitzen. Das Fleisch aus der Brühe nehmen, würfeln und warm stellen. Die Brühe in eine vorgewärmte Terrine durchseihen. Den Reis in einer Schüssel servieren. Bei Tisch nimmt sich jeder aus den verschiedenen Schüsseln Fleisch, Klößchen und Reis auf den Teller und gießt zum Schluß die heiße Brühe darüber.

Übrigens: Zum Hochzeitsessen wird im Kehdinger Land bis heute durch Zeitungsanzeigen eingeladen. Wer sich angesprochen fühlt, darf kommen. Jeder zahlt dann eine mehr oder weniger große Summe, die dann, wenn nach Begleichung der Zeche noch etwas übrigbleibt, für die Aussteuer verwendet wird.

Zu unserer Hochzeit am Sonnabend, die wir in „Müllers Hotel" feiern wollen, laden wir herzlichst ein:

Grete Harms	**Georg (Schorse) August**
Drochtersen	**Drochtersen**

Essen im 19 Uhr
Trauung um 17 Uhr in der Kirche zu Drochtersen.
Wer mit uns feiern möchte, melde sich bitte bis Sonnabend beim Wirt.

Heidschnuckenrücken in Wacholdersahne

Zutaten
für 4 bis 6 Portionen:
2 Zwiebeln
2 Möhren
2 Lorbeerblätter
1 EL Pfefferkörner
1 Nelke
1 TL Wacholderbeeren
⅛ l Essig
⅛ l Rotwein
Salz
1 Heidschnucken-rücken (etwa 1 kg)
2 EL Butter
250 g frische Champignons
¼ l saure Sahne
1 TL Zucker
Pfeffer aus der Mühle
4 EL Portwein

Die Zwiebeln schälen und achteln. Die Möhren putzen und in Stifte schneiden. Beides mit den Lorbeerblättern, den Pfefferkörnern, der Nelke und den Wacholderbeeren in das Essig-Rotwein-Gemisch geben. Die Beize vorsichtig salzen. Den Heidschnuckenrücken für 2 bis 3 Tage in die Beize legen, ab und zu wenden.
Am Zubereitungstag den Rücken aus der Beize nehmen, trocken tupfen, mit Salz würzen. Die Beize durchsieben. Die Butter in einem Bräter heiß werden lassen. Den Rükken darin von allen Seiten anbraten, dann mit einer Tasse Beize ablöschen. Den Bräter in den vorgeheizten Backofen schieben, den Rücken bei 200 Grad (Gas: Stufe 3) etwa 50 Minuten offen braten. Dabei öfter mit Wasser begießen. 20 Minuten vor Ende der Garzeit die Champignons putzen, möglichst nicht waschen, in feine Scheiben schneiden und auf den Heidschnuckenrücken geben. Jetzt einen Deckel auf den Bräter legen. Nach der Bratzeit den Rücken herausnehmen und warm stellen. Den Bratfond mit saurer Sahne loskochen, dann mit Zucker, Pfeffer und Salz abschmecken und zum Schluß mit dem Portwein abrunden. Den Rücken auf einer vorgewärmten Platte mit Rotkohl, Klößen und Preiselbeermark anrichten.

Preiselbeermark

500 g gründlich verlesene, gewaschene und gut abgetropfte Preiselbeeren werden im Mixer mit 500 g Gelierzucker, Saft und ganz fein abgeriebener Schale von 1 Orange püriert. Das ist alles. Das Mark wird gut gekühlt gereicht.

Das Bild der Lüneburger Heide ist geprägt von: Hermann Löns, dem Heidedichter, dem lila Heidekraut, dem gelben Heidehonig, dem urtümlichen Schäfer, der mit großer Heidschnuckenherde und ein paar Hirtenhunden durch die einsame Landschaft zieht. Heidschnucken gehören zur großen Familie der Schafe, unterscheiden sich aber durch ihre in sich gedrehten Hörner und ihre spitzen, schwarzen Gesichter und die dünnen schwarzen Beine, auf denen sie ihr zotteliges, ob der Qualität der daraus gewonnenen Wolle hochgeschätztes Fell durch die Landschaft tragen. Ihr Fleisch schmeckt köstlich.

Steinhuder Aal in Dillsauce

Zutaten für 4 Portionen:
750 g frischer Aal (vom Fischhändler gehäutet)
Saft von ½ Zitrone
4 EL Essig
Salz
Zucker
1 große Zwiebel
1 Petersilienwurzel
½ Stange Porree
1 TL Pfefferkörner
1 Lorbeerblatt
1 Kräuterbund (aus Dill und Petersilie)
30 g Butter
30 g Mehl
⅛ l süße Sahne
1 Eigelb
½ Bund Dill

Den abgezogenen Aal in etwa 5 cm lange Stücke schneiden, mit Zitronensaft beträufeln. ¼ l Wasser mit dem Essig, je 1 Prise Salz und Zucker, der geschälten Zwiebel, der geputzten Petersilienwurzel, dem Porree, den Pfefferkörnern, dem Lorbeerblatt und dem Kräuterbund zum Kochen bringen, dann den Aal hineingeben und etwa 10 Minuten mehr ziehen als kochen lassen. Dann die Aalstücke mit einer Schaumkelle herausnehmen. Den Fischsud durchseihen.
Aus Butter und Mehl eine Mehlschwitze herstellen, mit dem Fischsud aufgießen und 10 Minuten durchkochen lassen. Die Sauce mit der süßen Sahne und Eigelb legieren. Die Aalstückchen hineinlegen und in der Sauce heiß werden lassen. Vor dem Servieren mit abgezupften Dillästchen bestreuen. Dann zu Salzkartoffeln und Gurkensalat reichen.

Anmerkungen zum Aal aus Steinhude:

Fischfang war auf dem Steinhuder Meer seit eh und je eine schwierige Sache. Die Fische fühlten sich in dem knapp mannstiefen Eiszeitsee, der dreimal kleiner ist als der Hamburger Hafen, wohl und gediehen deshalb prächtig. Weshalb sich schon im frühen 16. Jahrhundert die Grafen von Schaumburg und die Herren von Braunschweig auf das heftigste um die Fischereirechte stritten. Die Preußen verzichteten erst 1885 auf alle Ansprüche. Und damit auch auf die köstlichen Aale, die sie nun, wie alle anderen, teuer bezahlen mußten. Geräucherter Aal aus dem Steinhuder Meer gilt, wie der frische, heute als ausgesprochene Delikatesse.
Zu geräuchertem Aal gehört natürlich ein gutes, kräftiges Schwarzbrot von niedersächsischer Art, wie es Philosoph und Spötter Voltaire anläßlich einer Reise zu Friedrich dem Großen kennen- und schätzenlernte: „Ein gewisser klebriger Stein, der aber, wie man hört, aus Getreide gemacht ist.“

Welfenpudding

Zutaten
für 4 bis 6 Portionen:
½ l Milch
120 g Zucker
1 Päckchen
Vanillezucker
1 Prise Salz
40 g Speisestärke
4 Eier, getrennt
1 EL Zitronensaft
¼ l Weißwein
10 g Speisestärke

Die Milch (2 bis 3 EL zum Anrühren der Speisestärke zurücklassen) mit 40 g Zucker, Vanillezucker und Salz aufkochen. Die Speisestärke mit dem Milchrest anrühren und in die Milch einrühren. Den Flammerie unter kräftigem Rühren aufkochen lassen, erst dann das steifgeschlagene Eiweiß unterheben. Den Flammerie in eine Glasschale füllen (höchstens halbvoll) und kalt werden lassen.
Für den Weinschaum gibt man die Eigelbe, 80 g Zucker, Zitronensaft, Wein, mit Milch angerührte Speisestärke in einen engen hohen Topf und verrührt die Zutaten. Unter Rühren wird die Masse auf milder Hitze so lange erhitzt, bis sie aufsteigt und schaumig wird. Den Topf vom Herd nehmen, den Weinschaum noch etwa 5 Minuten weiterschlagen, bis er etwas abgekühlt ist. Dann löffelweise auf den weißen Flammerie heben. Der Flammerie muß schon kalt sein, wenn der Weinschaum daraufgegeben wird, sonst mischt er sich mit dem Schaum und wird wieder dünn.

Der welfische Löwe ist seit Heinrich dem Löwen Wappentier für das Land zwischen Elbe und Weser. Die welfischen Farben „gelb und weiß“ gaben der Landessüßspeise „Welfenpudding“ ihren Namen, wobei das Wort „Pudding“ nicht ganz richtig ist, küchentechnisch handelt es sich um einen Flammerie und obendrauf liegt eine Weinschaumcreme.

Een spinnt jümmer,
wenn twee spinnt, wat slimmer!
(Alte Heidjer-Weisheit)

Braunschweiger Spargelessen

Die alte Welfenstadt Braunschweig liegt inmitten einer berühmten Spargellandschaft, weshalb denn auch die beste Sorte „Ruhm von Braunschweig“ heißt. Der Braunschweiger Spargel ist besonders zart und weiß und an seinen geschlossenen Köpfen gut zu erkennen. In Braunschweig wird er „geschlürft“, dazu gibt es zarten, hauchdünn geschnittenen Schinken und heiße braune Butter.

Braunschweiger Spargel

Pro Person nimmt man 1 ℔ zarten, weißen Braunschweiger Spargel, schält ihn nicht zu sparsam und bündelt ihn wieder nach Pfunden. Die Bündel legt man in kochendes Salzwasser mit 1 Prise Zucker und 1 Stück guter Butter. Darin läßt man ihn 18 bis 20 Minuten nur sieden, damit die zarten Köpfchen nicht zerfallen. Danach richtet man ihn auf einer Spargelplatte an und serviert ihn heiß mit brauner Butter und jungen Heide-Kartoffeln.

Oldenburger Mockturtlesuppe

Zutaten für 4 Portionen:
½ Kalbskopf (vom Fleischer küchenfertig vorbereitet)
1 großes Bund Suppengrün
1 Zwiebel
Salz
80 g Butter
120 g Mehl
Pfeffer
Zucker
gekörnte Brühe
knapp ⅛ l Madeira

Den Kalbskopf wässern, dabei das geronnene Blut entfernen. Das Hirn herausnehmen und unter fließendem Wasser säubern. Dann in siedendem Wasser in 20 Minuten gar ziehen lassen, dann herausnehmen und kleinschneiden. Den Kalbskopf mit Wasser bedeckt und dem geputzten Suppengrün, der Zwiebel und etwas Salz aufsetzen und langsam kochen lassen. Er ist nach etwa 3 Stunden gar. Dann in der Brühe kalt werden lassen. Anschließend mit einem kleinen Messer das Fleisch von den Knochen schneiden. In der Suppe zerfällt es in einzelne kurze Fasern. In heißer Butter das Mehl kräftig braun rösten und mit 1 l durchgesiebter Brühe auffüllen. Die Suppe mit Pfeffer, Salz, Zucker und gekörnter Brühe abschmecken und mit Madeira abrunden. Jetzt das Fleisch und das kleingeschnittene Hirn hineingeben. Nach Belieben können zusätzlich noch Fleischklößchen in die Oldenburger Mockturtlesuppe gegeben werden.

Die Oldenburger Mockturtlesuppe ist im Gegensatz zur echten Mockturtlesuppe, die meist klar ist, eine gebundene cremige Suppe. Im Geschmack sind falsche und echte Schildkrötensuppe fast identisch.

Von der Üppigkeit Harzer Speisekarten oder: Wie der Bücking zu seinem Namen kam

In der „Krone" zu Klausthal hielt ich Mittag. Ich bekam frühlingsgrüne Petersiliensuppe, veilchenblauen Kohl, einen Kalbsbraten, groß wie der Chimborasso in Miniatur, sowie auch eine Art geräucherter Heringe, die Bückinge heißen, nach dem Namen ihres Erfinders, Wilhelm Bücking, der 1447 gestorben und um jener Erfindung willen von Karl V. so verehrt wurde, daß der selbe anno 1556 von Middelburg nach Bivlied in Seeland reiste, bloß um dort das Grab dieses großen Mannes zu sehen. Wie herrlich schmeckt doch solch ein Gericht, wenn man die historischen Notizen dazu weiß und es selbst verzehrt! Nur der Kaffee nach Tisch wurde mir verleidet, indem sich ein junger Mensch diskursierend zu mir setzte und so entsetzlich schwadronierte, daß die Milch auf dem Tische sauer wurde.
(Heinrich Heine: Die Harzreise)

Kalbskeule und Champignons in Sahnesauce

Zutaten für 6 bis 8 Portionen:
3 kg Kalbskeule
Pfeffer
2,5 kg Champignons
50 g Butter
4 Zwiebeln
3/8 l süße Sahne
2 EL Mehl
etwas Dill
etwas Kresse

Die Kalbskeule mit Pfeffer rundherum einreiben. Den Backofen auf 200 Grad (Gas: Stufe 3) vorheizen. Die Kalbskeule darin auf der Saftpfanne 1 Stunde braten.
Inzwischen die Champignons putzen und waschen. Die Zwiebeln fein würfeln. Die Butter in einem Topf erhitzen. Die Zwiebeln darin glasig braten. Dann die ganzen Champignons zugeben, mit Salz und Pfeffer würzen. Die Champignons so lange schmoren lassen, bis alle Flüssigkeit verdampft ist. Das dauert etwa 45 Minuten. Die Pilze dann zur Keule in die Fettpfanne geben. 1/4 l Sahne angießen. Nach 1 weiteren Stunde Bratzeit den Backofen auf 225 Grad (Gas: Stufe 4) hochschalten. 1/4 l Sahne mit dem Mehl verquirlen und in die Sauce rühren. Nach weiteren 20 Minuten die restliche Sahne angießen und verrühren. Den Braten noch 10 Minuten im Backofen lassen. Dann mit den Pilzen und der Sauce auf einer vorgewärmten Platte anrichten und vor dem Servieren mit etwas gehacktem Dill und gehackter Kresse bestreuen.

In Niedersachsen wird diese sahnige Kalbskeule mit Vorliebe im April zubereitet, weil dann die neuen Kartoffeln da sind.

Neue Kartoffeln in der Schale

Zutaten für 6 bis 8 Portionen:
1 1/2 kg neue Kartoffeln
2 Bund Petersilie

Die neuen Kartoffeln unter fließendem Wasser gründlich abbürsten. Dann als Pellkartoffeln kochen, anschließend abgießen und kurz mit kaltem Wasser abschrecken, damit sie sich besser, wenn nötig, pellen lassen. Die trocknen, nicht gepellten Kartoffeln in einer Schüssel anrichten und mit gehackter Petersilie bestreut servieren.

Heidesand

**Zutaten für
60 bis 80 Plätzchen:
250 g Butter
250 g Zucker
1 Päckchen
Vanillezucker
1 Prise Salz
1 EL Milch
375 g Mehl
Fett fürs Backblech**

Die Butter gut bräunen und kalt werden lassen, dann sahnig rühren. Nach und nach den Zucker, den Vanillezucker, das Salz und die Milch zugeben und schaumig rühren. Das Mehl erst unterrühren, dann unterkneten. Den Teig zu Rollen von etwa 4 cm Durchmesser formen, in Pergamentpapier einwickeln und in den Kühlschrank legen. Den kalt gewordenen Teig in ½ cm dicke Scheiben schneiden. Plätzchen auf ein gefettetes Backblech setzen und im vorgeheizten Ofen etwa 10 Minuten bei 200 Grad (Gas: Stufe 3) hellgelb backen.
Übrigens: Es ist zwar ein bißchen umständlich, die Butter erst zu bräunen, dann wieder kalt werden zu lassen, um sie jetzt erst sahnig zu rühren. Aber gerade dieser erste Bräunungsprozeß macht den typischen Geschmack vom Heidesand aus.

Hannöversche Erbsensuppe

**Zutaten
für 6 Portionen:
2 kleine Möhren
1 Petersilienwurzel
½ Stange Porree
600 g frische,
enthülste Erbsen
Salz
Zucker
1 EL Butter
etwas gekörnte Brühe
1 Bund gehackte
Petersilie**

Das geputzte Gemüse (bis auf die Erbsen) in kleine Würfel schneiden und in 1½ l Wasser mit etwas Salz, 1 Prise Zukker, Butter und der gekörnten Brühe in etwa 10 Minuten halb gar kochen. Dann die Erbsen zugeben und weitere 10 Minuten mitkochen lassen.
Diese Suppe ist nur von richtiger hannöverscher Art, wenn noch die Grießklößchen (aus Rezept Seite 89) hineingegeben werden. Sie müssen in der Erbsensuppe dann noch 10 Minuten ziehen, damit sie heiß werden und ein wenig vom Geschmack der Erbsen annehmen. Vor dem Servieren wird die gehackte Petersilie in die Suppe gegeben.

Julie Schrader, der welfische Schwan, über den großen Ernst-August von Hannover: „Er sitzt auf einem Steinroß, dessen Füße in einem Denkmal stecken, vor dem neuen Bahnhof, welcher wie ein Schloß aussieht. Er heißt Ernst-August und ruht in einem Mausoleum in Herrenhausen, welches aussieht wie der Kartoffelbunker von Landdrost Finke."

Knipp, in der Pfanne gebraten

2 ℔ Graupen kocht man in 2 Liter kräftiger Brühe auf und läßt sie dann auf kleiner Flamme ausquellen. In der Zeit kocht man 1 1/2 ℔ Rinderleber, die anschließend mit etwas Restfleisch vom Schwein und 1 ℔ Speckschwarten durch den Wolf gedreht wird. Den Fleischbrei gibt man mit Salz, Pfeffer und 1 Prise Nelkenpfeffer in die Grütze und rührt alles tüchtig durch. Sodann füllt man die Masse in einen Leinenbeutel und läßt sie 2 Stunden in 2 Litern Fleischbrühe ziehen. Dann wird der Beutel entfernt. Die Grützwurstmasse brät man in der Pfanne. Dabei muß sie etwas breiig bleiben und doch Krüstchen bilden.

Knipp ißt man mit Bratkartoffeln.

Kalbsschulter

**Zutaten
für 4 bis 6 Portionen:
1 kg Kalbsschulter, ohne Knochen
75 g Speck zum Spicken
3 EL Butter
150 g Wurzelgemüse (Möhre, Sellerie- und Petersilienwurzel, Porree)
50 g Schinkenreste
½ l Buttermilch
1 TL guter Fleischextrakt
1 rohgeriebene Kartoffel oder
1 EL Stärkemehl
6 Sardellenfilets, gewässert
Salz, Pfeffer**

Die Kalbsschulter von innen mit dem Speck spicken (am besten vom Fleischer vorbereiten lassen), rollen und zusammenbinden. Die Schulter in der Butter von allen Seiten langsam anbraten. Das geputzte Wurzelgemüse und die Schinkenreste fein würfeln und mit anbraten. Etwa 6 EL von der Buttermilch zugeben. Zugedeckt bei milder Hitze dünsten. Nach und nach die restliche Buttermilch bis auf 5 EL zugießen, weiterdünsten. Nach 1½ bis 1¾ Stunden Garzeit das Fleisch herausnehmen und warm stellen. Die Sauce durch ein Sieb in einen Topf passieren. Bei Bedarf noch etwas Buttermilch zugeben. Mit dem Fleischextrakt würzen. Die rohe Kartoffel hineinreiben und die Sauce damit binden. Zum Schluß die feingehackten Sardellenfilets unterrühren, mit Salz und Pfeffer würzen. Die Sauce noch einmal durchkochen lassen und dann getrennt zur Kalbsschulter reichen. Dazu Butternudeln oder Salzkartoffeln und grünen Salat reichen.

Meerrettich-Rosinen-Sauce

**Zutaten
für 4 Portionen:
40 g Butter, 40 g Mehl
¼ l Fleischbrühe
¼ l Milch
Salz, Pfeffer
½ Tasse Rosinen
1 Stück frischer Meerrettich (10 cm)**

Aus Butter, Mehl, ⅛ l Fleischbrühe und Milch eine helle Mehlschwitze herstellen, mit Salz und Pfeffer abschmecken. Die Rosinen waschen, in der restlichen Fleischbrühe kurz aufkochen, dann mit der Flüssigkeit in die Mehlschwitze geben. Den frischen Meerrettich in die Sauce reiben. Sie wird zu gekochtem Rindfleisch serviert.

Cumberlandsauce

**Zutaten
für 4 Portionen:
1 kleine Schalotte
Schale von ½ Orange (ungespritzt)
3 EL Rotwein
250 g Johannisbeergelee
1 TL Senfpulver (ersatzweise scharfer Senf)
Salz
Cayennepfeffer
1 Msp. Ingwerpulver
1 Schuß Portwein**

Die sehr klein geschnittene Schalotte und die in schmale Streifen geschnittene Orangenschale (die weiße Haut unbedingt entfernen, sie ist bitter) im Rotwein zum Kochen bringen, dann auf sehr milder Hitze 10 Minuten ziehen und anschließend kalt werden lassen.

Das Johannisbeergelee mit den Gewürzen abschmecken und in die kalte Rotweinmischung rühren. Den Portwein zugeben und noch einmal abschmecken.

Anmerkungen zur Cumberlandsauce:

Hannover war britisch bis in die Saucen. Die berühmte Cumberland wurde für die Hoftafel des Herzogs Ernst-August von Cumberland kreiert. Sie ist der beste Beweis dafür, daß Ernst-August mit seinen Köchen mehr Glück hatte als mit seinem Thron. Denn den durfte er nie besteigen, weil sich die Preußen das Königreich Hannover einverleibten. Die Cumberlandsauce ist die klassische Sauce zu kaltem Fleisch, zu kalten Pasteten und vor allen Dingen zu Wild, wobei der Rehrücken noch besonders hervorzuheben ist.

Eben geht mit einem Teller
Witwe Bolte in den Keller,
Daß sie von dem Sauerkohle
eine Portion sich hole.
(Wilhelm Busch)

Wiesendahler Häringskartoffeln
nach Wilhelm Busch

man legt in der Schale gekochte, gepellte und dann in Scheiben geschnittene Kartoffeln abwechselnd mit gehacktem Häring in eine Blechform. Sodann verquirlt man sauren Rahm, Eier und gestoßenen Zwieback, gießt's drüber, schiebt die ganze Geschichte in den Bratofen und läßt sie stehen, bis sie knustig wird.

Braunkohl mit Brägenwurst

Zutaten
für 6 Portionen:
1 kg Grünkohl, geputzt
3 große Zwiebeln
100 g Schweine-schmalz
500 g Schweinefleisch (Bauchstück), gewürfelt
Salz
Muskat
6 Birnen
6 Brägenwürste (ersatzweise Grützwürste)

Den Grünkohl (Braunkohl) putzen, waschen, gründlich abtropfen lassen und hacken. Die Zwiebeln schälen und würfeln, dann im Schweineschmalz glasig braten. Das gewürfelte Schweinefleisch zugeben und mit anbraten. Mit Salz und frisch geriebener Muskatnuß würzen und mit knapp ¼ l heißem Wasser auffüllen. Jetzt den vorbereiteten Grünkohl zugeben und etwa 40 Minuten auf milder Hitze garen. Die Birnen schälen, vierteln, entkernen und in den letzten 10 Minuten Garzeit mitkochen lassen. Ebenso die Brägenwürste, die obendrauf gelegt werden. Den Eintopf dann in eine vorgewärmte Terrine umfüllen. Dazu gibt es außerdem Salzkartoffeln.

Brägenwurst (mit einem Zusatz von Schweinehirn) ist außerhalb Niedersachsens ziemlich schwer zu bekommen. Sie ist zwar fester Bestandteil beim Grünkohlessen, zur Not kann man aber auch eine selbstgemachte Grützwurst nehmen. Den sieben kalorienreichen Veredelungen eines echten Grünkohlessens hält ein nicht-norddeutscher Magen sowieso kaum stand. Die folgenden fünf Fleischbeigaben müssen aber sein: Brägenwurst (bzw. Grützwurst), Kochwurst, grüner Speck, geräucherter Speck und Kasseler. Dazu Senf und auf gute Niedersachsenart kräftiges Einbecker Bier und hinterher einen Astenbeker Korn aus der Hildesheimer Börde, der Kornkammer Niedersachsens. Das Starkbier aus Einbeck, das „ainpöckisch Bier", wird schon seit dem 15. Jahrhundert gebraut und hat dem Bockbier, wie wir es heute trinken, seinen Namen gegeben.

Der Philosoph und der Grünkohl

Anno 1570 reiste der niederländische Philosoph Lipsius durch deutsche Lande. Als ihn im Oldenburgischen der Hunger plagte, ließ er die Kutsche halten und ging in ein Gasthaus, wo er seine Bestellung dem Wirte recht gleichgültig aufgab: „Nun, bringe er, was er hat an Landesspeisen." Es war Winter,und der Wirt brachte ihm Grünkohl. Das kräftige Mahl mundete dem Philosophen ganz ausgezeichnet, worauf er seine gleichgültige Haltung bald aufgab: „Es war ein herrlich' Gericht, dies ungeheu' Kumm voll des brunen Kohls. Einen Fingerbreit darüber fließt die Brüh' von Schweinefett. Ich habe sie mit recht Genuß verschlungen."

Grützwurst

Zutaten für 8 Portionen:
500 g Schweineschwarten
500 g Schweinefleisch (Reste oder Gulaschstücke)
750 g Schweineleber
750 g Graupen
Salz (evtl. Rauchsalz)
Pfeffer aus der Mühle
Nelkenpfeffer
Majoran

Die Schweineschwarten in 1½ bis 2 l Wasser 80 Minuten kochen. Nach 15 Minuten Kochzeit das gewürfelte Schweinefleisch und nach 1 Stunde die geputzte, kleingeschnittene Leber mit zu den Schwarten geben. Nach dem Garen das Fleisch aus der Brühe nehmen. Von der Brühe ¾ l abnehmen, darin die Graupen auf milder Hitze in 40 Minuten ausquellen lassen. Die restliche Brühe aufheben.
Während die Graupen quellen, das Fleisch und die Schwarten durch den Fleischwolf drehen und mit Salz, Pfeffer, Nelkenpfeffer und Majoran kräftig würzen. Dann die ausgequollenen Graupen unterrühren, den Brei noch einmal abschmecken. Diese Grützwurstmasse in eine Serviette oder eine Windel füllen, eine lange Wurst daraus formen, an den Enden fest zusammenbinden. Die Wurst in der restlichen Brühe noch einmal 20 Minuten mehr ziehen als kochen lassen, dann herausnehmen. Wurstmasse kalt werden lassen und aus dem Stoff nehmen. Die Grützwurst wird dann in Scheiben geschnitten und entweder kalt gegessen oder aufgebraten mit Bratkartoffeln serviert.

Grießklößchen

Zutaten für 6 Portionen:
¼ l Milch
1 EL Butter
1 TL Salz
1 TL Zucker
100 g Weizengrieß
2 Eier

Die Milch mit Butter, Salz und Zucker zum Kochen bringen. Den Grieß hineinstreuen, die Hitze herunterschalten. Den Grieß so lange rühren, bis sich die Masse vom Topfboden löst. Dann noch einmal abschmecken. Den Topf vom Herd nehmen, 1 Ei in den heißen Brei rühren. Den Brei abkühlen lassen, dann erst das zweite Ei unterrühren. Mit 2 nassen Teelöffeln aus dem Brei Klößchen abstechen. Die Grießklößchen in der Hannöverschen Erbsensuppe (Rezept Seite 84) noch 10 Minuten mitgaren lassen.

Vom Unterschied zwischen Harzer Käse und Harzer Roller

Harzer Käse ist eine Besonderheit unter den vielen deutschen Käsesorten. Er ist ein Sauermilchkäse und ein Bruder vom Mainzer Handkäse. Als Stiefbruder gehört noch der Thüringer Leichenfinger aus Ziegenmilch in die Familie. Der Harzer ist klein und hat keine Rinde. Außen ist er weißlich gelb und innen ganz weiß, wenn er frisch ist. In diesem Zustand sollte man ihm noch ein wenig Zeit zum Reifen lassen. Richtig gut schmeckt er erst, wenn er innen schön speckig ist. Dann ißt man ihn auf Schwarzbrot und Schmalz.

Ein Harzer Roller ist ein besonders geschulter Kanarienvogel: Er kann jodeln. Junge Kanarienhähne werden bald nach dem Schlüpfen in der hohen Kunst von Hohlrolle, Klingel und Knorre geschult. Heute muß man lange suchen, bis man einen begabten Jodler findet, früher war die Vogelzucht ein großer Erwerbszweig im Harz. Tiroler Knappen brachten die Kanarien mit und Auswanderer aus dem armen Erzgebirge die Finken. Noch heute findet jedes Jahr zu Pfingsten in Hohegeiß ein Finkenmanöver statt, bei dem jenes Finkenmännchen ermittelt wird, das am ausdauerndsten „schlagen“ kann.

Lüneburger Aalquappensuppe

Das Suppenfleisch, die Knochen und halbierte Zwiebeln mit Salzwasser gut bedeckt kalt aufsetzen, aufkochen, danach die Hitze herunterschalten und 2 Stunden leise kochen lassen. Die Brühe anschließend durch ein Sieb gießen. Es darf nicht weniger als 1 l sein (gegebenenfalls mit Fleischbrühe auffüllen).
Das Gemüse putzen und in Stifte schneiden. Dann mit der Hafergrütze in die durchgesiebte Brühe geben und darin knapp 20 Minuten kochen lassen. Mit Salz und Pfeffer abschmecken.
Den geputzten, gewaschenen Fisch in etwa 3 cm große Stücke schneiden und in der Gemüsesuppe 10 Minuten ziehen lassen. Aalquappensuppe wird vor dem Servieren mit reichlich gehackter Petersilie bestreut.

**Zutaten
für 4 Portionen:
500 g Suppenfleisch
4 kleine Markknochen
2 Zwiebeln
Salz
4 Möhren
1 Stange Porree
½ Sellerieknolle
1 Petersilienwurzel
75 g Hafergrütze
Pfeffer
750 g Aalquappe, ohne Haut und Gräten und ausgenommen (ersatzweise Schellfisch)
½ Bund Petersilie**

Die Aalquappe ist ein ziemlich gefräßiger Raubfisch, der in den Heideflüssen nach Jungfischen und Fischbrut auf der Jagd ist. Weil er sich also nur von Zartem und Frischem ernährt, schmeckt er auch selber zart und frisch. Das Beste an ihm ist seine Leber, weshalb man sie mit in die Suppe gibt. Den Rogen muß man allerdings wegtun – er ist ungenießbar. Die Aalquappe (auch Quappe, Trüsche oder Rutte genannt) gibt es nur noch selten, sie ist ein Opfer der Flußverschmutzung geworden.

„Selbst auf den reichsten Geist und die feurigste Seele wirkt das Leben hier bald wie eine Mast- und Liegekur." So schätzte der Heidedichter Hermann Löns in seiner Zeit als Lokalredakteur der Schaumburg-Lippischen Landeszeitung Leben und Leute im Klein-Fürstentum mit bissiger Ironie ein.

Bookweeten Janhinnerk

**Zutaten
für 4 Portionen:
500 g Buchweizenmehl
(Reformhaus)
1 TL Salz
2 Eier
200 g fetter Speck
Heidehonig**

Das Buchweizenmehl mit Salz, Eiern und so viel Wasser verrühren, bis ein dickflüssiger Brei entsteht. Den Speck in kleine Würfel schneiden und portionsweise in der Pfanne goldgelb auslassen. Buchweizenbrei löffelweise ins Bratfett geben und kleine Pfannkuchen backen. Die einzelnen Buchweizenpfannkuchen stapeln und warm stellen, bis genügend fertig sind. Beim Essen dick mit Honig aus der Heide bestreichen.
Herzhaft schmeckt der Bookweeten Janhinnerk genau so gut, man bestreicht ihn dann mit selbstgemachter Leberwurst.

Im Flintlandsmoor, wo Edewecht, Bad Zwischenahn und Westerstede sich treffen, wird ein ziemlich großes Stück Ackerland ausschließlich für den Anbau von Buchweizen genutzt. Buchweizengerichte sind zwar im ganzen Norden beliebte Speise, aber hier in diesem Landstrich sind sie zu Hause. Der „Bookweeten Janhinnerk" ist sogar die Hauptattraktion während der Westerschepser Festwoche. Er muß immer in Speckfett oder mindestens in Öl gebacken werden.

Prilleken

**Zutaten
für etwa 50 Stück:
500 g Mehl
30 g Hefe
¼ l Milch
100 g Zucker
80 g Butter
1 Prise Salz
abgeriebene Schale
von 1 Zitrone
(unbehandelt)
Ausbackfett
(am besten Schmalz)
Zucker zum Bestreuen**

Aus Mehl, Hefe, Milch, Zucker, Butter und Salz einen Hefeteig kneten. Zum Schluß die Zitronenschale mit unterkneten.
Aus dem Hefeteig Bällchen formen, plattdrücken. Die Bällchen noch einmal etwa 30 Minuten gehen lassen. Das Ausbackfett erhitzen und die Prilleken portionsweise darin goldbraun ausbacken. So heiß wie möglich essen und dick mit Zucker bestreuen. Außerdem Apfelmus oder anderes Kompott dazu reichen.

Harzer Tauschhandel:

In der Fastnachtszeit wurden überall in Niedersachsen Berge von Prilleken gebacken. Am Dienstagabend, dem Fastnachtsabend, gingen die Kinder dann mit Tannenzweigen in den Händen von Haus zu Haus. „Fasselnacht, Fasselnacht, wat willst je geben? Apfel oder Beeren? Geld nehmt wi gern. Lat ösch nicht tau lange stahn, denn wi willt noch wider gahn!" Nach diesem Lied taten die Angesungenen gut daran, sich mit Prilleken freizukaufen. Taten sie das nicht freiwillig, wurden sie mit den Tannenzweigen so lange gekitzelt, bis sie die heißersehnten Prilleken endlich herausgaben.

Natürlich waren die Prilleken im Harz genauso begehrt, wie im übrigen Niedersachsen. Zur früheren Goslarer Bergmannsfastnacht wurden die Kinder an die Tür des Nachbarn geschickt, wenn es dort nach dem heißen Schmalz roch, in dem die ungeheuren Prillekenmengen gebacken wurden: „Schönen Gruß von maane Mutter, ich sollte mal fragen, ob wir unsere Prilleken in Ihrem Fette backen könnten – dafür könnten Sie Ihr Flaasch (Fleisch) in unserer Suppe kochen."

Hausgemachte Leberwurst

(Frische Schweinebacke und frische Schweineleber im Verhältnis 2:1)
Schweinebacke entschwarten, die Drüsen rausschneiden und die dunklen Stellen vom Stich abschneiden.
Die Backe in Stücke schneiden, in reichlich Wasser (bei etwa 80 Grad) 30 Minuten sieden lassen, dann herausnehmen und wie die frische, geputzte Leber durch die grobe Scheibe vom Fleischwolf (5 mm) drehen. Dann feingehackte Zwiebel nach Geschmack untermischen. Mit Zucker und (je 500 g = 1 g) Pfeffer und Pigment würzen. In saubere Gläser füllen, verschließen und auf den Rost des kalten Backofens stellen. Bei 100 Grad sterilisieren. Wenn am Glas innen kleine Bläschen hochsteigen, muß noch 25 Minuten weiter bei 100 Grad sterilisiert werden. Dann die Gläser im ausgeschalteten Backofen kalt werden lassen.

Westfalen

Die Westfalen sind von hohem Wuchs und breitschultrig und haben viel bäuerliches Brauchtum bewahrt. Im Wesen ist der Westfale schwerfällig, jedoch empfindsam und erlebnistief.

(Zitiert aus dem Großen Brockhaus)

Das folgende Kapitel lese man ehrfurchtsvoll, sozusagen mit zum Salut erhobenem Nudelholz. Denn wir betreten nunmehr die Küche der Westfalen, die nicht nur alt, sondern uralt ist. Hier waltet nicht der betuliche Geist der lieben Uroma am Herd, am trauten, sondern der zweitausendjährige hehre Schatten der Germanen-Dame Thusnelda ist es, der da an offener Feuerstätte thront, die Mägde scheuchend, weil Arminius, der wackere Heldengemahl, bald vom Römer-Auflauern nach Hause kommt und einen Bärenhunger und ebensolchen Durst mitbringt. – Daß ausgerechnet die Westfalen die germanische Uralt-Küche so treulich bewahrt haben (wenigstens bis zum 1. Welt-krieg, sagen die Kenner), liegt am westfälischen Naturell, von dem es in einem Zeitungsartikel von 1867 heißt: „Der Grundcharakterzug der Westfalen ist der Konservatismus. Außerdem ist bei ihnen die typische Liebe der übrigen Germanen zum Fremden gänzlich unentwickelt.“ Der nämliche landeskundige Schreiber versichert, die Westfalen, sonst eher zur Gemütlichkeit neigend, könnten ganz furchtbar aufgeregt werden, wenn man ihnen ihre heimischen Sitten nehmen will, wozu ja auch die angestammten Kochrezepte gehören; und man gehe kaum fehl in der Annahme, daß die Schlacht im Teutoburger Wald auch der Verteidigung des kulinarischen Vätererbes gegen die römischen Delikatessen gegolten

habe. – Was man so teuer erkämpft hat, gibt man nicht so leicht auf, und natürlich spricht man auch gern darüber: „In vielen Städten", berichtet der zitierte Gewährsmann, „zeigt man aufstrebende Bildung, und dort dreht sich die Konversation wenigstens nicht mehr ausschließlich um das Bier oder um die Qualität einzelner Speisen, obwohl auch dies nicht vergessen wird – denn das ist zu wichtig für den westfälischen Magen."
Germanisches Erbe (aus der Zeit der langen Winterabende vermutlich) ist auch die westfälische Trinkfreudigkeit und -festigkeit. Daß aber die konservierenden Eigenschaften des Schnapses irgend etwas mit dem Konservatismus der Westfalen zu tun haben sollen, muß als haltlose Verleumdung (vermutlich von rheinischer Seite) abgelehnt werden.

Münsterländer Töttchen

**Zutaten
für 4 Portionen:
1 Kalbskopf mit Zunge und Hirn
2 Stangen Porree
500 g Sellerie
1 Kalbsherz
4 Zwiebeln
2 Lorbeerblätter
½ TL Thymian
Salz
80 g Butter
40 g Mehl
gekörnte Brühe
2 EL Kapern
2 cl Madeira oder Sherry**

Den Kalbskopf gut waschen. Den gewaschenen Porree in Ringe schneiden. Den Sellerie schälen, waschen und würfeln. Den Kalbskopf, das Herz, das Suppengemüse, 2 Zwiebeln und die Kräuter in 9 bis 10 l Salzwasser etwa 2 Stunden garen. Dann das Fleisch herausnehmen, von den Knochen lösen und würfeln.
Die Butter zerlassen, die restlichen Zwiebeln kleinschneiden und in der Butter glasig braten, mit dem Mehl bestäuben, kurz durchschwitzen lassen und mit ¾ l von der Kalbsbrühe löschen. Mit gekörnter Brühe kräftig nachwürzen. Das Hirn mit einer Gabel zerdrücken und in den Topf geben. Jetzt gehackte Kapern und Madeira zugeben, eventuell noch mit Pfeffer aus der Mühle abschmecken. Die Suppe etwa 10 Minuten auf milder Hitze ziehen lassen. Dann in eine vorgewärmte Terrine umfüllen und servieren.
Zu dieser münsterschen Spezialität, die von fern an ein Ragout fin erinnert, jedoch viel feuriger als dieses gewürzt werden sollte, reicht man Petersilienkartoffeln oder kräftiges Schwarzbrot. Auf jeden Fall aber viel Mostert (Senf) und Altbier.

„Den ganzen Dag Pannkauken äten!" Antwort eines aufrechten Westfalen auf die Frage, was er denn wohl täte, wenn er König wäre.

Potthucke

Zutaten für 4 Portionen:
1 kg Kartoffeln
⅛ l Milch
⅛ l saure Sahne
4 Eier
Salz
frisch gemahlener weißer Pfeffer
100 g Butter

250 g Kartoffeln schälen, kochen, kalt werden lassen und durch den Fleischwolf drehen. Den Rest Kartoffeln schälen und roh reiben. Möglichst viel von der Flüssigkeit der rohen Kartoffeln abschöpfen. Die Kartoffeln, die Milch, saure Sahne, Eier, Salz und Pfeffer zu einem geschmeidigen Teig verarbeiten. Eine Auflaufform mit 1 TL Butter auspinseln, die Kartoffelmasse hineingeben und 80 g Butter in Flöckchen daraufsetzen. Den Auflauf im vorgeheizten Backofen bei 200 Grad (Gas: Stufe 3) in etwa 45 Minuten knusprig braun backen. Dann kalt werden lassen, aus der Form nehmen, in Scheiben schneiden und in einer Pfanne von beiden Seiten in der restlichen Butter braten.
Dazu reicht man Schinken, Schwarzbrot und Kaffee.

Der Potthucke ist eine sauerländische Spezialität ersten Ranges. Die Liebe zu ihm schlägt sich in eigens seinetwillen gegründeten Klubs, den „Potthucken-Klubs" nieder. Man trifft sich regelmäßig, ißt Potthucke und trinkt der besseren Bekömmlichkeit wegen viel Bier und Korn dazu. Wem der Potthucke (der Topfhocker – weil der Teig in der Form ganz fest sitzt) so wie in unserem Rezept noch nicht derb genug ist, der legt sich in die Mitte noch eine Mettwurst und brät sie mit.

Griese Grete

Altbackenes Brot (schwarzes und weißes zu gleichen Teilen) wird zerbröckelt und dann knapp bedeckt mit Wasser, braunem Zucker und Rosinen zerkocht. Man nimmt den Topf vom Feuer und rührt frische, eiskalte Buttermilch hinein, so daß es eine dickliche Suppe wird. Sie muß sofort gegessen werden!
Merke: Viel weißes Brot macht die Suppe mild.
Viel schwarzes Brot macht die Suppe kräftig.

Pfannen-Pickert

Zutaten für 4 bis 6 Portionen:
4 EL Milch
30 g Hefe
1 TL Zucker
1 ¼ kg Kartoffeln
3 große oder 4 kleine Eier
3 EL Weizen- oder Buchweizenmehl
Salz
150 g Rosinen
etwas Butter

Die Milch leicht erwärmen, und die Hefe mit dem Zucker darin gehen lassen. Die Kartoffeln schälen, reiben und leicht ausdrücken. Die Eier, das Mehl, etwas Salz und die Rosinen mit dem Kartoffelbrei verrühren und den Hefevorteig untermischen. Der Teig darf nicht zu fest werden. Eventuell noch 1 bis 2 EL Milch zufügen. Den Teig an einem warmen Platz gehen lassen. Eine Pfanne gut mit Butter ausstreichen, den Teig darin etwa 1 cm dick portionsweise einstreichen, kroß braten und heiß servieren.

Für fast jeden Pickert gilt die Regel: Erst backen, dann wieder kalt werden lassen, in Scheiben schneiden und dann nochmal backen. (Damit der Teig recht viel Fett aufsaugt, die Westfalen brauchen das.)

Lappen-Pickert

Zutaten für 4 Portionen:
1 ¼ kg Kartoffeln
3 Eier
⅛ l süße Sahne oder sauer
3 gehäufte EL Mehl
Salz
einige Speckscheiben

Die Kartoffeln schälen, reiben und leicht ausdrücken. Mit Eiern, Sahne, Mehl und etwas Salz gut verrühren. Eine schwere Pfanne mit Speckscheiben ausreiben und so viel Teig in die Pfanne streichen, daß ein dünner Pfannkuchen entsteht. Von beiden Seiten kroß braten. Vor jedem Braten die Pfanne erneut ausreiben. Mit Butter, eventuell auch mit Marmelade oder Honig bestreichen und mit Kaffee warm servieren.

Kasten-Pickert

Zutaten für 4 Portionen:
30 g Hefe
5 EL Milch
Zucker
500 g Kartoffeln
Salz
5 Eier, getrennt
375 g Mehl
Butter für die Form

Aus Hefe, lauwarmer Milch und etwas Zucker einen Vorteig machen. Die Kartoffeln schälen, roh reiben, in einem Tuch auspressen, dann den Brei in eine große Schüssel geben, salzen und nach und nach abwechselnd Eigelb und etwas Mehl unterrühren. Den Hefevorteig zugeben, alles kräftig durcharbeiten, dann das sehr steif geschlagene Eiweiß unterheben. Den Teig etwa 50 Minuten gehen lassen. Eine Kastenform gut mit Butter ausstreichen. Den Teig hineinfüllen und noch einmal 20 Minuten gehen lassen. Den Kasten-Pickert dann bei 200 Grad (Gas: Stufe 3) 1 Stunde im vorgeheizten Backofen backen, dann kalt werden lassen. Am nächsten Tag in Scheiben schneiden und aufbacken.

Pfefferpotthast

Das Fleisch würfeln und von allen Seiten im Schmalz kräftig anbraten, salzen, pfeffern und aus dem Topf nehmen. Die Zwiebeln in Ringe schneiden und in den Topf geben. Im Bratenfett so lange braten, bis sie glasig sind. Das Fleisch, die Lorbeerblätter, Nelken, Piment- und Pfefferkörner zu den Zwiebeln geben und mit ungefähr 1 l Wasser oder Brühe soweit auffüllen, bis alles leicht bedeckt ist. Zum Kochen bringen, auf milder Hitze etwa 1½ Stunden garen. Kapern, Zitronensaft und -schale sowie die Semmelbrösel unterrühren, wieder aufkochen lassen. Dann noch einmal scharf pfeffern. Den Pfefferpotthast etwas im offenen Topf ziehen lassen, vor dem Servieren die Lorbeerblätter entfernen.

Zutaten
für 4 Portionen:
1 kg Hesse oder Bug vom Rind
50 g Schmalz
Salz
frisch gemahlener Pfeffer
1 kg Zwiebeln
2 Lorbeerblätter
2 Nelken
2 Pimentkörner
Pfefferkörner, schwarz
2 EL Kapern
2 EL Zitronensaft
etwas abgeriebene Schale von 1 Zitrone
2 EL Semmelbrösel

Diese westfälische Gulasch-Version wird im Sommer mit Salzkartoffeln und Salat gegessen, im Winter mit Gewürzgurken und einem Rote-Bete-Salat. Jede Familie hat ihr Spezialrezept, es kann aber nichts schaden, wenn man den Pfefferpotthast zum Schluß mit einem Schuß Bier abschmeckt.
„Hast“ oder „Harst“ kann mit „geschmort“ übersetzt werden. Das heißt, der Pfefferpotthast ist ein Pfefferschmorfleisch.

Pfefferpotthast nach Henriette Davidis, einer gebürtigen Westfälin:

Hierzu werden hauptsächlich die sogenannten kurzen Rippen genommen, die in 1/2 handgroße Stückchen gehauen, mit Wasser und nicht zu viel Salz aufgesetzt und gut abgeschäumt werden. Dann fügt man hinzu: reichlich kleingeschnittene Zwiebeln, etwas Pfeffer und ungestoßenen Nelkenpfeffer, einige Lorbeerblätter und, wenn das Fleisch fast ganz weich geworden ist, in Butter gelbgeschwitztes Mehl. Einige Fleischklößchen, allein gekocht, beim Anrichten ins Ragout gelegt, machen dies Gericht noch angenehmer.
Die Soße muß recht gebunden, aber nicht gar zu dicklich sein. Es werden Kartoffeln dazugegeben.

Graute Baunen, auch Dicke Bohnen genannt

Zutaten für 6 Portionen:
300 g Schweinebacke
2 Wacholderbeeren
2 Nelken
2 Pimentkörner
1 Lorbeerblatt
750 g Kartoffeln
750 g frische dicke Bohnenkerne
Bohnenkraut
300 g magerer Speck
2 Zwiebeln
Salz
Pfeffer
2 Bund Petersilie

Die Schweinebacke in wenig kaltem Wasser mit Wacholderbeeren, Nelken, Pimentkörnern und einem Lorbeerblatt auf kleiner Hitze etwa 30 Minuten garen. Die Kartoffeln schälen und würfeln. Mit den Bohnen und dem Bohnenkraut zur Schweinebacke geben und noch mal 30 Minuten garen. Den Speck und die Zwiebeln würfeln und goldbraun braten. Die Schweinebacke aus dem Topf nehmen und warm stellen. Den Speck und die Zwiebeln unter die Bohnen ziehen und mit wenig Salz und Pfeffer abschmecken. Das Gemüse ohne das Bohnenkraut in eine vorgewärmte Schüssel geben. Die in Scheiben geschnittene Schweinebacke obendrauf legen und mit der kleingeschnittenen Petersilie bestreuen. Dazu gibt es Salzkartoffeln.

So zubereitet, sind die Grauten Baunen das Münsterländer Leibgericht. Im nicht weit entfernten Duisburg werden sie mit geräuchertem Speck gekocht, und die klare Sauce wird mit Milch und geschabten Salzkartoffeln in eine Béchamelsauce umgewandelt. Man kann das Gericht natürlich auch mit getrockneten Bohnenkernen zubereiten. Dann muß man die Bohnenmenge verringern und statt 750 g nur 300 bis 400 g nehmen und über Nacht einweichen.
Graute Baunen werden auch Dicke Bohnen, Puff-, Sau-, Pferde- oder einfach große Bohnen genannt.

O hillige Graute-Baunen-Tid,
O Buk, wärd mi noch mal so wit!
(O heilige Große-Bohnen-Zeit,
O Bauch, werde mir noch mal so weit!)
Münsterländer Stoßseufzer zur Erntezeit
der jungen und nicht zu großen Bohnen,
welche recht frisch gepflückt sein
müssen, wenn das Gericht auch munden soll.

Schlodderkappes

Zutaten für 4 Portionen:
750 g Kartoffeln
1,5 kg Weißkohl
1 Lorbeerblatt
Kümmel
100 g magerer Speck
2 Zwiebeln
Salz
Pfeffer
1 Ring Blutwurst

Die Kartoffeln schälen und würfeln. Den geputzten, gewaschenen Weißkohl in Streifen schneiden. Die Kartoffeln und den Kohl abwechselnd in einen Topf einschichten und mit etwa ¾ l Wasser, dem Lorbeerblatt und dem Kümmel gar kochen. Den Speck in schmale Streifen schneiden und in einer Pfanne auslassen. Die in Würfeln geschnittenen Zwiebeln zugeben und glasig braten. Speck und Zwiebeln über den Weißkohl schütten, alles leicht mischen, dann mit Salz und Pfeffer abschmecken. Die Blutwurst in Scheiben schneiden, in einer Pfanne von beiden Seiten anbraten. Den Weißkohl in eine vorgewärmte Schüssel geben, die Blutwurstscheiben darauf legen und das Bratenfett darüber gießen. Sehr heiß mit Speckkartoffeln servieren.

Hasenpfeffer

Zutaten für 6 Portionen:
1 Hase, küchenfertig
Salz
Pfeffer
etwas Mehl
375 g Speck, durchwachsen
2 Zwiebeln
¼ l Rotwein
¼ l Hühnerbrühe
2 EL Weinbrand
1 TL Johannisbeergelee
1 Lorbeerblatt
2 TL Zitronensaft
1 Tasse Hasenblut

Den Hasen zerteilen, mit Salz und Pfeffer würzen und in Mehl wälzen. Den Speck in Würfel schneiden, auslassen und anschließend aus der Pfanne nehmen. In dem Fett die Hasenteile stark anbraten, herausnehmen und zum Speck geben. In dem Bratensud die kleingeschnittenen Zwiebeln glasig braten. Anschließend den Rotwein, die Brühe, den Weinbrand, das Johannisbeergelee und das Lorbeerblatt zugeben, aufkochen lassen. Jetzt den Speck und die Hasenteile wieder zugeben und alles noch einmal etwa 1 Stunde kochen lassen. Zum Schluß die Sauce mit Zitronensaft abschmecken und mit dem Hasenblut andicken. Dabei kräftig rühren.
Als Beilage die klassischen Wildbeigaben: Rotkohl und Klöße.

Das ist die westfälische Sonntagsversion vom Hasenpfeffer. Ein ganzer Hase wurde nur in Ausnahmefällen oder eben sonntags als Pfeffer verarbeitet. Normalerweise nahm man auch in Westfalen Hasenteile: Kopf, Hals, Vorderbeine, Bauchlappen, Rippchen und von den Innereien Herz, Leber und Lunge.

Saure Hammelkeule

Zutaten für 8 Portionen:
1 ganze Hammelkeule, etwa 2,5 kg
2 l Buttermilch
¼ l Essig
1 Lorbeerblatt
2 Möhren
2 Zwiebeln
4 Pfefferkörner
1 TL Salz
1 TL Zucker
200 g fetter Speck
1 EL Öl
50 g Butter
½ l saure Sahne
1 EL Paniermehl
Paprikapulver

Von der Hammelkeule Fett, Haut und Knochen abschneiden, dann in einer Beize aus Buttermilch, Essig, Lorbeerblatt, geputzten Möhren und Zwiebeln, Pfefferkörnern, Salz und Zucker 3 Tage zugedeckt durchziehen lassen. Dabei ab und zu wenden.
Das Fleisch aus der Beize nehmen, gut abtrocknen und mit dem in Streifen geschnittenen Speck spicken. Dann in Öl und Butter von allen Seiten scharf anbraten. Die Beize durch ein Sieb gießen. Die Keule mit etwas Beize ablöschen und dann im vorgeheizten Backofen etwa 3 Stunden bei 200 Grad (Gas: Stufe 3) schmoren lassen. Immer wieder etwas Beize nachgießen. Die gegarte Keule aus dem Bratenfond nehmen und warm stellen. Die Sauce mit Sahne und Paniermehl binden und mit Paprikapulver abschmekken. Dann heiß zur Keule servieren und mit Röstkartoffeln und grünen Bohnen essen.

Zu dieser sauren Hammelkeule haben die Westfalen eine spezielle kalte Sauce:

Gribichesauce

Zutaten für 8 Portionen:
4 Eier, hartgekocht
1 Gewürzgurke
1 Bund Schnittlauch
1 Zwiebel
1 EL Essig
Salz
3 EL Öl

Gepellte Eier, Gurke, gewaschenen Schnittlauch und die geschälte Zwiebel kleinschneiden, dann mit Essig und Salz mischen. Zum Schluß das Öl zugeben und noch einmal abschmecken.

Plaaten in de Pann

Die Bratwürste in Mehl wenden und in heißem Öl anbraten, dann in einen gut verschließbaren Topf geben. Die rohen, dünn geschnittenen Kartoffeln auf die Würste schichten, mit Salz und Majoran würzen und die Sahne zugießen. Im verschlossenen Topf etwa 30 Minuten garen. Dann mit gehackter Petersilie und grünem Salat servieren.

Zutaten für 4 Portionen:
4 Bratwürste, grob
etwas Mehl
Öl
1 kg Kartoffeln
Salz
1 TL Majoran
⅛ l süße Sahne
2 Bund Petersilie

Das Geheimnis dieses derben Gerichtes, das im Sauerland und im Münsterland beheimatet ist, ist ein wirklich fest verschließbarer Topf. Es darf beim Garen keine Luft entweichen. Der Dampf muß sich als Wrasen auf die Kartoffeln niederschlagen. Sonst werden sie trocken, und dann braucht man den Plaaten gar nicht erst zu kochen.

„Ich sah, daß der schwarze Himmel auch schwarz voller Lauten und Flöten und Geigen hinge. Ich meinte aber damit die Schinken und Knackwürste und Speckseiten, die sich im Kamin befanden." Derart geriet der Haudegen Simplicius Simplicissimus ins Schwärmen, als ihn das Kriegshandwerk während des Dreißigjährigen Krieges auch nach Westfalen führte.

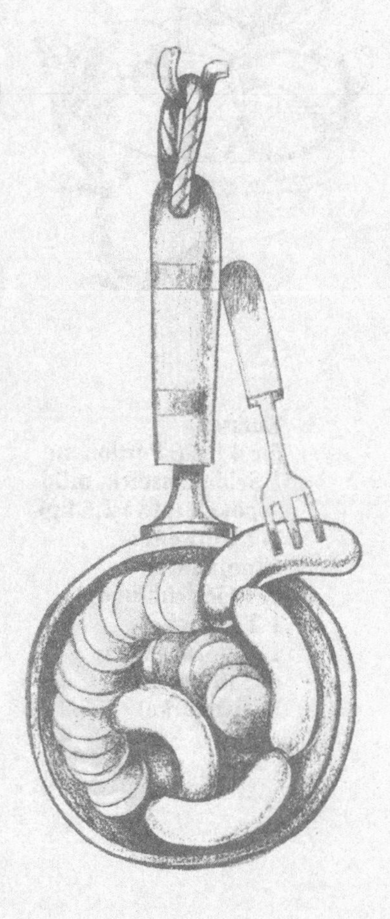

Anmerkungen zum westfälischen Bier:

Schon 1226 wird das Dortmunder Bier das erste Mal schriftlich erwähnt. Die Quellen des nahen Sauerlandes liefern das gute Wasser, das nötig ist, um ein Bier über alle Grenzen hinaus so bekannt zu machen, wie eben das Dortmunder Bier. Durstige Kehlen gibt es genug im Bauern- und Bergwerksland Westfalen. Wobei es in Westfalen von alters her nichts Ungewöhnliches ist, wenn auch die Damen statt nach Kaffee nach Bier verlangen: Hier gehörte das Bier-Kränzchen (wie anderswo das Kaffee-Kränzchen) jahrhundertelang zum Leben der „Frauenzimmer gebildeter Stände".

Appeltate

Zutaten für 4 Portionen:
1 kg Äpfel
Fett für die Form
Semmelbrösel
150 g Mandeln
100 g Rosinen
3 EL Zucker
4 Eier
100 g Butter
250 g Mehl
175 g saure Sahne

Die Äpfel schälen, vierteln, das Kerngehäuse herausschneiden. Die Äpfel in dünne Scheiben schneiden. Eine feuerfeste Form ausfetten und mit Semmelbröseln ausschwenken. Ein Drittel der Äpfel in die Form geben und mit einem Drittel der geriebenen Mandeln, einem Drittel Rosinen und 1 EL Zucker bestreuen. Dann das zweite Drittel Äpfel in die Form schichten, das zweite Drittel Mandeln und Rosinen und 1 EL Zucker darauf geben und eine dritte Schicht wiederholen.
Aus den Eiern, Butter, Mehl und Sahne einen glatten Teig rühren und langsam über die Äpfel gießen. Den Apfelauflauf im vorgeheizten Backofen bei 200 bis 225 Grad (Gas: Stufe 3 bis 4) ungefähr 1 Stunde backen.

Für vier Personen ist die Appeltate (von den Westfalen fälschlicherweise Torte genannt, sie ist ein echter Auflauf) ein warmes, süßes Hauptgericht. Für sechs bis acht Personen ein Nachtisch, der auch kalt mit Vanillesauce übergossen serviert werden kann.

Westfälischer Schinken in Burgunder

Zutaten für 4 bis 6 Portionen:
1 Schinkenstück, mild gepökelt (etwa 2,5 kg)
¾ l Rotwein (Burgunder)
¼ l Fleischbrühe
1 TL Zucker
1 EL Maispuder (ersatzweise Speisestärke)

Den Schinken mit Wasser bedeckt auf milder Hitze etwa 2 Stunden kochen, dann abgießen und anschließend 6 bis 7 Stunden in frisches kaltes Wasser legen. Den Schinken herausnehmen und mit kochend heißem Wasser überbrühen. Dann in Wein, Fleischbrühe und Zucker etwa 45 Minuten garen, herausnehmen, warm stellen und mindestens 15 Minuten rasten lassen, dann erst in Scheiben schneiden. Die Schinkenbrühe mit dem Maispuder binden.
Weil die Fettseite vom Schinken nach dem Kochen recht weich ist, sollte man ihn anschließend mit eingeritzter Schwarte noch 10 Minuten unter den Grill geben. Dann wird die Schwarte wieder knusprig.
Zum Burgunderschinken Pumpernickel und sehr viel Mostert (Senf) reichen. Zum Trinken gibt's natürlich am besten auch einen Burgunderwein.

Linsen mit Wurstkörbchen

Die Linsen waschen und in 1 1/4 l Wasser 50 Minuten kochen. Erst dann das Salz und den Pfeffer zugeben. Das Suppengrün putzen. Die Zwiebeln schälen und kleinschneiden. Den Speck würfeln, dann in einer Pfanne auslassen, die Zwiebeln darin glasig braten. Das Suppengrün zugeben und kurz mit anschmoren. Dann alles zu den Linsen geben und noch 10 Minuten kochen lassen. Zum Schluß mit gekörnter Brühe, Zucker und Essig kräftig abschmecken. Die Suppe dann in eine feuerfeste Terrine umfüllen und im vorgeheizten Backofen warm stellen.
Inzwischen die Wurstscheiben in einer Pfanne so lange erhitzen, bis sie sich wölben. Dann herausnehmen und auf die Linsen legen. In jedes Wurstkörbchen ein rohes Ei füllen und 10 Minuten bei 200 Grad (Gas: Stufe 3) im Backofen überbacken. Dann servieren und Salzkartoffeln dazu reichen.

Zutaten für 4 Portionen:
375 g Linsen
Salz
Pfeffer
1 Bund Suppengrün
2 Zwiebeln
100 g magerer Speck
gekörnte Brühe
1 TL Zucker
1 EL Essig
4 große, dicke Mettwurstscheiben mit Pelle
4 Eier

Pannekoken met Pillewörmern

Mehl mit Eiern und Milch zu einem glatten Teig verrühren. Den Schinken in schmale Streifen schneiden. Für einen Pfannkuchen je 1/4 vom Schinken in einer Pfanne in wenig Butter kroß anbraten, dann 1/4 vom Teig darübergießen. Den Pfannkuchen von beiden Seiten goldbraun backen. Dann warm stellen, bis die anderen Pfannkuchen fertig sind. Zu den Pannekoken (also Pfannkuchen) mit Pillewörmern (Schinkenstreifen) wird Salat gegessen.

Zutaten für 4 Portionen:
250 g Mehl
3 Eier
1/2 l Milch
250 g roher Schinken
Butter zum Anbraten

Dieses Gericht hat angeblich zum ersten Mal der westfälische Baron Alfred von Renesse in Münster von der Wirtin im „Pinkus Müller“ verlangt, wohl um diese zu verulken. Denn: Pillewörmer übersetzt man aus dem Westfälischen ins Hochdeutsche mit „Regenwürmer“. Frau Wirtin ließ sich nicht zum besten halten und machte Regenwürmer aus Schinkenstreifen.
Der Adlige war übrigens in Westfalen als der „Ziegenbaron“ bekannt, weil er bei seinen Landsleuten die Aufzucht „der Kuh des kleinen Mannes“ propagierte und überall Ziegenzuchtvereine und schließlich einen „Verein der Ehrenmitglieder zur Hebung der Ziegenzucht“ gründete.

Westfälische Götterspeise

Zutaten
für 4 Portionen:
2 Äpfel
½ l Schlagsahne
30 g Puderzucker
100 g Pumpernickel, gerieben
75 g Haselnüsse, gerieben
100 g Makronenbrösel
24 Kirschen, entsteint

Die Äpfel schälen, vierteln, Kerngehäuse entfernen. Äpfel dann in dünne Scheiben schneiden und in sehr wenig Wasser garen, dann in einem Sieb abtropfen lassen. Die Sahne mit dem Puderzucker fest schlagen. Den geriebenen Pumpernickel, die Nüsse und die Makronenbrösel unterheben. Die Masse in einer Glasschüssel anrichten und mit den gedünsteten Apfelspalten und mit Kirschen garnieren. Die westfälische Götterspeise vor dem Servieren für mindestens 1 Stunde in den Kühlschrank stellen und ganz kalt werden lassen.

So haben ursprünglich die Westfalen ihre Götterspeise zubereitet. Das war lange vor der Zeit, bevor im westfälischen Bielefeld der Apotheker Oe. die aus der Tüte erfand.

Bemerkungen zum Pumpernickel:

Eßbares Wahrzeichen Westfalens ist der Pumpernickel, ein würziges Brot aus Roggenschrot, aus reinem Korn und, wenn möglich, ohne Zusatz von Sirup oder anderem gebacken. Heute ist es hoch geschätzt, früher mochte man es nicht. „Pumpernickel ist das Schwarzbrot Westfalens, das aus Kleie und Mehl, manchmal auch mit etwas Stroh vermischt, gebacken wird. Es ist fest und schwer, und es gibt nicht zwei Dinge in der Natur, die sich ähnlicher sehen als ein Stück Torf. Als wir nach Westfalen kamen, weigerten sich gar die Dienstboten, dies Brot zu essen“, beklagte sich ein französischer Abbé.
Friedrich der Große allerdings ließ ihn seinen Untertanen durch seinen Leibarzt empfehlen, wegen seines vorteilhaften Einflusses auf den Charakter.

Panhas

Die Zwiebeln pellen und fein würfeln. Dann in dem Schmalz glasig braten. Das Hack und die aus der Pelle gedrückte Wurst zugeben und anbraten, dabei öfter wenden. Mit Majoran, Salz und Pfeffer würzen, dann Brühe und Blut zugießen, kurz aufkochen lassen und dann mit dem Buchweizenmehl andicken.
Man kann den Panhas warm zu Salzkartoffeln und Sauerkraut, aber auch kalt und in Scheiben geschnitten zu frischem Brot essen.

Zutaten für 4 Portionen:
3 Zwiebeln
2 EL Schweineschmalz
250 g gemischtes Hackfleisch
250 g frische Leberwurst
250 g frische Blutwurst
1 TL Majoran
Salz
Pfeffer
1 ½ l Fleischbrühe (oder Wurstbrühe vom Fleischer)
1 Tasse Blut (beim Fleischer bestellen)
125 bis 200 g Buchweizenmehl

Richtig westfälisch ist das Schlachtefestgericht Panhas nur, wenn es mit frischem Blut gemacht wird. Man kann aber auch darauf verzichten, nur muß dann die Buchweizenmehlmenge auf 400 g erhöht werden.

Münsterske Aaltbier-Bowle

50 g Zucker in wenig heißem Wasser auflösen, wieder kalt werden lassen. 200 g Erdbeeren putzen, vierteln und in ein Bowlengefäß legen. Darüber kommen die Zuckerlösung und 4 Gläser klarer Schnaps. Das läßt man 1 Stunde im Kalten durchziehen und gießt vor dem Servieren 1 Liter kaltes Altbier drüber.
Es können auch Pfirsiche und Apfelsinen mit hinein.

Stemmelkort

Zutaten für 4 Portionen:
1 kg Möhren
Brühe
1 Ei
1 EL Mehl
Muskat
Salz
Pfeffer
Butter zum Braten

Die Möhren schälen und im ganzen in Brühe garen. Anschließend zerstampfen und etwas abkühlen lassen. Dann mit Ei, Mehl und den Gewürzen zu einem festen Teig verarbeiten. Daraus etwa 4 cm große Plätzchen formen. Die Plätzchen in der Pfanne von beiden Seiten knusprig braten.

Blindhuhn (auch Gänsefutter genannt)

Zutaten für 4 Portionen:
200 g weiße Bohnen
500 g durchwachsener Speck
300 g grüne Bohnen
300 g Möhren
300 g Kartoffeln
200 g Äpfel, sauer
200 g Birnen
2 Zwiebeln
30 g Butter
Salz
Pfeffer
etwas gehackte Petersilie

Die weißen Bohnen in 2 l kaltem Wasser am Abend vorher einweichen. Am nächsten Tag im Einweichwasser etwa 60 bis 70 Minuten kochen lassen, dabei den Speck mit zugeben. Dann die grünen, geputzten Bohnen und die geputzten, in Scheiben geschnittenen Möhren mit zugeben und weitere 30 Minuten kochen lassen. Erst jetzt die geschälten und in Scheiben geschnittenen Äpfel und Birnen mit in den Topf geben. Den Eintopf noch weitere 30 Minuten garen. Die Zwiebeln kleinschneiden, in der Butter anrösten, dann in den Eintopf geben. Abschließend mit Salz und Pfeffer würzen, dann mit Petersilie bestreut servieren.

Das Blindhuhn ist ein urwestfälisches Gericht. In früheren Zeiten, als alles noch anders war, herrschte Ruhe am Tisch, wenn die Schüssel mit dem Blindhuhn serviert wurde. Aber: Es war die Ruhe vor dem Sturm ...

Wer keinen Knüppel für den Hund hat,
der muß mit Würsten um sich schmeißen,
will er nicht gebissen werden.
(Tecklenburger Lebensweisheit)

Schweinefilet mit Biersauce

Die Äpfel halbieren und das Kerngehäuse herausschneiden. Die Apfelhälften im Backofen überbacken, herausnehmen und die Aushöhlung mit Preiselbeeren füllen.
Die Zwiebeln schälen und in Ringe schneiden. Die Schweinefilets in 3 cm dicke Scheiben schneiden, leicht klopfen, salzen, pfeffern und mit etwas Mehl bestäuben. Die Butter in einer schweren, großen Pfanne erhitzen, die Filets von beiden Seiten anbraten. Die Zwiebelringe mit anbraten. Die Filets herausnehmen und warm stellen. Die Sauce mit Bier auffüllen und kurz aufkochen lassen. Das Mehl in die saure Sahne quirlen und die Sauce damit binden.
Die Schweinefilets mit den Äpfeln auf einer Platte anrichten und heiß servieren. Die Sauce getrennt dazu reichen. Dazu werden kleine, sehr kroß gebratene Kartoffelpuffer gegessen.

Zutaten für 4 Portionen:
2 mittelgroße Äpfel
Preiselbeeren
2 Zwiebeln
4 Schweinefilets (jedes etwa 150 g)
Salz
Pfeffer
1 EL Mehl
30 g Butter
0,3 l Altbier
1 EL Mehl
gut ¼ l saure Sahne

Heggengmös (Heckengemüse)

Die Wurstenden in 2 l leicht gesalzenem Wasser auf kleiner Hitze etwa 30 Minuten leise kochen lassen. In der Zwischenzeit die Kartoffeln schälen, waschen und würfeln. Die Zwiebeln schälen und auch würfeln. Den Porree waschen und in Ringe schneiden. Das junge Gemüse putzen, waschen, gut abtropfen lassen, dann in sehr feine Streifen schneiden oder ganz fein hacken. Die Kartoffeln in die Brühe geben. Nach 10 Minuten die Zwiebeln, den Porree und das Gemüse mit hineingeben und in weiteren 15 Minuten garen. Die Gemüsesuppe zum Schluß pfeffern und eventuell noch einmal mit Salz abschmecken.

Das Heggengmös ist eine der schönsten Frühlingssuppen, die es gibt. Die Zutaten muß man sich zwischen April und Mai, wenn sie gerade eben sprossen, selber vom Wegrand pflücken oder aus den Hecken und von den Sträuchern zupfen. Beim Grünmann gibt es sie nicht zu kaufen. Die aufgeführten Zutaten müssen nicht unbedingt alle in den Topf. Man nimmt, was gerade da ist und was man findet.

Zutaten für 4 Portionen:
4 Mettwurstenden, geräuchert
Salz
500 g Kartoffeln
5 Zwiebeln
Porree
1 kg junge Brennesseln
Holundersprossen
Stachelbeersprossen
Johannisbeersprossen
Löwenzahn
Spitzen von überwintertem Grünkohl und Spinat
Petersilie
Pfeffer

Ballbäuschen oder Bollebäuschen

Zutaten für 20 bis 30 Portionen:
30 g Hefe
etwas lauwarme Milch
1 TL Zucker
500 g Mehl
80 g Butter
100 g Zucker
1 Päckchen Vanillezucker
¼ l Milch
2 Eier
1 Prise Salz
150 g Rosinen
Fett zum Ausbacken
Zimt und Zucker zum Bestreuen

Die Hefe zerkrümeln und mit etwas lauwarmer Milch und 1 TL Zucker gehen lassen. Das Mehl in eine Schüssel geben, mit dem Hefevorteig, Butter, Zucker, Vanillezucker, Milch, den Eiern und Salz mischen und so lange kräftig rühren und schlagen, bis der Teig locker und blasig ist. Zuletzt die Rosinen mit unterarbeiten. Dann die Schüssel abdecken. Den Teig an einem warmen Platz 40 bis 50 Minuten gehen lassen, bis er sein Volumen ungefähr verdoppelt hat. Dann mit einem Eßlöffel Bällchen abstechen und diese im heißen Fett schwimmend ausbacken. Mit Zimt und Zucker bestreuen und heiß servieren.

Die Ballbäuschen sind ein typisches westfälisches Silvester- und Faschingsgebäck, ähnlich wie die Förtchen in Schleswig-Holstein und die Prilleken in Niedersachsen.

Schwartemagen

Die Schwarten, die dicken Rippen, die Öhrchen, die gepellten Zwiebeln und die Gewürze mit Wasser knapp bedeckt etwa 2 Stunden garen. Dann die Schwarten und Öhrchen in kleine Stücke schneiden, das Fleisch von den Rippen lösen und alles in den sehr sorgfältig gesäuberten Magen füllen. Den Magen zunähen und noch einmal 1 Stunde in Salzwasser bei milder Hitze kochen. Dann herausnehmen, kalt werden lassen, in Scheiben schneiden und zu kräftigem Brot oder Kartoffelsalat essen.

Zutaten für 4 Portionen:
500 g Schwarten
1 kg dicke Rippen
2 Schweinsöhrchen
500 g Zwiebeln
2 Lorbeerblätter
2 Pimentkörner
2 Nelken
Muskat
Salz
Pfeffer
1 Schweinemagen (vom Fleischer gesäubert)

Schinkenpfanne

Die Kartoffeln schälen, waschen, gut abtropfen lassen und in Scheiben schneiden. Den Schinken und die geschälte Zwiebel würfeln. 10 g Butter in einer Pfanne zerlassen, den Schinken darin anbraten, die Zwiebel mit zugeben und bräunen. Dann die Kartoffelscheiben in die Pfanne geben und mitbraten.
Aus Eiern, Mehl und Milch einen Teig rühren und mit Salz, Pfeffer und Muskat würzen.
In einer zweiten Pfanne die restliche Butter bräunen. Die Hälfte vom Teig hineingießen und auf milder Hitze stocken lassen. Darauf kommen dann die gebratenen Kartoffeln. Sie werden mit dem Rest Teig begossen, der wieder stocken muß. Dann den Pfannkuchen mit Hilfe eines Tellers wenden und auch von der anderen Seite gut bräunen lassen.
Zum knusprig-braunen Speckpfannkuchen wird frischer grüner Salat gegessen.

Zutaten für 4 Portionen:
500 g Kartoffeln
250 g gekochter Schinken
1 Zwiebel
40 g Butter
3 Eier
50 g Mehl
gut ⅛ l Milch
Salz
weißer Pfeffer
Muskat

Dem an kräftige Genüsse gewohnten Magen eines aufrechten Westfalen sind simple Eier mit Schinken einfach zu wenig. Weshalb die westfälische Köchin auch noch Kartoffeln mit hineingibt. Die Zubereitung des Pfannkuchens wird deshalb etwas schwierig und bedarf schon gewisser küchentechnischer Geschicklichkeit.

Stielmus

Stielmus, auch Rübstiel genannt, gibt es nur in Westfalen und im Rheinland. Dort ist das Stengelgemüse mit dem feinen, säuerlichen Geschmack sehr beliebt.
Verwendet werden nur die jungen zarten Blattstiele und Blätter der weißen Rübenart.
Die Rübenblätter werden von den Stielen gestreift und in Bündel zusammengefaßt, dann gut gewaschen und gründlich abgetropft. Die Blätter werden ganz fein geschnitten und in Salzwasser blanchiert. In einer Kasserolle wird etwas Butter zerlassen, darin wird eine feingehackte Zwiebel glasig angebraten und dann mit etwas heißer Fleischbrühe abgelöscht. Nun kommen die blanchierten Rübstielblätter hinein. Sie werden mit Salz und weißem Pfeffer abgeschmeckt, dann schnell und kurz bei geschlossenem Deckel gedämpft, bis sie weich sind. Zum Schluß bindet man sie mit einer Mehlschwitze oder mit etwas Speisestärke. Den Westfalen schmeckt das Stielmus allerdings am besten, wenn es mit Kartoffelbrei gebunden wird.

Gut Äten un Drinken hält Lief un Säle binänner, bätter as Isenbänner!
(Gutes Essen und Trinken hält Leib und Seele zusammen, besser als Eisenbänder!)
Sprichwort der Westfalen, nach dem sie auch leben.

Spiegeleier, nach Art der Henriette Davidis

In einer gescheuerten, sauberen Pfanne läßt man Butter heiß werden, schlägt die Eier behutsam hinein, so daß jedes Ei ganz bleibt, streut etwas feingemachtes Salz darüber und schiebt sie, wenn das Weiße dicklich geworden ist, ohne sie umzuwenden, auf eine Schüssel, schneidet den Rand glatt und richtet sie zu Spinat oder zu ähnlichen Gemüsen an. Da ein wohlgelungenes Spiegelei keinen braunen Rand haben, auch unten nicht bräunlich aussehen darf, so ist es ungeübten Händen zu empfehlen, die Eier in einem Tiegel auf kochendem Wasser zu bereiten.
Auch kann man die Spiegeleier mit folgender Sauce anrichten und sie als angenehme Abendspeise reichen:
Auf 4 Personen nimmt man etwa 2 Eier, 1 stark gehäuften Teelöffel Mehl oder Stärke, 1 große Obertasse Wasser, Essig nach Geschmack und so viel Zucker, daß der Essig gemildert wird. Dies alles wird bis zum Aufkochen gerührt, ½ Ei dick mit Butter durchgemischt, über die heißen Eier angerichtet und die zugedeckte Schüssel einige Minuten auf eine heiße Platte gestellt.
In einfacher Weise bestreut man die zierlich angerichteten Eier nur mit etwas gehacktem Schnittlauch.

Schlackerwurst

Man pellt 600 g geräucherte westfälische Mettwurst, zerkleinert sie und brät sie in 1 Eßl. Fett. Obendrüber kommen geröstete Zwiebelringe. Dazu gibt's Sauerkraut und Salzkartoffeln.

Rheinland

Die Winzer und Schiffer am Rhein sind lebhaft und entschlossen,
haben einen stets aufgeregten Geist, sprechen immer mit
lauter Stimme und bedienen sich kräftiger Ausdrücke und Wendungen,
um so mehr, da sie an starke Getränke gewöhnt sind.
(F. A. W. Diesterweg)

Im Jahr 1878 nannte ein feinsinniger Beobachter die Leute zwischen Köln und Düsseldorf „die Österreicher unter den Norddeutschen“. Die vom Niederrhein hätten, so meinte der gute Mann, doch viel vom leichten Blut der Menschen zwischen Wien und Salzburg und – das ist für unsere kulinarische Betrachtungsweise von Wichtigkeit – sie äßen auch erheblich leichtere Kost als ihre schwerblütigeren Brüder und Schwestern niederdeutscher Zunge. Wie an allen wilden Verallgemeinerungen ist auch an dieser etwas dran, obgleich zum Beispiel ein gewisser Leopold Schreiner im Jahre 1864 die ungezügelte Gier gerade der Kölner aufs heftigste tadelt. Sie mache, so meint dieser ernsthafte Mensch, besonders den Kölner gemeinen Mann zur Beute von Schläfrigkeit und Müßiggang, aber auch zum Opfer der Jesuiten. Vielleicht erklärt sich der Widerspruch zwischen den beiden zitierten Aussagen einfach dadurch, daß die beiden Schreiber ihre Eindrücke zu verschiedenen Zeiten sammelten, nämlich während und unmittelbar nach dem Karneval. Über den Aschermittwoch und die folgenden Wochen haben wir folgende schöne Erkenntnisse eines Berliner Oberschulrates: „Während des Karnevals hat fast niemand gearbeitet, aber alle haben gegessen und getrunken. Und zwar soviel als möglich, und oft noch mehr. In gleichem Maße, wie sich die Taschen leeren, füllen sich die Leihhäuser.

Und so kommen dann die Wochen, in denen Schmalhans Küchenmeister ist, und es dauert geraume Zeit, ehe jedermann wieder wenigstens am Sonntag sein Huhn im Topfe hat." – Nicht vergessen sei an dieser Stelle des deutschesten aller deutschen Braten: des in und um Köln beheimateten Sauerbratens, der nun wirklich nichts dafür konnte, daß man ihn lange Zeit die kulinarische Wacht am Rhein halten ließ, wo er darauf aufpassen mußte, daß kein welsches Gericht übers Ufer trat. Jetzt, wo solche Dummheiten ausgestanden sind, kann man ihn wieder essen, ohne gleich ein patriotisches Sodbrennen zu kriegen.

Gefüllte Kalbsbrust

Zutaten für 4 Portionen:
750 g Kalbsbrust (ohne Knochen)
2 EL Zitronensaft
Salz
2 Brötchen
1/8 l Milch
1 Zwiebel
3 EL Butter
1 Ei
2 EL gehackte Petersilie
Pfeffer
Muskat
1 TL Speisestärke
1/8 l saure Sahne
evtl. etwas gekörnte Brühe

Beim Fleischer für die gefüllte Kalbsbrust ein Stück von der Brustspitze verlangen, dann gleich von ihm entbeinen und eine tiefe Tasche hineinschneiden lassen.
Das Fleisch innen und außen mit Zitronensaft beträufeln und mit Salz einreiben. Die Brötchen würfeln, mit heißer Milch übergießen und etwa 10 Minuten durchziehen lassen. In der Zwischenzeit einmal umrühren. Zwiebel schälen, würfeln und in der Butter glasig braten. Die eingeweichten Brötchen zugeben und rühren, bis sich die Masse vom Topfboden löst. Dann abkühlen lassen und mit Ei, Petersilie, Salz, Pfeffer und Muskat abschmecken. Die Kalbsbrust mit der Farce füllen und dann zunähen, in einen Bräter legen und bei 200 Grad (Gas: Stufe 3) in den vorgeheizten Backofen geben und 1½ Stunden braten. Dabei ab und zu mit Bratfett beschöpfen und gegebenenfalls mit heißem Wasser begießen. Den Braten nach der halben Garzeit einmal wenden.
Den garen Braten auf einer vorgewärmten Platte zugedeckt im abgeschalteten Backofen noch 10 Minuten ruhen lassen. Den Fond im Bräter mit 1/8 l Wasser loskochen und dann in ein Saucentöpfchen gießen. Die Speisestärke mit der Sahne verquirlen, dazurühren und aufkochen lassen. Die Sauce eventuell noch mit etwas gekörnter Brühe abschmecken. Das Fleisch in Scheiben schneiden, die Sauce getrennt anrichten. Dazu Salzkartoffeln und feines Gemüse (zum Beispiel junge Erbsen) reichen.

Die Fleischfarce wird kräftiger, wenn man etwas Beefsteakhack mit zugibt. Dem Kalbfleisch bekommt diese Mischung sehr gut.

Gang mit Wünsch um zwei Uhr morgens durch romantische Gebüsche bei herannahendem Gewitter. Ein Schütze begleitete uns, erzählt uns die Geschichte von einem Mädchen, die ihrem Geliebten in den Sieben Bergen die Treue geschworen, sie dann gebrochen habe und nun zur Strafe sich dort aufhalten müsse, deren klagende Stimme dort gehört werde, und die einmal einige besoffene Bauern, die sie hätten belauschen wollen, durchgeprügelt habe.
(Aus dem Tagebuch des Dichters Zacharias Werner, 1809)

Martinsgans

Zutaten für 6 Portionen:
1 Gans (etwa 3,5 kg)
Salz
1 TL Pfeffer
2 TL Majoran, getrocknet
500 g Kastanien
3 große Äpfel (Boskop)
150 g Rosinen
¼ l trockener Rotwein
1 EL Speisestärke

Die Gans innen und außen gründlich waschen und abtrocknen. Salz, Pfeffer und Majoran in ein Schälchen geben, mischen und fein zerstoßen. Die Gans innen und außen damit einreiben.
Die Kastanien an der Innenseite mit einem spitzen Messer einritzen, bei 175 Grad (Gas: Stufe 2) in den Backofen geben und etwa 40 Minuten rösten. Dann herausnehmen, etwas abkühlen lassen und schälen, dabei auch die feinen Häutchen entfernen. Die Äpfel schälen, vierteln, entkernen und in feine Scheibchen schneiden. Mit Kastanien und Rosinen mischen. Die Gans damit füllen und zunähen. Mit der Brust nach unten in einen Bräter legen und bei 200 Grad (Gas: Stufe 3) in den Backofen schieben. Nach 80 Minuten wenden und weitere 40 Minuten braten. Beim Braten einige Male mit etwas Wasser bespritzen, damit die Haut knusprig wird. Die Gans anschließend auf die Bratenplatte legen und im ausgeschalteten Backofen heiß halten. (Das Gänsefett in ein Töpfchen gießen und anderweitig verwenden.)
Den Rotwein und ebensoviel Wasser zum Bratenfond gießen und damit verkochen. Alles Braune von den Rändern des Bräters dabei abkratzen. Den Fond durch ein Sieb in das Saucentöpfchen gießen und mit etwas angerührter Speisestärke binden, vielleicht noch nachwürzen.
Die Martinsgans mit der Geflügelschere längs halbieren und dann in Portionsstücke zerteilen. Mit der Füllung anrichten. Außerdem gehören Kartoffelklöße und Rotkohl unbedingt dazu.

Die Sauce wird besonders gut, wenn die Gans auf etwas Suppengemüse, Hals, Flügelspitzen, Herz und Magen (alles zerkleinert) gebraten wird. Die Gänseleber, wenn sie noch drin ist, kann man mit etwas Madeira marinieren, kurz vor dem Anrichten in etwas Butter braten und zur Gans reichen. Oder man püriert diese feine Zutat und verwendet sie für eine Fleischfarce (Klößchen, Pastete).

Ärpel mit Schlat

Zutaten für 4 Portionen:
1 kg Kartoffeln
Salz
250 g frischer magerer Speck
1 TL gekörnte Brühe
1 Kopf Endiviensalat
1 große Zwiebel
4 EL Weinessig
4 EL Öl
Pfeffer
¼ l Milch
Muskat

Die Kartoffeln schälen, waschen, vierteln und in Salzwasser garen. Inzwischen den Speck in kleine Würfel schneiden, ringsum hellbraun braten, mit ⅛ l Wasser ablöschen und mit gekörnter Brühe 20 Minuten kochen. Den Salat putzen, waschen, in feine Streifen schneiden und gut abtropfen lassen. Die Zwiebel schälen, fein würfeln und mit Essig und Öl verquirlen. Mit Salz und Pfeffer würzen, den Salat daruntermischen.
Die gegarten Kartoffeln abgießen, fein zerstampfen und mit dem Schneebesen locker aufschlagen. Dabei nach und nach die heiße Milch zufügen. Den Speck zugeben, und das Püree mit Muskat würzen. Den Endiviensalat unmittelbar vor dem Servieren unter das Püree ziehen.

Himmel und Erde

Zutaten für 4 Portionen:
800 g Kartoffeln
Salz
4 sehr große Äpfel (800 g)
1 EL Zucker
1 EL Zitronensaft
400 g Zwiebeln
50 g durchwachsener Speck, geräuchert
200 ccm Milch
1 EL Butter
Muskat
400 g Blutwurst in Scheiben (jede 1 cm dick)

Die Kartoffeln schälen, waschen, vierteln und in Salzwasser garen. Die Äpfel schälen, vierteln, entkernen und mit Zukker und Zitronensaft auf kleiner Flamme gar dämpfen. Die Zwiebeln schälen und in Streifen schneiden. Den Speck fein würfeln, knusprig ausbraten, die Zwiebeln darin hellgelb braten, dabei oft wenden.
Die Kartoffeln abgießen, dämpfen und zu Mus zerstampfen. Milch mit Butter, 1 TL Salz und Muskat erhitzen. Nach und nach zu den Stampfkartoffeln geben und mit dem Schneebesen gut verschlagen. Abschließend die weichen Äpfel zufügen und gut verrühren. Zwiebeln und Speckwürfel aus dem Bratfett heben, die Blutwurstscheiben hineinlegen und pro Seite 2 Minuten braten. Himmel und Erde auf einer Platte anrichten, die Blutwurst darauflegen und mit den Zwiebeln bedecken.

Miesmuscheln in Weißwein

Ganz frische Miesmuscheln mehrmals gründlich waschen und dann noch einmal einzeln unter fließendem Wasser abbürsten. Dabei die herausragenden Bärte abziehen. Die Muscheln noch weiter spülen, bis das Wasser ganz klar bleibt.
Die Zwiebeln, den Sellerie und die Möhren schälen und in sehr feine Würfelchen schneiden. Die Petersilie waschen und grob schneiden. Den Weißwein mit den Gewürzen, dem Gemüse und der Petersilie in einem möglichst großen Topf zusammen aufkochen. Der Topf muß mindestens fünf Liter fassen. Die Muscheln in zwei Portionen nacheinander hineingeben und zugedeckt garen, bis sich die Schalen weit geöffnet haben.
Die Muscheln dann in einer großen Schüssel anrichten. Die Brühe in einer großen Terrine auf den Tisch stellen. Jeder nimmt sich Muscheln auf seinen tiefen Suppenteller und gießt Brühe darüber. Dazu wird Schwarzbrot mit Butter gereicht.

Zutaten
für 4 Portionen:
4 kg Miesmuscheln
4 Zwiebeln
½ Sellerieknolle
2 Möhren
1 Bund Petersilie
½ l Weißwein
1 TL Pfeffer, grob geschrotet
1 TL Salz
2 Lorbeerblätter

Zerbrochene und geöffnete rohe Muscheln, aber auch gekochte Muscheln, die danach noch fest verschlossen sind, dürfen nicht verwendet oder gar gegessen werden. Sie sind giftig!

Rheinischer Heringssalat

Die Matjesfilets entgräten, 1 Stunde wässern, abtrocknen. Die Filets in kleine Würfel schneiden, ebenso das Fleisch und die Gewürzgurke. Apfel, Kartoffeln, Eier und gegebenenfalls rote Bete schälen und auch würfeln. Walnußkerne grob hacken. Die Mayonnaise mit Sahne, Essig, Zucker, Pfeffer und Salz verquirlen. Die Zwiebel schälen, fein reiben und in die Sauce rühren. Die Salatzutaten daruntermischen. Den Salat zugedeckt im Kühlschrank einen Tag lang durchziehen lassen. Vor dem Servieren noch einmal durchheben, abschmecken und eventuell mit etwas Rote-Bete-Saft aus dem Glas schlanker und rosiger machen.

Zutaten
für 4 Portionen:
3 Matjesfilets
60 g Rind- oder Kalbfleisch, gekocht
1 Gewürzgurke
1 Apfel (Boskop)
175 g Kartoffeln, gekocht
2 Eier, hartgekocht
evtl. 125 g rote Bete, frisch gekocht oder aus dem Glas
25 g Walnußkerne
2 EL Mayonnaise
1 Becher saure Sahne
3 EL Essig
1 TL Zucker
½ TL Pfeffer
½ TL Salz
1 kleine Zwiebel

Die Bergische Kaffeetafel oder: Koffedrenken met allem Dröm un Dran

Die unbestrittene Favoritin unter all den Bergischen Spezialitäten ist die Bergische Kaffeetafel. Der Heimatkundler M. A. J. Bönner, den kulinarischen Gewohnheiten seiner Heimat immer auf der Spur, beschreibt ihren Ablauf so: Der Tisch ist eingedeckt mit einem Zwiebelmuster. Auf Tellern, Schalen und Schüsseln steht alles bereit: Korinthenstuten, Milchreisbrei, Bienenhonig, Schwarzbrot (kein Pumpernickel, sondern Bergisches Brot), Quark, Butter, Waffeln, Zucker und Zimt, Burger Brezeln und Apfelkraut. Zuletzt wird die Königin der Kaffeetafel, die „Koffekann" namens „Dröppelminna" auf den reichgedeckten Tisch gestellt.

Dann erst kann die Schlemmerei beginnen. Zuerst greift man zur Korinthenstutenschnitte, bestreicht sie mit Butter, gibt Honig oder Apfelkraut dazu und krönt die Schnitte mit Reis, auf den man zuguterletzt Zucker und Zimt streut. Danach läßt man sich die Waffeln schmecken und wählt dann eine Scheibe Schwarzbrot, die man mit Butter und Quark bestreicht. Wessen Magen noch nicht streikt, nimmt dann noch eine Brezel. Das alles wird begleitet vom Kaffee aus der Dröppelminna, der bergischen Ausgabe eines Samowar. Auf deren Boden gibt man Kaffeepulver, das mit heißem Wasser aufgebrüht wird. Man läßt den Kaffee tüchtig ziehen und stellt dann die Tasse unter den Hahn zum Eingießen. Zum Schluß kommt der Kaffee nur noch „dröppelweise", tröpfchenweise.

Flöns

Ein Stück von einer einfachen Blutwurst wird in dicke Scheiben geschnitten. Die werden dann in Mehl gewälzt und in Schmalz knusprig gebraten. Derweil läßt man in einer anderen Pfanne Zwiebelscheiben goldbraun braten. Die werden beim Servieren über die Blutwurstscheiben gegeben. Flöns ißt man mit Röggelchen oder Salat.

Altbergische Waffeln

Zutaten für 12 Waffeln:
250 g Butter
3 EL Zucker
4 Eier
1 Päckchen Backpulver
500 g Hafermehl (Reformhaus)
1 TL Salz
3 EL Bienenhonig
1 Speckschwarte

Die Butter mit dem Zucker sahnig rühren. Dann die Eier und das mit Backpulver gemischte Mehl nach und nach zugeben und gut verrühren. Jetzt Salz, Honig und so viel lauwarmes Wasser zufügen, daß ein dickflüssiger Teig entsteht. Das erhitzte Waffeleisen mit der Speckschwarte einfetten, jeweils 2 Eßlöffel Teig hineingeben und zu goldgelben Waffeln backen. Das Gebäck möglichst noch lauwarm servieren.

Die Waffeln aus Hafermehl sind sehr kräftig im Geschmack und harmonieren hervorragend mit Sirup, der deshalb unbedingt mit auf den Tisch gestellt werden sollte.

Hafermehlwaffeln

Zutaten für 12 Waffeln:
250 g Butter
6 Eier
1 Päckchen Backpulver
200 g Weizenmehl
300 g Hafermehl (Reformhaus)
1 EL Sirup
⅛ l Möhrensaft
1 TL Anis, gemahlen
1 TL Zimt
1 Päckchen Vanillezucker
1 Speckschwarte
Puderzucker zum Bestäuben

Die Butter sahnig rühren, dabei nach und nach die Eier und das mit dem Backpulver gemischte Mehl zugeben. Dann Sirup, Möhrensaft, Gewürze und Vanillezucker zufügen und zu einem glatten Teig verrühren.
Das erhitzte Waffeleisen mit einer Speckschwarte ausreiben, jeweils 2 Eßlöffel Teig hineingeben und zu goldgelben Waffeln ausbacken. Die warmen Waffeln mit Puderzucker bestäuben und sofort essen. Auch zu diesen Waffeln paßt selbstverständlich Sirup.

Milchreis

1 Tasse Reis in ¼ Liter Wasser auf kleiner Hitze langsam zum Kochen bringen. Wenn das Wasser fast verkocht ist, 1 Liter Milch angießen und mit 1 Prise Salz würzen. Den Reis jetzt langsam garen lassen. Dann 2 bis 3 Eßlöffel Zucker hineinrühren. Bei Tisch kann der Milchreis noch mit Ei oder mit etwas in Milch verquirltem Vanillepulver abgerundet werden.

Apfelauflauf

Zutaten für 4 Portionen:
⅛ l Milch
65 g Butter
1 Löffelspitze Salz
65 g Mehl
3 Eier, getrennt
65 g Zucker
fein abgeriebene Schale von ¼ Zitrone
1 kg Äpfel (Cox Orange)
Fett für die Form

Die Milch mit Butter und Salz aufkochen, das Mehl hineinschütten und verrühren, bis die Masse sich vom Topfboden löst. Den abgebrannten Teig abkühlen lassen.
Das Eigelb mit Zucker und Zitronenschale zu weißem Schaum schlagen, den abgekühlten Teig löffelweise zufügen und gut verrühren. Die Äpfel schälen, vierteln, entkernen und in feine Scheibchen schneiden. Eiweiß mit einer Prise Salz zu steifem Schnee schlagen, behutsam unter den Brandteig ziehen.
Die Apfelscheiben in eine leicht gefettete Auflaufform geben. Wenn sie sehr sauer sind, nach Belieben mit etwas Zucker bestreuen. Den Brandteig darübergeben und glattstreichen. Die Form bei 175 Grad (Gas: Stufe 2) in den vorgeheizten Backofen auf die untere Schiene stellen. Den Apfelauflauf in etwa 45 Minuten goldbraun backen, dann in der Form servieren.

Pitter und Jupp

Zutaten für 4 Portionen:
500 g Wirsing
500 g Möhren
500 g Kartoffeln
1 Bund Suppengrün
40 g Butter
2 TL gekörnte Brühe
Salz
Pfeffer
Muskat
4 Mettwürste
2 Bund Petersilie

Den geputzten, gewaschenen Wirsing in feine Streifen schneiden. Die geputzten Möhren würfeln. Die geschälten Kartoffeln auch. Das Suppengrün putzen, waschen und zerkleinern.
Die Butter in einem Topf heiß werden lassen. Den Wirsing darin andünsten. Dann ½ l Wasser zugießen, mit der gekörnten Brühe würzen. Die Möhren, Kartoffeln und das Suppengrün auf den Wirsing legen. Den Eintopf auf kleiner Hitze in 45 Minuten garen. Dann grob zerstampfen, wieder in den Topf geben, mit Salz, Pfeffer und Muskat würzen. Die in Scheiben geschnittenen Würstchen untermischen. Den Eintopf noch einmal abschmecken, mit gehackter Petersilie bestreut in einer vorgewärmten Schüssel servieren.

„Hamburg: Beefsteak.
Weimar: Goethe.
Bonn: Kartoffeln!"
(Beobachtungen des polnischen Dichter Mickiewitz auf einer Reise durch Deutschland)

Bergischer Heringsstip

Zutaten für 4 Portionen:
4 Salzheringe (Milchner)
3 Zwiebeln
1 Gewürzgurke
je 6 Pfeffer- und Senfkörner
½ l saure Sahne

Die Salzheringe auf Küchenpapier legen, Kopf und Schwanz abschneiden. Die Fische in der Rückenlinie einschneiden und am Schwanzende an den Gräten entlang ganz durchschneiden. Dann das Filet zum Kopfende hin behutsam von der Mittelgräte abziehen, so daß auch die Quergräten am oberen Ende in einem Arbeitsgang aus dem Fischfleisch herausgelöst werden. Danach die Mittelgräte ebenso behutsam vom unteren Filet abziehen, auch vom Schwanz- zum Kopfende hin. Die Eingeweide entfernen, die Milch putzen. Die Filets auf die Fleischseite drehen, die Haut am Schwanzende mit einem spitzen Messer lösen und zum Kopfende hin abziehen. Die vorbereiteten Heringsfilets und die Milch 1 Stunde wässern. Nur länger in Wasser (oder Buttermilch) ausziehen lassen, wenn sie sehr salzig sind.
Die Zwiebeln schälen und in Ringe oder Streifen, die Gurke in dünne Scheiben schneiden. Beides mit den in Stücke geschnittenen Heringsfilets in einen Topf schichten. Mit Pfeffer- und Senfkörnern bestreuen. Die Heringsmilch durch ein Sieb drücken, mit der Sahne verrühren und über die Heringsstücke gießen. Den Heringsstip zugedeckt im Kühlschrank 2 bis 3 Tage durchziehen lassen. Dann mit Brot und Butter oder mit frischen Pellkartoffeln essen.

Das Bergische Land ist ein protestantischer Winkel zwischen dem katholischen Rheinland und dem katholischen Westfalen. Man sagt, die Menschen aus dem Bergischen Land seien ganz besonders gute Protestanten. Es wird auch behauptet, hier stünde in jeder guten Stube ein Harmonium. Wie auch immer: Einiges fanden die evangelischen Menschen an den katholischen akzeptabel, zum Beispiel einige Nahrungsmittel. So machten sie sich den katholischen Freitags-Hering zu eigen und entwickelten ihn im bergischen Heringsstip zu höchster Vollendung.

Rheinischer Sauerbraten

**Zutaten
für 4 Portionen:
1 kg Rindfleisch
(Oberschale, Nuß)
2 Zwiebeln
1 Möhre
¼ l Weinessig
1 TL Pfefferkörner
2 Wacholderbeeren
2 Nelken
1 Lorbeerblatt
1 TL Salz
½ TL Pfeffer
2 EL Butter
125 g Rosinen
1 TL Speisestärke**

Das Fleisch 2 oder 3 Tage vor der Zubereitung in eine Marinade einlegen. Dafür Zwiebeln und Möhre schälen und fein würfeln. Mit Essig und ½ l Wasser aufkochen. Pfefferkörner, Wacholderbeeren, Nelken und Lorbeerblatt etwas zerstoßen und hineingeben. Die Marinade abgekühlt über das Fleisch gießen, so daß dieses davon bedeckt ist. Zugedeckt kühl aufbewahren und ab und zu wenden.
Das Fleisch aus der Marinade heben und mit Küchenkrepp gut abtrocknen. Dann mit Salz und Pfeffer einreiben und im Bräter in heißer Butter ringsum braun anbraten. Die Marinade durch ein Sieb in ein Gefäß gießen. Den Siebinhalt zum Braten geben und kurz mit anbraten. Die Marinade erhitzen, ⅛ Liter davon an den Braten gießen. Den Braten zugedeckt 2 Stunden schmoren, dabei gelegentlich wenden und gegebenenfalls Wasser angießen. Anschließend auf die vorgewärmte Bratenplatte legen und zugedeckt im warmen Backofen etwa 15 Minuten ruhen lassen.
Inzwischen die Sauce zubereiten. Dafür den Fond durch ein Sieb gießen, dann mit den Rosinen auf ¼ Liter einkochen lassen. Die Sauce mit angerührter Speisestärke binden. Wenn sie zu sauer ist, noch etwas Zucker zugeben. Den Rheinischen Sauerbraten bei Tisch aufschneiden und mit Rosinensauce, Kartoffelklößen und frischem Apfelmus servieren.
Die Sauce kann nach Belieben auch mit Rotwein, Tomatenmark und/oder Apfelkraut abgeschmeckt werden.

Kölsche Kaviar mit Musik

Das ist ein deftiges Zwischenfrühstück und besteht aus schlichter „Blootwoosch" (gehäutet und in Scheiben geschnitten, dann auf Teller verteilt) mit „Musik" (Zwiebeln in Ringen, die darüber kommen). Garniert wird noch mit Paprikapulver und Senf. Dazu gibt's Röggelchen.
In Düsseldorf heißt das Gericht „Flöns mit Ölk"; im Oberbergischen „Näcke Hennes" (Nackter Hans).

Gefüllter Eierkuchen

Zutaten für Portionen:
400 g Kalbfleisch
Salz
250 g Mehl
3 Eier, getrennt
½ l Milch
250 g Möhren, gewürfelt
250 g Erbsen, enthülst
250 g Spargel, in Stücken
60 g Butter
60 g Mehl
Saft von ½ Zitrone
1 Bund Petersilie
Butter zum Braten
80 g Edamer, gerieben

Das Kalbfleisch in kochendes Salzwasser geben und in 45 Minuten darin garen, anschließend würfeln.
Für den Eierkuchenteig das Mehl mit ½ TL Salz in eine Schüssel geben. In die Mitte eine Mulde drücken. Die Eigelbe mit der Milch verquirlen und in die Mulde gießen. Dann nach und nach von der Mitte aus unter das Mehl rühren. Den Teig 30 Minuten quellen lassen, dann das steif geschlagene Eiweiß unterheben.
In der Zwischenzeit Möhren, Erbsen und Spargel in leicht gesalzenem Wasser kurz garen, dann aus der Gemüsebrühe heben. Das Gemüsewasser mit der Kalbsbrühe zu 1 l Flüssigkeit auffüllen. Die Butter in einer Pfanne erhitzen, das Mehl darin anschwitzen, mit der Flüssigkeit ablöschen und in 10 Minuten dick einkochen lassen. Die Sauce mit Salz und Zitronensaft abschmecken. Möhren, Erbsen, Spargel und Kalbfleisch getrennt in je ¼ l Sauce erhitzen. Jeweils mit gehackter Petersilie bestreuen. Die Butter zum Braten in einer Pfanne erhitzen, darin aus dem Eierkuchenteig 5 Eierkuchen backen. Die Eierkuchen schichtweise mit Möhren, Erbsen, Spargel und Kalbfleisch füllen. Auf den obersten Eierkuchen eine dicke Schicht geriebenen Käse streuen. Den Eierkuchen bei Tisch vorsichtig portionieren und frischen grünen oder Endiviensalat dazu reichen.

Anmerkungen zu Aachener Printen:

Die Printen, das Aachener Nationalgebäck, sind eine Art Honigkuchen. Wahrscheinlich wurden die ersten Printen-Model von der belgischen Eißengießer-Zunft in Dinant gegossen. Eine schönere Version dieser etwas prosaischen Ursprungsgeschichte ist allerdings die:
So wie Napoleon überhaupt an allem schuld ist, ist er auch schuld an der Erfindung der Aachener Printe. Denn als er anno 1806 gegen England die Kontinentalsperre verhängte, kamen natürlich auch die Schiffe aus den fernen Ländern mit den feinen Gewürzen nicht mehr ans europäische Festland. So mußten auch die Aachener Printenbäcker, die diesen Namen wie einen Adelstitel tragen, auf manches Gewürz, vor allem aber auf den amerikanischen Wildblütenhonig verzichten. Und so griffen sie zum heimischen Siruptopf. Und anstelle des ausländischen Rohrzuckers nahmen sie eben deutschen Rübenzucker. Beides aber machte den ursprünglich sehr feinen Teig zäh, so daß er sich nicht mehr in die feinen Formen pressen ließ, weshalb dann auch die Model etwas gröber wurden. Geschnitzt werden diese allerdings nach wie vor aus weichem Kirsch- oder Birnbaumholz.

Rheinisches Sauerkraut

Zutaten
für 4 Portionen:
250 g weiße Bohnen
500 g Sauerkraut
3 Wacholderbeeren
250 g durchwachsener Speck, geräuchert
2 Zwiebeln
2 EL Schmalz

Die Bohnen über Nacht in ½ l Wasser einweichen. Am nächsten Tag mit der Einweichflüssigkeit aufsetzen. Das Sauerkraut, die Wacholderbeeren und den Speck auf die Bohnen schichten. Den Eintopf 1 Stunde auf kleiner Hitze garen. Dann bis auf den Speck alles in eine Schüssel geben und warm halten.
Inzwischen die Zwiebeln schälen, in Ringe schneiden und im Schmalz goldbraun rösten. Den Speck in Scheiben schneiden und auf das Kraut legen. Dann mit den gerösteten Zwiebeln bestreuen. Zum rheinischen Sauerkraut wird Kartoffelpüree gegessen.

Wenn das Gericht weniger fett sein soll, gibt man statt Speck einfaches Kasseler in den Eintopf – allerdings erst 30 Minuten vor Ende der Garzeit.
Man kann auch den Anteil der weißen Bohnen steigern, nimmt dann allerdings auch weniger Sauerkraut. Das Verhältnis müßte dann ungefähr 350 g Bohnen zu 350 g Kraut sein.

Kappes-Sprüche

Hinaus in die Ferne möt Sauerkraut on Speck, dat eet ech so gerne, dat nömmt mich keener wech! (Mönchen-Gladbach)
Wer im Sommer Kappes baut, hot im Winter Sauerkraut! (Bernkastel)
Wer op wissen Sonndag sure Kappes iss, hät et janze Johr wiss Geld! (Rhöndorf)
Ut em Kappeskopp kammer kinnen Blumenkuhl maken! (Elberfeld)
Die Glocken von St. Jacob in Aachen läuten: Kappesbure, Kappesbure!

Buchweizenoffelt

Zutaten für 30 kleine Pfannkuchen:
1 EL Malzkaffee (Reformhaus)
50 g Rosinen
250 g Buchweizenmehl (Reformhaus)
1 gehäufter TL Backpulver
2 Eier
100 g Zucker
Fett zum Backen (am besten Schmalz)

Den Malzkaffee mit ¼ l heißem Wasser aufbrühen. Die Rosinen waschen und in einem Sieb abtropfen lassen. Das Mehl mit dem Backpulver mischen, mit dem Kaffee (ohne Satz) verrühren. Die Eier zugeben und auch verrühren. Den Zucker und die Rosinen in den dickflüssigen Teig geben. Aus dem Teig im heißen Fett portionsweise knusprige kleine Pfannkuchen backen.

Die Buchweizenoffelts werden am Niederrhein mit Rübenkraut oder selbstgemachter Marmelade aus schwarzen Johannisbeeren und Schwarzbrot gegessen. Will man sie lieber herzhaft, was sich mit dem Buchweizenmehl gut verträgt, dann gibt man nicht zu dicke Mettwurstscheiben mit in die Pfanne auf den Teig, wenn dieser auf der Unterseite gebräunt ist.

Reibekuchen mit Speck

Zutaten für 30 kleine Puffer:
1½ kg Kartoffeln
2 Zwiebeln
200 g durchwachsener Speck
2 Eier
Salz
Pfeffer
Fett zum Backen

Die Kartoffeln schälen, waschen, reiben und in einem sauberen Tuch gründlich auspressen. Die Zwiebeln schälen und fein würfeln. Den Speck auch fein würfeln. Den Kartoffelbrei mit Eiern, Zwiebeln und Speck mischen, mit Salz und Pfeffer würzen. Die Puffer portionsweise im heißen Fett auf beiden Seiten goldbraun backen.
Man sollte möglichst kein Mehl an den Teig rühren, wenn dieser etwas flüssig ist. Das macht die Reibekuchen stumpf und zäh.

Im Bergischen Land werden die Reibekuchen auf ein reichlich gebuttertes Schwarzbrot gelegt und gegessen. Dazu gibt es dann noch Rübenkraut, Apfelkraut oder Apfelmus. Außerdem darf die Kaffeekanne auf dem Tisch nicht fehlen.

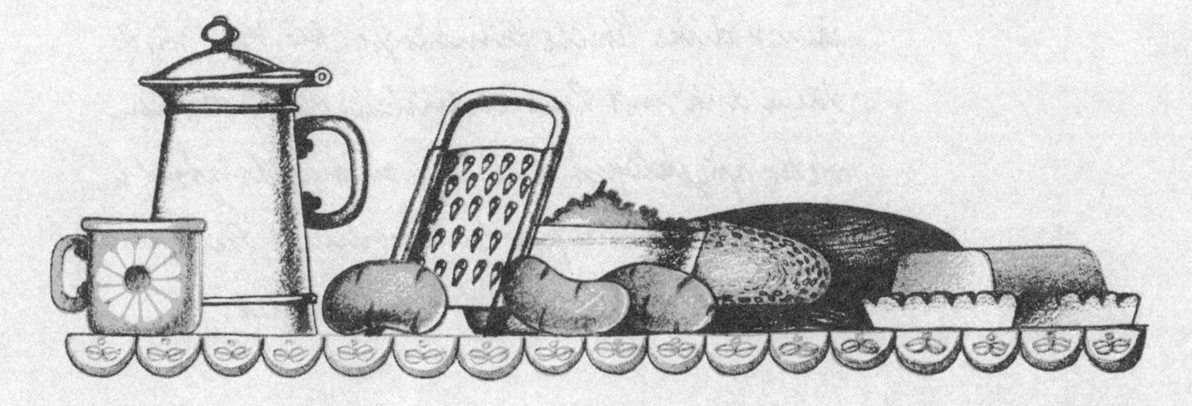

Püfferche

Zutaten für 40 kleine Puffer:
50 g Rosinen
500 g Äpfel
2 Eier, getrennt
1 TL Salz
3 EL Zucker
100 g Butter
½ Päckchen Backpulver
500 g Mehl
⅜ l Milch
Fett zum Backen
Zucker zum Bestreuen

Die Rosinen waschen und in einem Sieb abtropfen lassen. Die Äpfel schälen, vierteln, entkernen und in kleine Würfel schneiden. Das Eigelb mit Salz, Zucker und weicher Butter schaumig rühren. Im Wechsel das mit dem Backpulver gemischte Mehl, die Milch und ⅛ l Wasser zugeben und verrühren. Eiweiß mit 1 Prise Salz sehr steif schlagen, dann unter den Teig heben. Jetzt auch Rosinen und Äpfel in den Teig rühren. Portionsweise Fett in einer Pfanne erhitzen. Darin aus dem Teig kleine goldbraune Puffer backen. Puffer im vorgeheizten Backofen warm halten, bis alle fertig gebacken sind. Sie werden warm mit Zucker bestreut gegessen.

Der Rheinwein glänzt noch immer wie Gold
Im grünen Römerglase,
Und trinkst du etwelche Schoppen zu viel,
So steigt er dir in die Nase.
(Heinrich Heine)

Halver Hahn met Kompott

Ein halber Hahn ist kein Geflügel, sondern ein simples Käsebrötchen mit Senf. In Köln legt man auf ein halbiertes Röggelchen eine dicke Scheibe Holländer Käse, in Düsseldorf ist es eine ebenso dicke Scheibe Limburger. Der Käse wird dann dick mit Senf bestrichen, das Brötchen wieder zugeklappt und auf einem Holzbrett serviert. Dazu außerdem nochmal Senf und ein Glas Düsseldorfer oder Kölner Alt.

Beamtenstip

Die feingehackten Zwiebeln in einem Schmortopf im heißen Fett glasig braten. Dann das mit Salz und Pfeffer kräftig gewürzte Hackfleisch zugeben und mit den Zwiebeln mischen. Wenn das Fleisch gut gebräunt ist, das Tomatenmark und $^1/_8$ l Wasser zugeben. Alles 20 Minuten auf kleiner Hitze kochen lassen.

Zutaten für 4 Portionen:
2 kleine Zwiebeln
40 g Fett
Salz
Pfeffer
350–500 g Hackfleisch
4 EL Tomatenmark

Beamtenstip, der natürlich auch mit frischen Tomaten zubereitet werden kann (was aber teurer ist und dann den Namen nicht mehr rechtfertigen würde), wird mit Kartoffeln oder Nudeln gegessen. Und zwar am Ende des Monats, wenn das Geld knapp ist. So wie es früher die preußischen Beamten in Köln gemacht haben sollen.

Niederrheinischer Jägerkohl

Zutaten
für 4 Portionen:
750 g Weißkohl
150 g durchwachsener Speck
1 Zwiebel
350 g Hackfleisch, gemischt
Salz
Pfeffer
¼ l Fleischbrühe
500 g Kartoffeln

Den Weißkohl putzen, waschen und fein hobeln. Den Speck würfeln, in einem Topf auslassen, die gewürfelte Zwiebel darin glasig braten. Dann das Hackfleisch zugeben und bräunen. Dabei salzen und kräftig pfeffern. Dann den Kohl zugeben, die Brühe zugießen, das Gericht auf milder Hitze garen.
Inzwischen die Kartoffeln schälen, waschen und in Scheiben schneiden. Nach 20 Minuten auf den Kohl geben und noch weitere 20 Minuten garen.

Schnieders Courage

Zutaten
für 4 Portionen:
125 g weiße Bohnen
375 g Bauchfleisch
250 g Möhren
250 g Kartoffeln
1 Zwiebel
1 Apfel
½ Stange Porree
125 g Backpflaumen
1 TL gekörnte Brühe
2 TL Salz
½ TL Pfeffer

Die weißen Bohnen über Nacht in ¼ l Wasser einweichen. Dann mit dem Bauchfleisch und 1 l frischem Wasser aufsetzen und 1 knappe Stunde kochen lassen.
In der Zwischenzeit Möhren, Kartoffeln, Zwiebel und Apfel schälen und (bis auf die Zwiebel) waschen. Das Gemüse und die Zwiebel in Scheiben schneiden, den Apfel vierteln, entkernen und auch in Scheiben schneiden. Den Porree putzen, in Ringe schneiden und gründlich waschen. Die vorbereiteten Zutaten – den Porree ausgenommen – und die Backpflaumen zu den Bohnen geben. Das Bauchfleisch obendrauf legen. Das Gericht mit gekörnter Brühe, Salz und Pfeffer würzen, wieder aufkochen lassen und dann auf milder Hitze weitere 30 Minuten garen. Den Porree in den letzten 5 Minuten mitgaren. Den Speck herausnehmen, in Scheiben schneiden und extra anrichten, nach Belieben mit Senf bestreichen.

Süße Mathilde

Zutaten
für 4 Portionen:
4 große Pfirsiche
4 Löffelbiskuits
50 g Puderzucker
35 g gehackte Mandeln
70 g Zitronat
4 EL Weißwein

Die Pfirsiche mit spitzem Messer einritzen, kurz in kochendes Wasser tauchen, mit kaltem Wasser abschrecken, dann die Haut abziehen. Die Früchte halbieren und entsteinen. Die Löffelbiskuits fein zerkrümeln, dann mit Puderzucker, Mandeln und feingehacktem Zitronat mischen. Den Weißwein in eine feuerfeste Form gießen, die Pfirsiche mit der Öffnung nach oben hineinsetzen. Die Biskuitfüllung in die Pfirsiche verteilen. Die Form bei 160 Grad (Gas: Stufe 1) in den vorgeheizten Backofen schieben. Die Pfirsiche etwa 30 Minuten backen, bis die Füllung eine feine Kruste bekommt. Die süße Mathilde heiß in der Form servieren.

Zur süßen Mathilde, einer Bergischen Nachspeise, kann man, wenn man will, auch eine Weinschaumsauce servieren. Aber dann wird es sehr süß. Man kann die Speise natürlich auch kalt essen.

Schlackenkohle

Zutaten
für 4 Portionen:
¼ l Milch
10 g Kakao
80 g Schokolade, zartbitter
65 g Butter
1 Löffelspitze Vanillemark
Salz
80 g Mehl
4 Eier, getrennt
65 g Zucker
Fett für die Form

Die Milch in einen Kochtopf gießen. Kakao, zerbröckelte Schokolade, Butter, Vanillemark und 1 Prise Salz zugeben. Die Milch unter ständigem Rühren aufkochen, das Mehl hineinschütten und verrühren, bis sich die entstandene Masse vom Topfboden löst. Den Teig abkühlen lassen.
Die Eigelbe und den Zucker zu einer weißschaumigen Creme schlagen, den Schokoladenteig löffelweise zufügen und gut verrühren. Das Eiweiß mit 1 Prise Salz zu steifem Schnee schlagen, dann behutsam unter den Schokoladenteig ziehen.
Eine Puddingform einfetten, den Teig hineinfüllen. Die Form fest verschließen, in ein kochendes Wasserbad setzen. Den Pudding darin 90 Minuten kochen. Das Wasser muß dabei immer kochen. Eventuell verdampftes Wasser muß durch heißes Wasser ersetzt werden. Die Form dann kurz in kaltes Wasser tauchen und öffnen. Den Pudding auf eine runde Platte stürzen. Vanillesauce dazu reichen.

„Wemmer erst mal jut jefrühstückt ham, jearbeitet hammer schnell." (Düsseldorfer Handwerkerspruch)

Dicke Bohnen aus Duisburg

Zutaten für 4 Portionen:
600 g Bohnenkerne, enthülst
1 Stengel Bohnenkraut
250 g kleine Zwiebeln (oder Schalotten)
2 EL Schmalz
250 g durchwachsener Speck, geräuchert
¼ l Sahne
1 TL Salz
¼ TL Pfeffer

Die Bohnenkerne mit dem Bohnenkraut in kaltem Wasser aufsetzen und 30 Minuten kochen lassen. Dann in einem Sieb abtropfen lassen, und das Bohnenkraut entfernen. Inzwischen die Zwiebeln pellen, kleine ganz lassen, große halbieren oder vierteln, dann in heißem Schmalz ringsum goldgelb braten. Den Speck in feine Streifen schneiden, mit den Bohnen und Zwiebeln in eine Auflaufform schichten. Die Sahne mit Salz und Pfeffer verquirlen und über das Bohnengemüse gießen. Die Form zugedeckt bei 175 Grad (Gas: Stufe 2) in den Backofen schieben. Den Auflauf weitere 30 Minuten backen. Dann in der Form mit Salzkartoffeln oder Kartoffelpüree servieren.

Variante: Das Gemüse ohne Speck zubereiten, mit Essig und Zucker süß-sauer abschmecken und mit Schnittlauchröllchen bestreut anrichten. Speck mit Wacholderbeeren, Zwiebeln und Nelken kochen, in Scheiben geschnitten dazu servieren.

Weseler Ballebäuskes

Zutaten für etwa 40 Stück:
30 g Hefe
100 g Zucker
1 Prise Salz
¼ l Milch
500 g Mehl
100 g Butter
1 Ei
Schmalz zum Backen
Zucker zum Bestreuen

Hefe, Zucker, Salz und etwas lauwarme Milch miteinander verrühren. Etwas Mehl hineinrühren. Diesen Vorteig zugedeckt 30 Minuten an einem warmen Platz gehen lassen. Dann Butter in Flöckchen in die restliche warme Milch geben und darin weich werden lassen. Die lauwarme Flüssigkeit, das Ei und das Mehl zum Vorteig geben und rühren, bis der Teig sich von der Schüssel löst. Dann wieder an einem warmen Platz 30 Minuten gehen lassen, anschließend nochmals tüchtig durchkneten.
Das Schmalz in einer Pfanne auf mittlerer Hitze heiß werden lassen. Mit einem Eßlöffel Klöße vom Teig abstechen, ins heiße Fett geben und ringsum goldbraun backen. Hinterher auf Küchenkrepp legen, damit das Fett abtropft. Die Ballebäuskes dann in Zucker umdrehen und möglichst heiß essen.

Weseler Ballebäuskes sind wie die Ballbäuschen aus Westfalen und die niedersächsischen Prilleken ein Silvester- und Karnevalsgebäck.

Schnippelbohnensuppe

Zutaten für 4 Portionen:
500 g Schneidebohnen (in Milchsäure vergoren)
2 Zwiebeln
1 Möhre
½ l Fleischbrühe
1 Stange Porree
500 g Kartoffeln
4 Mettwürstchen (Kochwürste)
½ TL Pfeffer

Die Schneidebohnen mit ihrer Flüssigkeit in den Topf geben. Zwiebeln und Möhre schälen und fein würfeln. Zu den Bohnen geben, die Fleischbrühe zugießen. Die Suppe 30 Minuten kochen lassen.
Inzwischen Porree putzen, längs vierteln, gründlich waschen, quer in feine Streifchen schneiden und 5 Minuten vor Ende der Garzeit in die Bohnensuppe geben.
Die Kartoffeln schälen, waschen und in kleine Würfel schneiden. Mit den Mettwürstchen und ½ l Wasser aufkochen und 15 Minuten leise sieden lassen. Kurz vor dem Servieren in die Bohnensuppe geben und erst jetzt mit dem Pfeffer abschmecken.

„Dat sen so genögliche Löck, met denne küt mer got us." (Das sind so genügliche Leute, mit denen kommt man gut aus.) Der Kölner über die Kölner.

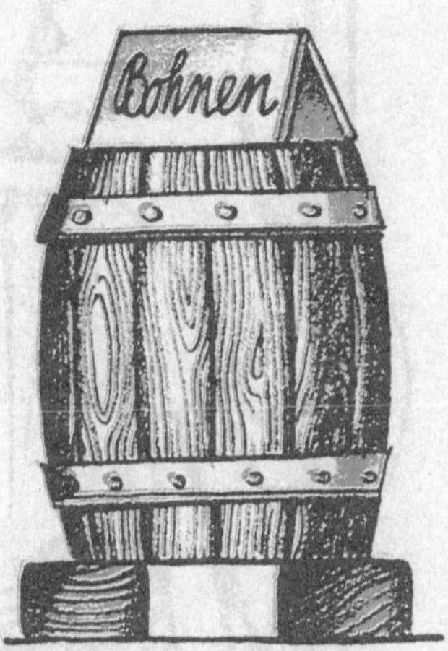

Wisser Hännes

1/2 ℔ feste Leberwurst wird gepellt und in Scheiben geschnitten. Dann mit 2 gewürfelten Zwiebeln, 1 Lorbeerblatt, 2 Nelken, 4 Pfefferkörnern, 4 Senfkörnern gemischt und mit Essig und 1 Eßl. Öl übergossen und nochmal tüchtig durchgemischt. Der Salat muß über Nacht durchziehen. Vorm Servieren nimmt man das Lorbeerblatt heraus. Dazu gibt's Schwarzbrot und einige klare Schnäpse für die Verdauung.

Saar und Rheinland-Pfalz

Doch nähert sich solch einem Schoppen
Mein Herz... dann überwallt's...
's is halt e verflucht feiner Troppen,
Ich segne die Hügel der Pfalz!
(Victor von Scheffel)

Wenn zwei dasselbe tun, ist es nicht dasselbe. Ein schlagender Beweis für die ewige Gültigkeit dieser lateinischen Behauptung ist das Verhältnis des Pfälzers zur Wurst und dem damit verbundenen Schwein. Ein Verhältnis, das der tiefen Schweine- und Wurst-Innigkeit der Niedersachsen und Schleswig-Holsteiner in nichts nachsteht, aber dennoch nach Ursache und Auswirkung von ganz anderer, man möchte sagen: höherer Art ist. Während nämlich die genannten norddeutschen Stämme durch das rauhe Klima ihrer Heimat sozusagen zum Wurstverzehr verurteilt sind, ist dem Pfälzer die Wurst nur ein köstliches Beiwerk zur Daseinslust, das außerdem der pfälzischen Selbstverwirklichung dient. Denn mit der Wurst halten sie es so, daß sie in überaus raffinierter Weise ihre Gier nach derselben durch Weinkonsum anheizen, während die Sättigung mit Wurst wiederum Weindurst macht. In diesem Kreislauf von Genuß und Begierde sehen sie aber keinen Selbstzweck, vielmehr dient der Durst-Wurst-Durst-Zyklus (pfälzisch: Dorscht-Worscht-Dorscht) lediglich als Nährboden der höchsten aller pfälzischen Wonnen: dem rasanten Austausch von scharfzüngiger Rede und Gegenrede. Diesem eher intellektuellen Vergnügen an der Wurst entspricht auch die Abneigung des Pfälzers, die Wurst auf Butterbroten zu genießen: Diese norddeutsche Form des Verzehrs degradiert nach verbreiteter pfälzischer Ansicht die Wurst zum bloßen Lebensmittel. Wo man der Wurst einen so hohen geistigen Stellenwert zubilligt, kann es nicht ausbleiben, daß sie gelegentlich (mitsamt dem Schwein) auch ins Geistliche hinübergleitet (oder entgleitet?). So stimmt es nachdenklich, wenn ein Pfälzer Knabe auf die Frage nach den heiligen Festen seiner Heimat auch „die heilige Sauschlacht" aufzählt. Oder tut hier Kindermund längst Vergessenes kund? Denn liegt nicht die Pfalz im Überlappungsgebiet keltischer und germanischer Kultur und damit zweier Sau und Eber verehrender Religionen? Und ist es nicht auf diese kultische Erhöhung des Schweines zurückzuführen, daß dem Pfälzer bei einem Wort wie „Saumagen" der Appetit kommt und nicht geht? Fragen über Fragen!

Schupfnudele, auch Buwespitze genannt

Zutaten für 4 Portionen:
1 kg Kartoffeln, mehlig kochende
Salz
1 bis 2 Eier
20 g Butter
150 g Mehl
Muskat

Die Kartoffeln am Vortag schälen, in Salzwasser garen, abgießen, gut abgedeckt aufbewahren. Die kalten Kartoffeln durch die Presse drücken. Mit Ei, zerlassener Butter, Mehl, Salz und Muskat zu einem Teig verarbeiten. Wenn der Teig zu weich ist, etwas Mehl zugeben. Die Arbeitsfläche mit etwas Mehl bestäuben, aus dem Teig fingerlange und -dicke Würstchen formen. Die Schupfnudele in reichlich siedendes Salzwasser geben. Sie sind gar, wenn sie an der Oberfläche schwimmen. Dann noch etwa 2 bis 3 Minuten im Wasser lassen, mit einer Schaumkelle herausheben und in einer Schüssel anrichten, in der auf dem Boden ein Teller liegt, damit das Wasser von den Nudeln ablaufen kann und sie nicht zusammenkleben.

„Bauen, Beten und Braten."
Ein Reisender aus Ostelbien
über die Haupttätigkeiten des Saarländers.

Kastanienpüree

2 ℔ Kastanien werden oben an der Spitze kreuzweise eingeschnitten, auf ein Blech gelegt und in den heißen Backofen geschoben, damit die Schalen aufplatzen. Sie werden samt den Häutchen abgezogen. Die Kastanien kocht man in 1 Liter Fleischbrühe weich und streicht sie dann durch ein Sieb. Das Püree wird mit Pfeffer und Salz abgeschmeckt und vorm Servieren mit 2 Eßl. saurer Sahne und 50 g Butter verfeinert.

Pfälzer Rebhühner

Zutaten für 4 Portionen:
4 Rebhühner, küchenfertig
Salz
Pfeffer
500 g blaue Weintrauben
4 cl Weinbrand
300 g fetter Speck
½ l Rotwein
¼ l saure Sahne
1 EL Speisestärke

Die Rebhühner innen und außen waschen, trockentupfen, salzen und pfeffern. Die Weintrauben waschen, halbieren und entkernen. Die Hälfte der Weintrauben in eine Schüssel geben, mit dem Weinbrand übergießen und 15 Minuten durchziehen lassen. Diese Trauben in die Rebhühner geben. Die Rebhühner mit Küchengarn zunähen. Den in der Schüssel verbliebenen Weinbrand über die Rebhühner träufeln. Zwei Drittel Speck in dünne Scheiben schneiden, Rebhühner damit belegen, mit Küchengarn festbinden. Den restlichen Speck würfeln, im Schmortopf auslassen, die Grieben mit der Schaumkelle entfernen. Die Rebhühner im heißen Speckfett rundherum anbraten. 2 EL der restlichen Trauben zugeben, mit einem kleinen Schuß Rotwein ablöschen. Den Topf zudecken und im vorgeheizten Backofen bei 180 Grad (Gas: Stufe 2) auf der mittleren Schiene 1 Stunde schmoren lassen. Alle 20 Minuten einen kleinen Schuß Rotwein zugießen. Danach die Speckscheiben lösen, aber im Topf lassen.
Die Hälfte der Sahne über die Rebhühner gießen und offen im Backofen 10 bis 15 Minuten überkrusten lassen. Die Rebhühner aus dem Topf nehmen, im abgeschalteten Backofen auf der Servierplatte warm stellen.
Den Topf auf die heiße Herdplatte stellen, Speckscheiben herausnehmen, Bratensatz mit dem restlichen Wein loskochen. Restliche Sahne mit der Speisestärke verquirlen, in die Sauce rühren. Die Sauce durch ein Sieb streichen, mit Salz und Pfeffer abschmecken. Dann in eine Saucière gießen.
Die Rebhühner auf der Platte mit den restlichen Trauben garnieren und mit Schupfnudele servieren.

Womit die Saarländer ihren Durst löschen:

Wie ihre pfälzischen Nachbarn keltern auch die Saarländer einen sehr guten Wein, wie z. B. den Ayler Kupp. Ihr selbstgebrautes Bier kommt aus Saarlouis und Homburg, aus Merzig und aus St. Ingbert, aus Riegelsberg und aus Neunkirchen, aus Ottweiler und aus Dirmingen und letztendlich auch aus Saarbrücken selber. Das Bier dient der Löschung des Durstes, zur Freude des Lebens trinkt der Saarländer Selzbacher Pfarrgarten-Quetsch, Kleinbittersdorfer Mirabell, Eppelborner Birn und Wocherner Kirsch. Deshalb hat er denn auch so viele schöne Obstbäume in seinen Gärten.

Herzdriggerte (oder Gefillte) mit Schnittlauchsauce

Zutaten für 6 bis 8 Klöße:
500 g rohe Kartoffeln
500 g Pellkartoffeln
2 EL Mehl
2 Eier
Salz
250 g gemischtes Hackfleisch
Pfeffer
Muskat
2 EL Petersilie, gehackt
1 Zwiebel
150 g Butter
4 EL Semmelbrösel
2 EL Schnittlauchringe

Die Kartoffeln schälen, reiben und in einem Tuch gut ausdrücken. Pellkartoffeln reiben oder durch den Fleischwolf drehen und zu den rohen Kartoffeln geben. Mehl, Eier und etwas Salz unterrühren. Den Teig etwa 30 Minuten ruhen lassen.
In der Zwischenzeit die Füllung zubereiten: Das Hackfleisch mit Salz, Pfeffer und Muskat würzen, die Petersilie untermischen. Die Zwiebel würfeln und in 1 EL Butter anrösten. Das Fleisch zugeben und kurz anbraten.
In einem großen Topf reichlich leicht gesalzenes Wasser zum Kochen bringen. Mit nassen Händen aus dem Teig 6 bis 8 Klöße formen. Jeden Kloß in der Mitte eindrücken, etwas Fleischfüllung in die Vertiefung geben, den Teig darüber fest zusammenklappen. Die Klöße in siedendem Wasser garen. Sobald sie an der Oberfläche schwimmen, sind sie fertig.
Inzwischen die Semmelbrösel in der restlichen Butter leicht anrösten, die Schnittlauchringe untermischen und kurz mit ziehen lassen. Beim Essen reichlich Schnittlauchsauce über die gefüllten Klöße gießen. Dazu Endiviensalat reichen.

Vorsicht bei den „Herzdriggerte", den Herzdrückern. Sie haben es derartig in sich, daß sie via Magen aufs Herz drücken können. Es ist deshalb im Saarland Sitte, einen Weinbrand hinterher zu trinken.

Hoorige Knepp

Zutaten für 6 bis 8 Portionen:
1,5 kg rohe Kartoffeln
500 g gekochte Kartoffeln
1 Ei
Salz
Pfeffer
1–2 Zwiebeln
1 Brötchen, altbacken
2 EL Mehl
70 g Butter
¼ l saure Sahne

Die rohen Kartoffeln reiben, den Brei in einem Sieb abtropfen lassen. Die gekochten Kartoffeln kalt werden lassen, dann auch reiben oder durch den Fleischwolf drehen. Kartoffeln mit Ei mischen, dann salzen und pfeffern. Die Zwiebeln in den Teig reiben. Das eingeweichte, gut ausgedrückte Brötchen etwas zerpflücken und auch zugeben. Alles mischen und mit so viel Mehl verkneten, bis sich der Teig von der Schüssel löst. Dann Klöße daraus formen und in reichlich siedendem Salzwasser garen, bis sie an der Oberfläche schwimmen. Dann noch weitere 2 bis 3 Minuten im Wasser lassen. Anschließend mit einer Schaumkelle herausheben und in eine Schüssel geben, in der am Boden eine Untertasse liegt. Die Klöße in der Schüssel mit gebräunter Butter und saurer Sahne übergießen.

Grüne Knepp (Knöpfe)

Frischen Spinat waschen und grob hacken. Butter zerlassen, die grobgehackte Zwiebel darin glasig braten. Den Spinat zugeben und 5 Minuten dünsten, dann abkühlen lassen. Die übrigen Zutaten zugeben und alles zu Teig verarbeiten. Einen großen Kloß daraus formen und 1 Stunde an einem kühlen Platz rasten lassen. Dann mit nassen Händen aus dem Teig Klöße formen. Die Klöße in reichlich siedendem Salzwasser gar ziehen lassen. Sie sind gar, wenn sie an der Oberfläche schwimmen. Dann sollten sie noch 2 bis 3 Minuten zum richtigen Ausquellen der Kartoffelstärke im Wasser bleiben.

Zutaten für 4 Portionen:
500 g Spinat
50 g Butter
1 Zwiebel
Salz
Pfeffer
Muskat
200 g Semmelbrösel
2 Eier
1 Bund Petersilie, gehackt
1 EL Mehl

Der Saarländer, sein Wesen und der Wein:

Der Saarländer ist von Gemüt wie der Wein, der ihn umgibt. Mal ist er herb wie im Norden der stahlige, würzige Wein von Mosel, Ruwer und Nahe; mal ist er mild und etwas dumpf, so wie im Osten der Pfälzer Wein ist: rund und voll und einmalig erdig. Dann ist er auch von herzhafter Gemütsart wie der Wein im Süden, im Elsaß, der frisch und kernig schmeckt. Und er ist auch spritzig und heiter im Wesen wie im Westen der Luxemburger Wein, der Elbling.

Zweibrücker Linsen

Die Linsen gut mit Wasser bedeckt über Nacht einweichen. Den Speck in einem Topf auslassen, die Zwiebel darin glasig braten. Dann die Linsen mit dem Einweichwasser zugeben. Das Suppengrün putzen und fein schneiden, dann mit den geschälten und gewürfelten Kartoffeln zu den Linsen geben. Mit Lorbeerblatt, Nelken, Salz und Pfeffer würzen. Die Linsen auf kleiner Hitze in etwa 50 bis 60 Minuten garen. Kurz vor dem Servieren die Butter flüssig werden lassen, den Zucker darin karamelisieren, dann in die Suppe geben und die süße Sahne unterrühren.

Zutaten für 4 Portionen:
200 g Linsen
50 g geräucherter Speck, gewürfelt
1 Zwiebel, gewürfelt
1 Bund Suppengrün
2 Kartoffeln
1 Lorbeerblatt
2–3 Nelken
Salz
Pfeffer
1 EL Butter
2 EL Zucker
⅛ l süße Sahne

Versoffene Schwestern

Zutaten für 4 Portionen:
1 l Weißwein
1 Stange Zimt
125 g Mehl
⅛ l Milch
1 Ei
2 EL Butter

Den Wein mit Zimt zum Sieden bringen, aber nicht kochen lassen. Aus Mehl, Milch und Ei einen dünnflüssigen Eierkuchenteig rühren. Aus dem Teig in der heißen Butter 2 bis 3 Eierkuchen backen. Diese in dünne Streifen schneiden und dann in die Suppe geben. Vor dem Servieren die Zimtstange herausnehmen.

Diese starke Suppe bekamen in der Pfalz die Wöchnerinnen serviert.

Wie die Pälzer Weinbauern ihren Kindersegen erklären, der sich just immer im August einstellt: „... des mit dene Kinner verhält sich so: Wann der Wei gut geroot, dann kriege mer eens vor Frääd, und wann de Wei schlecht geroot, dann kriege mer eens vor Raasch." (Frääd ist die Freude und Raasch ist die Rage, die Wut.)

Kerscheplotzer, auch Kirschenmichel genannt

Zutaten für 4 Portionen:
8 Brötchen, altbacken
½ l Milch
50 g Butter
75 g Zucker
4 Eier, getrennt
abgeriebene Schale von 1 Zitrone
1 kg Süßkirschen, entkernt
Fett für die Form
Butter zum Gratinieren
Zimt

Die Brötchen in dünne Scheiben schneiden, in lauwarmer Milch ziehen lassen. Butter mit Zucker, Eigelben und Zitronenschale schaumig schlagen, Semmel-Milch-Masse unterrühren. Jetzt die entsteinten Kirschen zugeben und vorsichtig das steifgeschlagene Eiweiß unterheben. Die Masse in eine gefettete Auflaufform geben, mit Butterflöckchen belegen und Zimt darüberstreuen. Den Auflauf im vorgeheizten Backofen auf der mittleren Schiene bei 200 Grad (Gas: Stufe 3) 45 Minuten backen. In der Form servieren und heiß essen.

Backesgrumbeere

Die geschälten und gewaschenen Kartoffeln in dünne Scheiben schneiden. Eine feuerfeste Form mit dem Schweineschmalz einfetten. Die Hälfte der Kartoffelscheiben hineinschichten, salzen und pfeffern. Schweinebauch in Scheiben schneiden und darauflegen und mit dem in Ringe geschnittenen Schnittlauch bestreuen. Mit den restlichen Kartoffelscheiben zudecken, noch mal salzen und pfeffern. Die Form in den vorgeheizten Backofen auf die mittlere Schiene stellen. Die Kartoffeln bei 250 Grad (Gas: Stufe 5–6) 15 Minuten backen. Dann die Sahne mit Zimt verrühren, über die Kartoffeln gießen und noch etwa 30 Minuten weiterbacken, bis sich oben eine schöne braune Kruste gebildet hat.

Zutaten für 4 Portionen:
1 kg Kartoffeln
1 EL Schweineschmalz
Salz
Pfeffer
500 g Schweinebauch
1 Bund Schnittlauch
¼ l saure Sahne
Zimt

Pfälzer Weinkraut

Die Zwiebeln im Schmalz glasig braten. Die übrigen Zutaten in der genannten Reihenfolge und 1 Tasse heißes Wasser zugeben. Das Kraut auf milder Hitze zugedeckt 45 Minuten dünsten. Dann den Deckel abnehmen und den Saft etwas einkochen lassen. Trotzdem darf das Kraut natürlich nicht trocken werden. Vor dem Servieren die Lorbeerblätter entfernen.

Zutaten für 4 Portionen:
3 Zwiebeln, gewürfelt
2 EL Gänseschmalz
1 großer, süßer Apfel, gestiftelt
500 g Sauerkraut, etwas auseinandergezupft
8 Wacholderbeeren
8 Pfefferkörner
3 Lorbeerblätter
1 Glas Weißwein

Bettelmannskartoffeln

2 Eßl. Mehl werden in etwas Fett angebräunt, dann gießt man 3 Tassen Wasser dazu und kocht alles auf. Jetzt kommen gewürfelte Kartoffeln hinein, außerdem Salz, Pfeffer und 2 Lorbeerblätter. Die Kartoffeln läßt man so lange auf dem Feuer, bis sie zu einem breiigen Mus verkocht sind. Dazu gibt es Endiviensalat und Treipen (Sülze).

Pfälzer Saumagen

Zutaten
für 6 bis 8 Portionen:
1 junger Schweinemagen (möglichst schon vom Fleischer säubern lassen)
500 g Schweinehack
2 Semmeln, eingeweicht und ausgedrückt
1 Tasse angedünstete Zwiebelwürfel
3 Eier
125 g gekochte Kartoffeln
125 g gegarte, geschälte Kastanien
Salz
Pfeffer
Majoran
gehackte Petersilie
1 EL Schweineschmalz
⅛ l Pfälzer Wein

Den Schweinemagen gründlich säubern und über Nacht wässern. Dann mehrmals dick mit Salz einreiben und die Schleimschicht damit entfernen. Immer wieder unter fließendem Wasser abspülen.
Hackfleisch, Semmeln, Zwiebeln, Eier, Kartoffeln, Kastanien, Kräuter und Gewürze zu einer Farce verkneten. Den Saumagen damit füllen (aber nicht zu voll, sonst platzt er) und mit einem kräftigen Baumwollfaden zunähen.
Das Schweineschmalz in einem Bräter erhitzen und den Saumagen darin vorsichtig rundherum anbraten. Wenn der Magen von allen Seiten braun ist, nach und nach Wasser angießen und einkochen lassen. Nach Ende der Garzeit (etwa 2 Stunden) den Fond mit Wein ablöschen.
Der Pfälzer Saumagen wird bei Tisch aufgeschnitten und mit Weinkraut und derbem Brot gegessen. Zum Trinken gibt es einen herben Pfälzer Weißwein. Stilecht wäre ein Kallstadter Saumagen Riesling.

Die Pfälzer kennen für ihren Saumagen natürlich viele Rezepte. Eine andere Garmethode ist die: den gefüllten Magen gut 3 Stunden in heißem Wasser (etwa 80 Grad) sieden, aber nicht kochen lassen. Er muß dabei frei im Wasser schwimmen und öfter umgedreht werden. Danach kann er eventuell noch knusprig nachgebraten werden.

„Diese Sachen – sprach der sechste –
kenn ich alle sehr genau,
doch es geht mir über alles
stets der Magen einer Sau!"
(Strophe aus dem Saumagenlied von K. A. Woll)

Saarbrücker Fleischpastete

Zutaten
für 4 bis 8 Portionen, je nachdem ob die Pastete als Vor- oder als Hauptgericht gegessen wird:
350 g Schweinekamm, ohne Knochen
350 g Kalbfleisch
350 g Rindfleisch (jeweils vom Bug)
1 Zwiebel
3 Lorbeerblätter
6 Nelken
8 Wacholderbeeren
1 TL Koriander
¾ l Weißwein
⅛ l milder Weinessig
300 g Mehl
15 g Hefe
1 TL Zucker
gut ⅛ l Milch, lauwarm
75 g Butter
1 Ei
Salz
Fett für die Form
3 EL Semmelbrösel
Pfeffer
geriebene Muskatnuß
250 g feine Bratwurst
¼ l saure Sahne
1 Eigelb

Alles Fleisch in 2 cm große Würfel schneiden und in eine Porzellan- oder Steingutschüssel geben. Gehackte Zwiebel, Lorbeerblätter, Nelken, zerdrückte Wacholderbeeren und Koriander untermischen. Wein und Essig übergießen, die Schüssel zudecken. Das Fleisch mindestens 24 Stunden beizen, dabei ab und zu durchrühren.
Das Mehl in eine Schüssel geben. In die Mitte eine Mulde drücken. Dort hinein die Hefe bröckeln, Zucker und 5 EL von der lauwarmen Milch zugeben und mit wenig Mehl zum Vorteig verrühren, mit einem Tuch zudecken und an einem warmen Platz 30 Minuten gehen lassen. Dann die restliche Milch, Butter, Ei und 1 TL Salz zugeben und kneten, bis der Teig glatt ist und sich vom Topfrand löst. Den Teig zu einer Kugel formen und zugedeckt noch einmal 50 Minuten gehen lassen. Entsprechend der Größe der verwendeten Springform (24 cm ø) den Teig auf einer leicht bemehlten Arbeitsfläche zu zwei runden Platten ausrollen. Die Platte für den Boden muß etwas größer sein, weil sie bis zum Springformrand hochgezogen wird.
Die Springform einfetten, die größere Teigplatte hineinlegen und festdrücken, den über den Rand stehenden Teig abschneiden. 2 EL Semmelbrösel auf den Teigboden streuen. Das Fleisch aus der Beize nehmen, dann trockentupfen. Restliche Semmelbrösel untermischen. Mit Salz, Pfeffer und Muskat würzen. Bratwurstfüllung unter das Fleisch mischen. Füllung in die Springform geben und mit Sahne begießen. Den Teigdeckel auflegen und die Ränder gut andrücken. Den Deckel mit Eigelb bestreichen, dann mit einer Gabel mehrmals einstechen. Die Form auf die mittlere Schiene im vorgeheizten Backofen stellen. Die Pastete bei 180 Grad (Gas: Stufe 2) 1½ Stunden backen. Nach etwa 1 Stunde mit Pergamentpapier oder Alufolie leicht abdecken. Die Pastete nach dem Backen aus der Form nehmen, wie eine Torte aufschneiden und heiß servieren.
Anstelle von „Dreierlei"-Fleisch wird oft auch nur 1 Kilo Schweinekamm ohne Knochen gewürfelt. Bevorzugt man diese Methode, gibt man statt Weißwein einen guten Rotwein in die Beize und macht die Fleischfüllung statt mit Bratwurst mit 250 g Schweinemett, das gut gewürzt ist, geschmeidig.

Die Fleischpastete ist im Saarland ein ausgesprochenes Festtagsessen. Wie gut sie wird, hängt stark von der Qualität von Wein und Essig ab. Wobei letzterer unbedingt ein sehr milder Weinessig sein muß.

Verschlungene Gedanken

Zutaten
für 30 bis 40 Stück:
80 g Butter oder Margarine
60 g Zucker
1 Päckchen Vanillezucker
2 Eier
1/8 l saure Sahne
375 g Mehl
1 gestr. TL Backpulver
Fett zum Ausbacken
Zucker zum Bestreuen

Die Butter oder Margarine mit Zucker und Vanillezucker schaumig rühren, danach Eier, Sahne, Mehl und Backpulver zugeben und gut durchkneten. Den Teig 30 Minuten ruhen lassen, dann 1/2 cm dick ausrollen. Anschließend in fingerbreite und 10 cm lange Streifen schneiden. Jeweils 2 Streifen umeinander legen, die Enden sehr fest zusammendrücken, dann in heißem Fett schwimmend ausbacken, bis sie goldbraun sind. Herausnehmen, gleich mit dem Zucker bestreuen und heiß essen.

Sich Mainz und die Pfalz ohne Verschlungene Gedanken zur Fasnacht vorzustellen, ist ebenso unmöglich, wie sich Mainz und die Pfalz ohne Fasnacht vorzustellen.

De Jäger aus Kurpfalz
Der stolpert iwwer de Grumbeeresack
Un brecht dabei de Hals
Ju ja, ju ja,
Der stolpert iwwer de Grumbeeresack
Un brecht dabei de Hals!
(Gassen-Version des Liedes vom Jäger, der im Original durch den grünen Wald, nämlich durch den Hunsrück reitet)

Vor dem Dorscht und nach dem Dorscht, immer schmeckt die Pfälzer Worscht:
Seit Jahrhunderten pilgern die Pfälzer jedes Jahr am 29. September zum „Derkemer Worschtmarkt", zum Dürkheimer Wurstmarkt. Was im Mittelalter als religiöse Wallfahrt zum Heiligen Michael begann (die Dürkheimer verpflegten die Wallfahrer mit Wurst und Wein), ist heute das Hochfest der Wurst und des Weines überhaupt, wobei es sich günstig trifft, daß der Tag des Heiligen in die Zeit fällt, in der die Winzer ihre Fässer für den neuen Wein frei machen müssen. Und so packen sie ihre Fässer auf den „Schubkarsch" und bringen sie nach Dürkheim, wo sie, die „Schubkärschler", in Reih und Glied stehen und einen Schoppen nach dem anderen ausschenken. Dazu gibt's Worscht: Bratwurst, heiße Fleischwurst, Hausmacher Wurst, Schwartemagen und die Pfälzer Spezialität für alle Lebenslagen, den Saumagen.

Blechgrumbeeren mit Krachelcher und Backäpfeln

Zutaten für 4 Portionen:
1 kg Kartoffeln
1 EL Schweineschmalz
Salz
Pfeffer
250 g magerer Speck, geräuchert
1 große Zwiebel
4 Äpfel
1 Bund Petersilie

Die Kartoffeln schälen, waschen und gut abgetropft würfeln. Dann gleichmäßig auf einem mit Schmalz gut gefetteten Backblech verteilen. Die Kartoffeln salzen und pfeffern. Dann Speck- und Zwiebelwürfel daraufgeben. Die Blechgrumbeeren im vorgeheizten Backofen bei 225 Grad (Gas: Stufe 4) auf der mittleren Schiene in etwa 45 Minuten goldgelb backen. Die ungeschälten, gut gewaschenen Äpfel nach 10 Minuten auf den Blechrand zu den Kartoffeln setzen und mitbacken. Blechgrumbeeren und Äpfel auf einer vorgewärmten Platte anrichten. Die Kartoffeln mit der gehackten Petersilie bestreuen.
Dieses kräftige Essen kann mit einer Weinsuppe eingeleitet werden.

Der Saarländer und seine Liebe zur Kartoffel:

Der Saarländer liebt die Kartoffel in jeder Form und zu jeder Tageszeit. Was sichtbare Folgen hat, weshalb man ihn und seine Landsleute z. B. „Grumbeerbäuch'", „Kartoffelbäuche" nennt. Die berühmtesten Gerichte sind die „Schnippelchesbohnesupp und Grumbeerpanneiechelscher", der „Dibbelabbes und Schales", die „Herzdriggerte und Gefillte", die „Verheiratete und Quer-dursch-de-Gaarde", die „Schneebällscher und iwwer-de-Platt-Geschmelzde". Die passende Wurst ist die saarländische Lyoner.

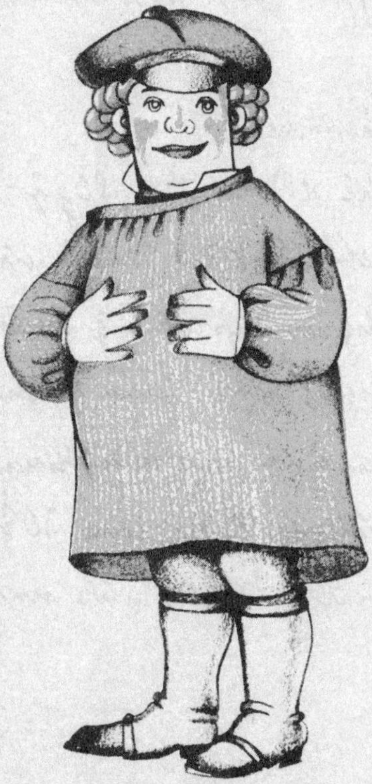

Grünkernsuppe

Zutaten
für 4 Portionen:
60 g Grünkernmehl
1 EL Butter
1 l Fleischbrühe
(eventuell aus
Schinkenknochen)
½ Sellerieknolle
Salz
Pfeffer
Muskat
1 Eigelb
2 EL saure Sahne

Das Grünkernmehl in der heißen Butter bräunen, die heiße Brühe zugießen und 10 Minuten auf milder Hitze sieden lassen. Inzwischen den Sellerie putzen und in Stifte schneiden, dann in die Suppe geben und garen. Die Grünkernsuppe mit Salz, Pfeffer und Muskat abschmecken. Das Eigelb in der Sahne verquirlen. Die Suppe vor dem Servieren damit verfeinern.

Der Grünkern ist das halbreif geerntete, gedörrte Korn des Dinkelweizens, der heute fast ausschließlich in der Pfalz und in Bayern angebaut wird. Die Grünkerne bekommt man in Reformhäusern oder Demeter-Läden, meist schon gemahlen. Wenn nicht, kann man sie auch in dem gereinigten Mahlwerk der Kaffeemühle mahlen.

Bibbelchesbohnesupp oder Löffelchesbohnesupp
(Im August)

1 ℔ frische grüne Bohnen in Stückchen werden mit 2 großen gewürfelten Kartoffeln, 1 Zweiglein Bohnenkraut in Salzwasser weichgekocht. Zum Schluß wird ein Hauch Pfeffer und 1 Tasse saurer Rahm hineingegeben.
Dazu: Quetschekuche!
Aus 500 g Mehl, 1 Paket Hefe, 80 g Zucker, 80 g Fett, 1 Prise Salz, etwa 1/4 Liter Milch einen Hefeteig kneten. Wichtig ist, daß der Teig so dünn wie möglich aufs Blech gerollt wird. Dann so dicht wie möglich die entkernten und eingeschnittenen Zwetschen auflegen. Bei mittlerer Hitze etwa 30 Minuten backen. 1/2 Stunde vor dem Essen dick mit Zucker bestreuen.

Franzosensupp

Die Knochen mit der Zwiebel in 1 l Salzwasser 30 Minuten kochen. Dann das Fleisch zugeben und auf kleiner Hitze in etwa 1½ Stunden garen.
Inzwischen das geputzte Gemüse würfeln und die Erbsen enthülsen. Alles zusammen in heißem Schmalz unter vorsichtigem Wenden anrösten. ¼ l heißes Wasser zugießen, dann auf kleiner Hitze zugedeckt garen. Das Gemüse muß noch „Biß“ haben, es darf also nicht zu weich werden. Fleisch, Knochen und Zwiebel aus der Brühe nehmen. Die Brühe eventuell entfetten und durch ein Sieb zum Gemüse gießen. Das Fett vom Fleisch abschneiden. Fleisch würfeln und wieder in die Suppe geben. Die Suppe noch einmal kurz aufwallen lassen. Dann mit gehackter Petersilie bestreuen und mit Weißbrot servieren.

Zutaten
für 4 bis 6 Portionen:
500 g Suppenknochen
1 Zwiebel
Salz
500 g Suppenfleisch
1 Stange Porree
1 Kohlrabi
¼ Sellerieknolle
3 Möhren
250 g Kartoffeln
200 g frische Erbsen
50 g Schweineschmalz
gehackte Petersilie

Die Pfalz ist, seit das ewige Hin und Her mit den Franzosen begann, für diese „le beau jardin du Bon Dieu“, schlicht übersetzt: des lieben Gottes schöner Garten.
Eine kluge, treffende Bezeichnung, denn es wachsen im milden Pfälzer Klima nicht nur die schönsten und zartesten Gemüse, es gedeihen auch Feigen (Karl der Große siedelte sie hier an), Eßkastanien und Mandeln.
In der Franzosensupp haben die Pfälzer ihrerseits ein Stück Frankreich, ein Stück französischer Küche, wie sie von den Besatzern gepflegt wurde, annektiert.

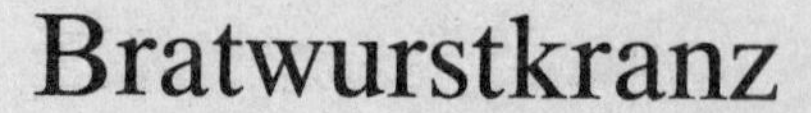

Bratwurstkranz

**Zutaten
für 4 Portionen:
300 g Mehl
20 g Hefe
1 TL Zucker
⅛ l lauwarme Milch
1 Ei
50 g Butter
500 g grobe Bratwurst (möglichst mit Majoran gewürzt)
Fett für die Form**

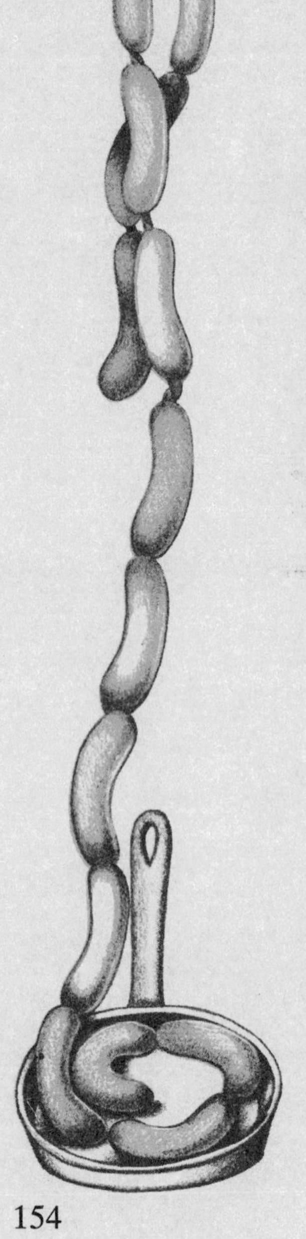

Das Mehl in eine Backschüssel geben, in die Mitte eine Mulde drücken. Dort hinein die Hefe bröckeln, 1 TL Zucker und 4 EL von der lauwarmen Milch zugeben und mit wenig Mehl zum Vorteig verrühren (der Vorteig entfällt, wenn Trockenhefe genommen wird). Vorteig mit einem Tuch abdecken und an einem warmen Platz 30 Minuten gehen lassen. Dann die restliche Milch, Ei und weiche Butter unterkneten. Weiter kneten, bis der Teig glatt ist und sich vom Schüsselrand löst. Den Teig zu einer Kugel formen und zugedeckt noch einmal 50 Minuten gehen lassen. Die Arbeitsfläche leicht mit Mehl bestäuben, den Teig darauf zu einem langen Rechteck ausrollen. Die Bratwürste der Länge nach auflegen. Teig über den Würsten zusammenklappen. Die Teigrolle in die gefettete Kranzform legen und zum Ring schließen. Die Form in den vorgeheizten Backofen stellen. Den Bratwurstkranz bei 190 Grad (Gas: Stufe 2–3) etwa 50 Minuten backen. Die Kruste muß knusprig braun sein.
Zu dieser kräftigen Wurstmahlzeit aus dem Westrich, dem westpfälzischen Hügelland, wird Pfälzer Weinkraut gegessen und Fleischbrühe getrunken.

**Merke dir: Nach jedem Essen den Käse nicht vergessen. Ein Essen ohne Käse ist wie ein Engel mit nur einem Auge.
(Merkspruch aus dem Kochbuch einer Saarbrücker Hausfrau)**

Dippehas

Den Hasen in 8 bis 12 Teile zerlegen. Den gewürfelten Schweinebauch in Öl und Butter anbraten. Die Zwiebeln in groben Würfeln zugeben. Die Hasenteile salzen und pfeffern, mitbraten. (Es geht schneller, wenn man einige Hasenteile, zum Beispiel den Rücken, in einer zweiten Pfanne anbrät. Wenn so verfahren wird, wird danach der Bratensatz in der Pfanne losgekocht und zu den Hasenteilen in den Schmortopf gegossen.) Den Rotwein mit dem Blut mischen und zugießen. Das Schwarzbrot zerbröseln, mit den Gewürzen unterrühren und einmal aufkochen lassen. Den Schmortopf fest verschließen. Den Dippehas im vorgeheizten Backofen bei 200 Grad (Gas: Stufe 3) auf der mittleren Schiene 1 bis 1 ¼ Stunden schmoren. Er wird anschließend in der Kasserolle mit Hoorigen Knepp serviert. Dazu paßt ein Ahrburgunder.

Zutaten
für 4 bis 6 Portionen:
1 Hase, bratfertig
500 g frischer Schweinebauch
3 EL Öl
1 EL Butter
6 Zwiebeln
Salz
Pfeffer
1 l Rotwein
1 Tasse Hasenblut
125 g Schwarzbrot
3 Lorbeerblätter
3 Gewürznelken
8 Wacholderbeeren
½ TL Koriander

Trierer Moselhecht

Das Schweinsnetz wässern. Das Wasser zweimal wechseln. Den Weißkohl putzen, waschen, gut abtropfen lassen, dann in feine Streifen schneiden und in dem Weißwein auf milder Hitze garen. Zum Schluß die Sahne unterrühren, dann kalt stellen.
Das Hechtfilet vorsichtig waschen, trockentupfen, etwas salzen, dann in der Butter leicht anbraten, anschließend auskühlen lassen. Das Schweinsnetz aus dem Wasser nehmen, trocknen und ausbreiten. Das angebratene Hechtfilet in die Mitte legen und mit dem Weißkohl dick bestreichen. Überflüssigen Rand vom Schweinsnetz abschneiden. Das Netz über Filet und Kohl zu einem Paket zusammenklappen. Dann mit der Filetseite nach oben auf ein Backblech setzen, im vorgeheizten Backofen bei 180 Grad (Gas: Stufe 2) noch 15 bis 20 Minuten überbacken. Vor dem Servieren aus dem Netz nehmen und mit Salzkartoffeln servieren.

Zutaten
für 2 Portionen:
1 Schweinsnetz (beim Fleischer besorgen)
1 kleiner Weißkohlkopf (etwa 400 g)
¼ l Weißwein (Mosel), herb
⅛ l süße Sahne
200 g Hechtfilet
Salz
1 EL Butter

Dunkelsbrüh

Zutaten für 4 Portionen:
500 g Suppenknochen (mit Markknochen)
2–3 Gewürznelken
2 Zwiebeln
Salz
500 g Schweinefleisch, mager
1 EL Butter
2 Lorbeerblätter
Pfeffer
¼ l frisches Blut (beim Fleischer bestellen)

Die abgewaschenen Knochen und eine mit den Nelken gespickte Zwiebel in 1 l kaltem Salzwasser aufsetzen und 1½ Stunden auf kleiner Hitze leise kochen lassen.
Inzwischen das Fleisch waschen, mit Küchenkrepp trockentupfen, dann in 3 cm große Würfel schneiden. Die Butter in einem Topf heiß werden lassen. Die zweite Zwiebel fein hakken und darin glasig braten. Dann das Fleisch zugeben und rundherum kräftig braun anbraten. Die Knochenbrühe durch ein Sieb zum Fleisch gießen. Die Lorbeerblätter mit hineingeben. Die Brühe mit Salz und Pfeffer würzen. Das Fleisch darin auf kleiner Hitze 30 Minuten schmoren lassen. Dann das Blut zugießen und sehr heiß werden, aber nicht mehr kochen lassen. Dabei so lange kräftig rühren, bis das Blut geronnen und braun ist.

Pis en lit oder Löwenzahnsalat

Den Salat gut waschen und in Stücke schneiden.
Die Marinade herstellen nach folgendem Rezept:
Essig wie ein Geizhals
Salz wie ein Weiser
Zucker wie ein flüchtig vorbeihuschender Gedanke
Öl wie ein Verschwender.
Vergiß nicht Schnittlauch, Petersilie, Pfeffer, Zwiebeln und reibe den Boden der Schüssel mit Knoblauch aus. Zuletzt Speckwürfelchen ausbraten und zugeben. Mische das ganze wie ein Narr und gib den Pis en lit erst zum Schluß dazu.
Merke: Man erkennt die Küche am Salat. Jeder Tropfen Wasser ist Sünde.

Pfälzer Tellersulz

Den halben Schweinskopf vom Metzger hinter dem Rüssel senkrecht durchsägen und das Ohr abschneiden lassen. Die gewaschenen Schweinepfoten und Kopfteile in einen großen Topf schichten. Mit kochendem Wasser übergießen, kurz aufkochen lassen, dann das Wasser abgießen. Jetzt kaltes Wasser hineingießen, bis die Teile gut bedeckt sind. Wenn das Wasser zu sieden beginnt, die Zwiebelringe, leicht zerstoßene Gewürzkörner, Lorbeerblätter und halbierte Knoblauchzehen in den Topf geben, leicht salzen. Die geputzten Möhren obendrauf legen. Das Kopffleisch auf milder Hitze in etwa 1½ Stunden sehr weich kochen (Rüssel und Kinnbacken müssen leicht vom Knochen zu lösen sein). Die Möhren bereits nach 30 Minuten herausnehmen und zugedeckt beiseite stellen. Die gegarten Kopfteile mit einem Schaumlöffel aus dem Topf nehmen und abkühlen lassen. Die Schweinefüße, die nur zum Gelieren dienen, eine weitere halbe Stunde kochen und dann herausnehmen. Den Sülzenfond gründlich entfetten, durch ein Sieb gießen und auf schwacher Hitze in 30 Minuten langsam einkochen lassen.
Inzwischen das Kopffleisch vom Knochen lösen und wie das Ohr in 3 cm große Stücke schneiden. Die Möhren und Gurken einmal der Länge nach teilen, in Scheiben schneiden und dann unter das Fleisch mischen. Das Fleisch auf 8 bis 10 Porzellanschüsselchen (Tellersulz) verteilen oder in eine große Schüssel geben.
Den Sülzenfond noch einmal abschmecken, und den Essig zugeben. Den Fond etwas abkühlen lassen, dann mit einer Kelle über die Zutaten schöpfen, so daß diese leicht bedeckt sind. Die Sülze fest werden lassen und dann erst in den Kühlschrank stellen.
Zu der erstarrten Sulz Bauernbrot oder Backesgrumbeere und Pis en lit (Löwenzahnsalat) essen.

Zutaten
für 8 bis 10 Portionen:
½ Schweinskopf
3 Schweinepfoten
2 Zwiebeln, in Ringe geschnitten
1 TL Senfkörner
1 TL Koriander
20 Pfefferkörner, weiß
10 Pimentkörner
2 Lorbeerblätter
2 Knoblauchzehen
Salz
3 Möhren
2 große Gewürzgurken
6 EL Estragonessig

De Mensch hot en Mage
un net for umsonscht!
(Pfälzer Lebensweisheit)

Pfälzer Spanferkel

Spanferkel sind kleine, ungefähr sechs Wochen alte Schweine, die noch bei der Mutter säugen und deshalb ganz besonders zart im Fleisch sind. Es ist schwierig, ein Spanferkel zu bekommen. Am besten ist es, wenn man es bei seinem Fleischer vorbestellt. Da man das Spanferkel auf gute Pfälzer Art immer im ganzen zubereitet, muß man zum Essen auch mehr Leute einladen als gewöhnlich.

Die Vorbereitung:

Man nimmt also ein Spanferkel, reinigt es innen und außen gründlich und putzt die Innereien. Dann schneidet man 2 bis 3 Zwiebeln grob, 250 g gekochte Kartoffeln in Scheiben. Die Spanferkellunge und 1 Pfund Schweinebauch werden knapp gar gekocht und dann gewürfelt. Das Herz und die Leber werden ganz fein geschnitten. Diese Zutaten werden alle miteinander gemischt. Die Farce wird mit Pfeffer, Majoran und Salz kräftig gewürzt.

Die Zubereitung:

Das vorbereitete Ferkel wird mit der Farce gefüllt und dann zugenäht. Die Saftpfanne vom Backofen wird zweifingerhoch mit Wasser gefüllt, der Ofen auf volle Temperatur vorgeheizt. Man legt das Ferkel ins Wasser, schiebt die Pfanne in den Ofen und brät das Ferkel bei großer Hitze scharf an, bei Mittelhitze wird es braun und gar gebraten. Hin und wieder muß man es mit etwas Fett bepinseln, aber nicht begießen, damit es möglichst knusprig wird. Das knusprigbraune Ferkel wird warm gestellt. Der Bratensatz wird mit etwas angerührter Speisestärke gebunden und dann mit saurer Sahne abgeschmeckt. In der Pfalz ist es traditionelle Pflicht des Hausherrn, das Ferkel bei Tisch gekonnt zu tranchieren. Dazu gibt es Weinkraut, Kartoffeln, Schupfnudele, Grüne Knepp oder einfach Brot. Es wird reichlich Senf auf den Tisch gestellt. Zum Trinken gibt's entweder Bier oder Wein. Auf alle Fälle hinterher einen kräftigen Schnaps.

Bäckerofen

Zutaten für 4 Portionen:
250 g Rindfleisch
250 g Schweinefleisch
250 g Hammelfleisch
Salz
Pfeffer
2 Knoblauchzehen
3 Zwiebeln
3 EL Schnittlauchringe
750 g Kartoffeln
2 Lorbeerblätter
1/8 l Weißwein

Am Tag zuvor das Fleisch in 3 cm große Würfel schneiden, mit Salz, Pfeffer und den zerdrückten Knoblauchzehen würzen und zugedeckt kühl stellen. Am nächsten Tag die geschälten Zwiebeln in Ringe schneiden und den Boden einer feuerfesten Form damit auslegen. Mit Schnittlauchringen bestreuen, dann das Fleisch und obendrauf die geschälten, in Scheiben geschnittenen Kartoffeln geben, salzen und pfeffern. Die Lorbeerblätter auf die Kartoffeln legen, den Wein zugießen. Die feuerfeste Form mit einem Deckel fest verschließen. Im vorgeheizten Backofen auf der mittleren Schiene bei 220 Grad (Gas: Stufe 4) 2 Stunden backen. Dann mit einem frischen Salat essen, in dessen Würze der Schnittlauch dominiert.

Der Saarbrücker Bäckerofen unterscheidet sich vom Badener durch die reichliche Zugabe von Schnittlauch, was im Frische-Kräuter-Paradies Saarland ja auch selbstverständlich ist. Die Saarländer sind in der glücklichen Lage, das ganze Jahr hindurch mit den schönsten Kräutern und allen feinen Blattgemüsen gut versorgt zu sein.
Hier gibt es im Sommer das mildeste Klima und im Winter so viele Treibhäuser wie sonst nirgends. Weshalb denn auch zum Beispiel Löwenzahnsalat und Kerbel immer und für jeden zu normalem Preis zu haben sind.

So lebt man bei uns. Anderswo lebt man anders. Aber überall leben Menschen.
(Aus einem saarländischen Heimatkundebuch)

Baden

Das schönste Land in Deutschlands Gaun, das ist mein Badener Land. Es ist so herrlich anzuschaun und ruht in Gottes Hand. In Haslach gräbt man Silbererz, bei Freiburg wächst der Wein. Im Schwarzwald schöne Mädchen blühn, ein Badener möcht' ich sein.
(Aus dem Lied der Badener)

Von allen Deutschen, es muß gesagt werden, haben die Badener die feinste Zunge. Und so konnte es nicht ausbleiben, daß sie schon früh aus dem allgemeinen deutschen Geschmacksverbund ausschieden und eigene Wege gingen, sozusagen immer ihrer ewig neugierigen Zunge nach. Diese Zunge führte sie schließlich auf die Pfade des Niederstwildes, und damit wurde der kulinarische Graben zwischen deutscher Generalküche und Badener Spezialküche fast zum Abgrund (der erst in jüngster Zeit überbrückt werden konnte), denn Frosch und Schnecke waren den meisten Stämmen Germaniens seit eh und je tabu. Professor Eduard Kohlrausch, der aus dem deutschen Norden stammte, konnte sich die Badener Liebe zu Schnecke und Frosch denn auch nur als „oberflächliche Nachahmung französischer Sitte" erklären (1867) und fand das Ganze „ziemlich affektiert". Hätte er die Badener besser gekannt, wäre ihm klar geworden, daß eine so feinschmeckerische Rasse nie und nimmer etwas gegessen hätte, was ihr nicht wirklich behagte. Ganz abwegig sind übrigens die Meinungen eines schwäbischen Realschullehrers, der sich um 1910 zur Behauptung verstieg, die Badener hätten eine gewisse innere Verwandtschaft zum Frosch, der ebenfalls glatt und schwer zu packen sei, und dessen sprung-

hafte Natur, Gottseidank, der schwäbischen Gründlichkeit völlig abgehe. – Übrigens: Die Badener haben tatsächlich kräftige Anleihen bei den Küchen diesseits und jenseits des Rheins gemacht und geben das auch offen zu. Lieber gut geborgt (und wenn's sogar beim Schwaben wär!), als schlecht kreiert! Wobei anzumerken ist, daß die Badener sowohl im Borgen als im Kreieren die deutsche Spitze halten!

Schneeberg

Zutaten
für 6 bis 8 Portionen:
¾ l Weißwein
125 g Zucker
Saft von 1 Zitrone
8 Eier, getrennt
2 EL Speisestärke
1 Paket Vanillezucker
gehackte Mandeln
nach Geschmack

Den Wein mit ½ l Wasser, Zucker und Zitronensaft aufwärmen, bis der Zucker sich aufgelöst hat. Das Eigelb mit der Speisestärke verrühren, in die abgekühlte Weinmasse geben, auf kleiner Hitze bis kurz vorm Kochen schlagen, dann kalt schlagen. In eine Auflaufform geben und ganz kalt werden lassen. Das Eiweiß mit dem Vanillezucker sehr steif schlagen. Mit einem großen Löffel auf die kalte Creme setzen, Mandeln darüberstreuen, im Ofen bei 225 Grad (Gas: Stufe 4) 10 Minuten überbacken. In der Form servieren und als Nachtisch heiß essen.

Der Schneeberg wird in einer Winzerfamilie am Kaiserstuhl seit langer Zeit von Frau zu Frau vererbt. Er darf auf keiner Sonntagstafel fehlen und bildet zum Beispiel nach einem Hauptgang mit gefüllten Wildenten vom Altrhein einen weiteren, wenn auch süßen Höhepunkt.

Hollersekt

10 Holunderblütendolden in einen großen sauberen Steintopf legen, mit 2 ℔ Zucker bestreuen und mit 2 in Scheiben geschnittenen Zitronen belegen. Dann 10 Liter Wasser und 1/4 Liter Weinessig zugießen. Ein Leintuch über den Topf binden. Diesen an einen warmen, sonnigen Platz stellen, dann setzt nach 2 bis 4 Tagen die Gärung ein. Danach durch ein Tuch gießen und in ganz dickwandige Flaschen füllen, damit diese nicht platzen. Verkorken und den Korken mit einem Draht sichern. Flaschen kühl stellen. Den Hollersekt nach 8 Tagen probieren.

Baeckaoffa

Zutaten für 8 Portionen:
500 g Schweinekamm oder -schulter
500 g Hammelschulter
500 g ausgelöste Rinderbrust
1 Lorbeerblatt
2 Nelken
5 Wacholderbeeren
5 Pfefferkörner
1 Flasche badischer Weißwein (0,7 l)
1 kg Kartoffeln
500 g Zwiebeln
Salz
Pfeffer
Majoran
70 g Butter

Das Fleisch würfeln. Mit dem Lorbeerblatt, den Nelken, zerdrückten Wacholderbeeren und Pfefferkörnern in eine Schüssel geben und mit dem Wein übergießen. Über Nacht abgedeckt kühl stellen.
In einen Tontopf abwechselnd eine Lage Fleisch, dann geschälte, in Scheiben geschnittene Kartoffeln und geschälte, gewürfelte Zwiebeln schichten. Jede Lage kräftig salzen, pfeffern und mit Majoran bestreuen. Die oberste Schicht besteht aus in Scheiben geschnittenen Kartoffeln. Die Marinade aufkochen, durchgießen und heiß über den Auflauf geben, bis die obere Schicht knapp bedeckt ist. Darauf Butterflöckchen setzen und zugedeckt bei 200 Grad (Gas: Stufe 3) 2 Stunden garen. In den letzten 20 Minuten den Deckel abnehmen, damit der Baeckaoffa braun wird.

Der Baeckaoffa ist ein altes alemannisches Gericht und überall da zu finden, wo sie einst herumzogen: in der Pfalz, im Elsaß, in Baden und in Schwaben. Es werden Zutaten verwendet, die die badische Hausfrau zur Hand hat: Reste von verschiedenem Fleisch, Zwiebeln und Kartoffeln. Der Wein, mit dem das Gericht gewürzt wird, wird auch zum Essen getrunken. Und einen Deckel aus Teig von einem Rest Brotteig, weil früher in jedem anständigen Badener Haushalt das Brot immer selbst gebacken wurde. Der Baeckaoffa wurde nach dem Brotbacken in den noch warmen Ofen geschoben. Dadurch wurde auch die Resthitze sparsam, wie es bei den Alemannen Brauch ist, ausgenutzt.

Gebackene Bodenseefelchen

Zutaten
für 4 Portionen:
4 Blaufelchen
(jedes etwa 300 g)
4 EL Zitronensaft
Salz
3 EL Mehl
3 Eigelb
3 EL Semmelbrösel
Fett zum Ausbacken
Sauce:
2 Eier, hartgekocht
1 Zwiebel
1 TL Kapern
1 Sardelle
1 Gewürzgurke
3 EL frische Kräuter
1 TL Kräutersenf
1 Prise Zucker
125 g Mayonnaise

Die Blaufelchen ausnehmen, waschen, mit Zitronensaft beträufeln und mit Salz bestreuen. Zuerst im Mehl, dann in Eigelb und in Semmelbröseln wenden. Den Vorgang noch einmal wiederholen. Das Fett erhitzen und die Fische etwa 12 Minuten darin ausbacken, bis sie goldgelb sind.
Für die Sauce das Eigelb durch ein Sieb streichen. Eiweiß, Zwiebel, Kapern, Sardelle, Gurke und Kräuter fein hacken und mit Senf, Zucker und Mayonnaise verrühren. Die Sauce zum Fisch servieren.
Dazu gibt's Salzkartoffeln und Ritscherle.

Die fette List von Bretten:

Im Mittelalter wurde die Stadt Bretten von feindlichen Soldaten belagert, die, als Kugeln nichts mehr nutzten, die Brettener auf tückische Art aushungern wollten und keine Lebensmittel in die Stadt ließen. Die Feinde vor der Stadtmauer warteten stündlich auf die Übergabe. Jedoch: Sie hatten nicht mit der List der Brettener gerechnet. Auf keinen Fall wollten diese zugeben, daß ihre Vorratskammern bis auf das letzte kleine Korn geleert waren. Also setzten sie einen Hund auf die Stadtmauer, der so fett war, daß er sich kaum darauf halten konnte. Er drohte bald nach rechts, bald nach links herunterzufallen, je nachdem, wie sich sein Schwerpunkt verlagerte. Die Brettener hatten ihn wochenlang mit ihren kargen Lebensmitteln gemästet. Die Feinde fielen auch prompt auf diese List herein, glaubten an eine gesicherte Ernährungslage in der Stadt und demzufolge auch an keine Übergabe mehr. Und so zogen sie denn entmutigt ab.
Auf ähnliche Art vertrieben übrigens die Waldshuter im 15. Jahrhundert die Schweizer: Sie schickten ihren letzten Proviant, einen fetten Hammel, auf die Stadtmauer. Diese List über die Schweizer feiern die Waldshuter noch heute, und zwar an jedem 3. Sonntag im August.

Ritscherle

Feldsalat waschen und verlesen. Aus Essig, Salz, Pfeffer, Öl und gehackter Zwiebel eine Salatsauce rühren, über den Salat gießen und kroß gebratenen Speck darübergeben.

Schwarzwälder Rehgulasch

1 Zwiebel und Sellerie putzen und kleinschneiden. Zusammen mit dem Tannenzweig, dem Lorbeerblatt, den zerdrückten Wacholderbeeren und dem Pfeffer in den Wein legen. Das Fleisch dazugeben und 1 bis 2 Tage darin marinieren.
Den Speck würfeln, in einer Pfanne auslassen und das gut abgetropfte Fleisch darin anbraten. 2 Zwiebeln und Sellerie zugeben. Mit Salz und Pfeffer würzen und mit der Marinade auffüllen. Im geschlossenen Topf 1½ Stunden garen. Mit Johannisbeergelee abschmecken und eventuell nachwürzen. Zum Schluß die saure Sahne mit der Speisestärke verrühren und zugeben.
Dazu serviert man Spätzle und einen schönen Badener Wein.

Zutaten für 10 Portionen:
3 Zwiebeln
1 Stück Sellerie
1 Tannenzweig
1 Lorbeerblatt
6 Wacholderbeeren
schwarzer Pfeffer
¼ l Rotwein
2 kg Rehgulasch
100 g Schwarzwälder Bauernspeck
Salz
Pfeffer
1–2 EL Johannisbeergelee
200 g dicke saure Sahne
1 TL Speisestärke

Eigentlich ist es bei der Menge hervorragenden Weines, der in Baden gekeltert wird, auch nicht weiter verwunderlich, daß hier die Oechslewaage, mit der das Mostgewicht des Weines gemessen wird, erfunden wurde, und zwar von dem Goldschmiedemeister Ferdinand Oechsle.

Rehrücken Baden-Baden

Zutaten für 6 Portionen:
1 Rehrücken (2 kg)
Salz
Pfeffer
Wacholderbeeren
100 g Speck in dünnen Scheiben
3/8 l dicke saure Sahne
3 Birnen
Zimt
Zitronensaft
125 g Johannisbeergelee

Den Rehrücken häuten, salzen, pfeffern, mit zerdrückten Wacholderbeeren einreiben und mit Speck belegen. Den Backofen auf 250 Grad (Gas: Stufe 5–6) vorheizen, den Rehrücken auf die Saftpfanne legen und in den Ofen schieben. Nach 30 Minuten die saure Sahne zugießen und 15 bis 20 Minuten weitergaren. Inzwischen die Birnen schälen, halbieren, die Kerngehäuse entfernen, die Schnittfläche mit Zimt und Zitronensaft würzen. Halbweich dünsten, dann das Johannisbeergelee in die Höhlungen geben. Den Rehrücken auf einer Platte anrichten und mit den Birnen umlegen.
Dazu werden Spätzle, Kroketten und Rosenkohl oder ein anderes Gemüse der Saison gereicht.

Badischer Hecht

Zutaten für 4 Portionen:
1 Hecht (1,5 kg)
3 EL Zitronensaft
Salz
Pfeffer
1 Zwiebel
1 EL Kapern
1 Sardellenfilet
1 Bund Petersilie
200 g dicke saure Sahne
1/8 l Weißwein
125 g geriebener Käse

Den Hecht schuppen, ausnehmen und die Mittelgräte auslösen. Den gewaschenen Fisch mit Zitronensaft beträufeln, 30 Minuten ziehen lassen, dann innen und außen salzen und pfeffern. Zwiebel, Kapern, Sardellenfilet und Petersilie fein hacken und mit der sauren Sahne verrühren. Den Wein in die Auflaufform gießen, und den Hecht mit dem Bauch nach unten in die Form legen. Mit der Sahnemischung bestreichen und mit dem Käse bestreuen. Bei 200 Grad (Gas: Stufe 3) 1 Stunde im vorgeheizten Ofen überbacken. Dazu gibt's Pellkartoffeln.

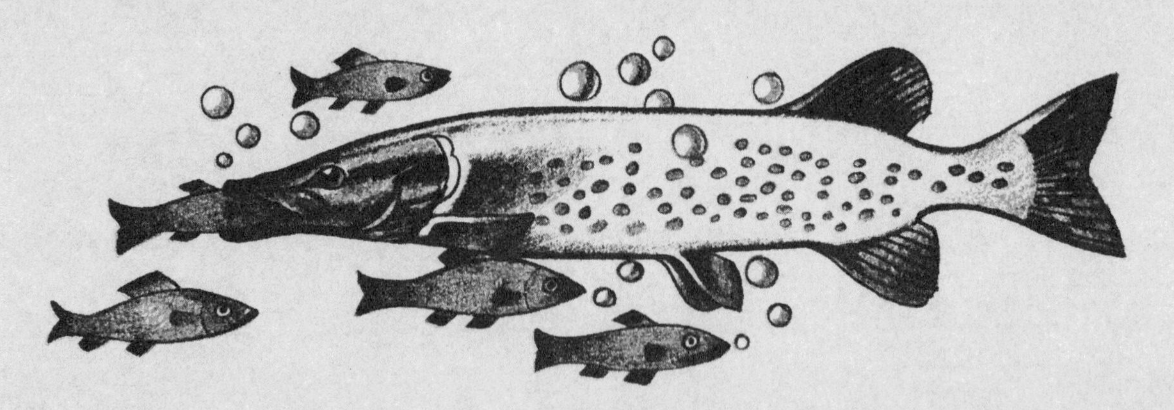

Ochsenbrust mit Meerrettichsauce

**Zutaten
für 4 bis 6 Portionen:
Salz
1 Bund Suppengrün
4 Zwiebeln
2 Lorbeerblätter
Pfeffer
1250 g Ochsenbrust
50 g Butter
30 g Mehl
¼ l Brühe
150 g Meerrettich
150 g dicke saure
Sahne**

2½ l Wasser mit 3 TL Salz, dem geputzten, kleingeschnittenen Suppengrün, den gehackten Zwiebeln, den Lorbeerblättern und dem Pfeffer zum Kochen bringen. Dann das Fleisch hineinlegen und 2 Stunden leise kochen lassen.
Inzwischen die Sauce zubereiten: Butter in einem Topf schmelzen und mit dem Mehl verrühren. Die Brühe zugießen, und alles gut mit dem Schneebesen durchschlagen. Mit geriebenem Meerrettich würzen und mit saurer Sahne verrühren. Dann getrennt zur Ochsenbrust servieren.

Dazu passen Petersilienkartoffeln: Geschälte Kartoffeln in etwa 20 Minuten gar kochen. Das Wasser abgießen, und die Kartoffeln kurz auf dem Herd abdämpfen. Etwas von der Brühe darübergießen, in der man die Ochsenbrust gekocht hat, und Petersilie darüberstreuen.

Waldpilze

Wenn es geht, sollten es sieben Sorten Pilze sein, die man im Wald gefunden hat (z.B. Steinpilze, Pfifferlinge, Maronen, Birkenröhrlinge, Täublinge, Blutreizker und Champignons). Sie werden geputzt und möglichst nicht gewaschen und dann in Würfelspeck und Butter in einer Pfanne mit gewürfelter Zwiebel geschmort. Zum Schluß gibt man gehackte Petersilie an das Gericht und rührt noch saure Sahne drunter. Man rechnet auf 500 Gramm Pilze 20 Gramm Butter und 20 Gramm Speck, 1 Bund Petersilie, 100 Gramm saure Sahne und 15 Minuten.

Eingemachtes Kalbfleisch

Zutaten für 4 bis 6 Portionen:
2 kg Kalbsbrust
2 l Brühe
1 Bund Suppengrün
1 Lorbeerblatt
8 Pfefferkörner
100 g Butter
100 g Mehl
¼ l badischer Weißwein
3 Eigelb
¼ l saure Sahne
1 Prise Muskat

Die Kalbsbrust von Knochen und Fett befreien, in Würfel schneiden. Die Brühe mit dem geputzten, kleingeschnittenen Suppengrün, dem Lorbeerblatt und den Pfefferkörnern zum Kochen bringen. Das Kalbfleisch hineingeben und in etwa 45 Minuten knapp gar kochen.
Dann die Butter erhitzen, das Mehl hineinrühren, gut anschwitzen und mit 1¼ l von der Kalbsbrühe ablöschen. Gut mit dem Schneebesen durchschlagen. 10 bis 15 Minuten leise kochen lassen. Dann den Wein zugießen. Eigelb darin verquirlen, saure Sahne unterrühren und mit Muskat abschmecken. Das Fleisch in diese Sauce geben und vorsichtig 5 Minuten darin erhitzen. Nicht mehr kochen lassen. Als Beilage reicht man breite Nudeln dazu.

Schwarzwälder Kartoffelsupp

Zutaten für 4 Portionen:
1 Zwiebel
30 g Fett
1 l Brühe
½ Sellerieknolle
1 Stange Lauch
1 Möhre
2 Tomaten
500 g Kartoffeln
Salz
Pfeffer
100 g Schwarzwälder Speck
1 Bund Petersilie

Die Zwiebel fein hacken und im heißen Fett glasig braten. Mit Brühe auffüllen. Das Gemüse und die Kartoffeln putzen, kleinschneiden und 30 Minuten darin gar ziehen lassen. Mit Salz und Pfeffer abschmecken. Den Speck würfeln und kroß braten. Mit der gehackten Petersilie in die Suppe streuen.

Wie wichtig die Kartoffel für die Offenburger war, beweist die ungeheure Ehre, die man ihr erwies. Die Offenburger bauten dem vermeintlichen Entdecker der Kartoffel ein stattliches Denkmal, auf dessen Sockel in großen Lettern verkündet wurde: Sir Francis Drake, Verbreiter der Kartoffel in Europa im Jahre des Herrn 1586.
Das Denkmal steht nicht mehr, es wurde abgerissen.

Badischer Sauerbraten

Wein und Essig mit geputztem, kleingeschnittenem Suppengrün, Sellerie, dem Tannenzweig, geschälten Schalotten, Pfefferkörnern, Lorbeerblättern, zerdrückten Wacholderbeeren und Pimentkörnern aufkochen und heiß über den Rinderbraten gießen. Zugedeckt 4 Tage an einem kühlen Platz stehen lassen. Das Fleisch ab und zu wenden.
Dann den gewürfelten Speck auslassen und das gesalzene Fleisch darin anbraten. Die Beize durch ein Sieb gießen. Das Gemüse gut abtropfen lassen und mit dem Fleisch durchschmoren. Nach und nach die Beize angießen und einkochen lassen. Alles 1½ bis 2 Stunden im geschlossenen Topf garen. Dann das Fleisch herausnehmen. Die Sauce durch ein Sieb gießen, mit saurer Sahne verrühren und noch einmal erwärmen. Nicht mehr kochen lassen.
Der Badische Sauerbraten wird natürlich mit schwäbischen Spätzle serviert.

Zutaten für 4 bis 6 Portionen:
½ l trockener Rotwein
⅛ l Rotweinessig
1 Bund Suppengrün
1 Stück Sellerie
1 Tannenzweig
3–4 Schalotten
Pfefferkörner
2 Lorbeerblätter
4 Wacholderbeeren
2 Pimentkörner
1 kg Rinderschmorbraten
30 g Speck
Salz
250 g dicke saure Sahne

Froschschenkel

Die Froschschenkel in Wein einlegen. Nach 2 Stunden gut trockentupfen und in Mehl wenden. Butter erhitzen, und die Froschschenkel darin goldgelb braten. Salzen, pfeffern, aus der Pfanne nehmen und warm stellen. Die feingehackten Schalotten in die Pfanne geben und darin glasig braten. Den Wein vom Einlegen zugießen. Etwa 15 Minuten einkochen lassen, die Froschschenkel hineinlegen, die gehackte Petersilie darüberstreuen. Die süße Sahne unterrühren und zum Schluß ein Eigelb darin verquirlen. Die Sauce nicht mehr kochen lassen.
Zu den Froschschenkeln ißt man knuspriges Weißbrot und frischen grünen Salat.

Zutaten für 4 Portionen:
16 Froschschenkel
¼ l trockener badischer Weißwein
2 EL Mehl
100 g Butter
Salz
Pfeffer
2 Schalotten
1 Bund Petersilie
⅛ l süße Sahne
1 Eigelb

Zwetschgenpasteten

**Zutaten
für 4 Portionen:
4 altbackene Semmeln
200 g Zwetschgenmus
½ l Milch zum
Einweichen
2–3 Eier
Schmalz zum
Ausbacken
Zimt und Zucker
zum Bestreuen**

Die Semmeln aushöhlen und mit Zwetschgenmus füllen. Den Deckel wieder daraufsetzen. Ein hohes, schmales Gefäß mit heißer Milch füllen, und die Semmeln für 1 Stunde darin einweichen. Dann herausnehmen, abtropfen lassen und in den verschlagenen Eiern wenden. In Schmalz ausbacken und mit Zimt und Zucker bestreuen.

**„Die Freiburger gehen nicht in ein Gasthaus. Sie gehen zum Wirt."
Beobachtung eines Zugereisten.**

Badische Schneckensuppe

**Zutaten
für 4 Portionen:
1 Knoblauchzehe
20 g Butter
2 Schalotten
1 Stück Lauch
½ Möhre
1 dicke Scheibe Sellerie
2 Dutzend Schnecken
½ l Fleischbrühe
Salz
Pfeffer
3 EL dicke saure
Sahne
1 Bund Petersilie
etwas Kerbel
2 EL trockener
Weißwein**

Die Knoblauchzehe halbieren und den Topf damit ausreiben. Butter schmelzen und die feingehackten Schalotten darin glasig braten. Das Gemüse putzen, fein hacken und ebenfalls anbraten. Die Schnecken abtropfen lassen und in kleine Stücke schneiden. In dem Gemüse anschwitzen. Die Brühe zugießen und mit Salz und Pfeffer abschmecken. Zum Schluß saure Sahne, feingehackte Kräuter und Weißwein unterrühren. Zur Schneckensuppe werden Weißbrot oder Käsestangen gereicht.

Hollerküchle

1/4 ℔ Mehl mit 1/8 Liter Wasser und 1 Prise Salz verrühren. Dann 3 kleine Eier darunterschlagen. Alles 1/2 Stunde quellen lassen. 12 bis 16 frisch gepflückte Holunderblüten in den dünnflüssigen Teig tauchen und dann in heißem Fett 2 bis 3 Minuten ausbacken.

Offenburger Sauerkraut

Zwiebeln und Äpfel schälen, die Äpfel entkernen, beides in dünne Blättchen schneiden und in Gänseschmalz etwa 5 Minuten hell dünsten. Das Sauerkraut zugeben und mit den Äpfeln und Zwiebeln mischen. Den Riesling zugießen, so daß das Kraut bedeckt ist. Mit Wacholder, Knoblauch und Kümmel würzen. Die Möhre im ganzen darauf legen. Das Kraut mit einem gefetteten Stück Butterbrotpapier abdecken und den Topf mit dem Deckel verschließen. Etwa 1½ Stunden langsam köcheln lassen. Dann das Butterbrotpapier abnehmen, die Weintrauben zugeben und kurz mit durchziehen lassen. Das Offenburger Sauerkraut wird zum Fasan oder zur Schlachtplatte serviert.

Zutaten für 4 Portionen:
2 Zwiebeln
2 mürbe Äpfel
1 EL Gänseschmalz
500 g Sauerkraut
¼ l Riesling
5 Wacholderbeeren
1 Knoblauchzehe
½ TL Kümmel
1 mittelgroße Möhre
125 g grüne Weintrauben, abgezogen und entkernt

Das Z'nüni:

Weil man im Schwarzwald so früh aufsteht und weil die viele frische Luft so hungrig macht, wurde das „Z'nüni" erfunden. Wie der Name schon sagt, wird dieses zweite Frühstück gegen neun Uhr eingenommen. Weil aber Bauernspeck, Wurst, Roggenbrot, Gutedel und Kirschwasser so gut schmecken, kann es sein, daß manch einer noch am Nachmittag dabei sitzt. Dann heißt das Z'nüni allerdings mittlerweile Vesper.

Gänseleberpastete

**Zutaten
für 12 bis 15
Portionen:**
**1 kg Gänseleber
(Stopfleber, notfalls
andere Geflügelleber)
Trüffeln nach Belieben
2–4 cl Cognac
2–4 cl Madeira
1 Lorbeerblatt
Salz, Pfeffer, Thymian
250 g Kalbsleber
500 g Schweinefleisch
80 g Gänseschmalz
Petersilie
450 g fetter Speck
(150 g davon in
sehr dünnen Scheiben)
¼ l süße Sahne**
Teig:
**500 g Mehl
200 g Butter
3 Eier, 2 EL Milch
10 g Hefe,
Fett und Semmelbrösel
für die Form
1 Eigelb**
Gelee:
**6 Blatt weiße Gelatine
¼ l Fleischbrühe,
entfettet
1 EL Weinessig
¼ l Madeira**

Am Vortag die Gänseleber und die Trüffeln in Cognac und Madeira mit 1 Lorbeerblatt, Salz, Pfeffer und Thymian in einem verschließbaren Gefäß marinieren.
Am nächsten Tag die Kalbsleber und das Schweinefleisch in grobe Stücke schneiden. Die Fleischstücke in dem erhitzten Gänseschmalz rundherum anbraten, aber keine Farbe annehmen lassen. Die Fleischstücke dann kalt werden lassen und anschließend mit der Gänseleber, etwas Petersilie und 300 g fettem Speck zweimal durch die feine Scheibe vom Fleischwolf drehen. Die süße Sahne und die Cognac-Madeira-Marinade unterrühren, mit Salz und Pfeffer würzen.
Die Zutaten für den Teig verkneten. Den Teig mit einem Küchentuch abdecken und an einem warmen Platz etwas gehen lassen. Eine Kastenform ausfetten und dann mit den Semmelbröseln ausstreuen. Den gegangenen Pastetenteig auf der leicht bemehlten Arbeitsfläche ½ cm dick ausrollen. Die Kastenform mit einem Teil davon auslegen, die Ränder so hochziehen, daß sie ein wenig überstehen. 150 g Speck in dünnen Scheiben auf den Teig legen. Einen Teil der Farce einfüllen. Jetzt die marinierten Trüffel in die Mitte legen. Die restliche Farce darüberfüllen. Jetzt die überstehenden Teigränder abschneiden. Aus dem restlichen Teig einen Deckel schneiden, in die Mitte 2 fingerdicke Löcher schneiden. Den Teigdeckel auf die Pastete legen, die Ränder fest andrücken. Den Teigdeckel dann mit dem verrührten Eigelb bestreichen.
Die Pastete im vorgeheizten Backofen auf der mittleren Schiene bei 200 Grad (Gas: Stufe 3) etwa 1½ Stunden backen. Dann herausnehmen und in der Form kalt werden lassen.
Inzwischen die Gelatine in kaltem Wasser einweichen. Die entfettete Brühe erhitzen, die Gelatine darin auflösen. Den Weinessig und den Madeira zugießen. Das Gelee, kurz bevor es ganz fest ist, in die Löcher im Teigdeckel in die kalte Pastete gießen. Die Pastete vor dem Servieren für einige Zeit kühl stellen. Dann in Scheiben schneiden und mit Weißbrot reichen.

Die Badener, als Genußmenschen, beginnen ein festliches Essen mit dieser Pastete, führen es dann (möglicherweise) mit einer knusprigen Wildente vom Altrhein fort und beschließen das üppige Mahl mit einer noch üppigeren Schwarzwälder Kirschtorte – weil das alles so gute Badener Tradition ist.

Schnecken in Weißbrot

Zutaten für 4 Portionen:
160 g Butter
1–2 Bund Petersilie
1 Bund Dill
2 Knoblauchzehen
½ Zwiebel
Salz
Pfeffer
1 Meterbrot (Baguette)
4 Dutzend Schnecken (aus der Dose)

Die Butter schaumig rühren. Die gewaschenen, gut abgetropften Kräuter sehr fein hacken oder mit dem Wiegemesser wiegen. Die Knoblauchzehen pellen und durch die Knoblauchpresse drücken. Die Zwiebel auch pellen und sehr fein hacken. Die Kräuter und Gewürze unter die schaumige Butter rühren. Dann salzen und pfeffern. Die Butter auf ein Stück Alufolie geben und eine Rolle daraus formen. Die Butterrolle 30 Minuten in den Kühlschrank legen und fest werden lassen.
Das Meterbrot in etwa 2 cm dicke Scheiben schneiden. Die Scheiben in der Mitte etwas aushöhlen. In jede Höhlung 2 Schnecken setzen. Die Schnecken mit einer Scheibe Kräuterbutter bedecken. Die vorbereiteten Brotscheiben auf ein gefettetes Backblech setzen (oder auf eine feuerfeste Platte). Das Blech auf die mittlere Einschubleiste im vorgeheizten Backofen setzen. Die Schnecken bei 200 Grad (Gas: Stufe 3) etwa 15 Minuten überbacken. Dann herausnehmen und am besten mit einem frischen Salat servieren.

Vom großen Durst:

Das Heidelberger Faß ist selbst für Baden, das von Superlativen lebt, eine Sehenswürdigkeit: Es hat einen Durchmesser von fast sieben Metern, ist über zehn Meter lang und faßt 221 726 Liter. Man sagt, der Zwerg Perkeo – der Patron aller Weintrinker – habe es einmal in einem Zug geleert.

Eiersalat

Zutaten für 4 Portionen:
4 Eier, hartgekocht
2 Tomaten
2 Scheiben Knollensellerie, gekocht
2 EL Essig
1 TL Senf
Salz
Pfeffer
3 EL Öl
1 Bund Schnittlauch

Eier und Tomaten in Scheiben schneiden. Sellerie würfeln. Aus Essig, Senf, Salz, Pfeffer und Öl eine Salatsauce rühren und über Eier, Tomaten und Sellerie gießen. Mit gehacktem Schnittlauch bestreuen und gut durchziehen lassen.

„Die Wildenten vom Altrhein schmecken besser als mancher Fasan." Bemerkung eines leidenschaftlichen Jägers und Essers.

Ein großes Unglück

Im Jahre 1812 traf die Badener ein großes Unglück: Die Accisabgabe wurde eingeführt. Von nun an mußten sie für jede Maß Branntwein 1¼ Kreuzer und für jede Maß Chriesewasser (so nennen sie ihr Kirschwasser) 2 Kreuzer abführen. Und wieviel in diesem Ländle getrunken wurde, zeigt eine Angabe aus Meyer's Konversationslexikon: 1893 wurden 1 588 824 Mark Weinsteuer und 4 804 148 Mark Biersteuer eingenommen. Als Baden 1870 in den Norddeutschen Bund eintrat, behielt es sich als einziges Reservatrecht die Besteuerung des Branntweines und des Bieres vor.

Rahmschlegel

Den Kalbsbraten mit Salz und Pfeffer einreiben. Rundherum in heißem Fett anbraten. Die Zwiebel und das Gemüse putzen, fein hacken, mit dem Fleisch anschmoren, mit Brühe ablöschen und mit Weißwein aufgießen. Das Lorbeerblatt zugeben. Den Schlegel bei 200 Grad (Gas: Stufe 3) im vorgeheizten Ofen offen 1 Stunde braten, dann herausnehmen und warm stellen. Die Sauce durch ein Sieb gießen, die saure Sahne unterrühren und noch einmal abschmecken.
Zum Rahmschlegel am besten Spätzle servieren.

Zutaten für 4 Portionen:
1 kg Kalbsbraten (aus der Nuß)
Salz
Pfeffer
50 g Pflanzenfett
1 Zwiebel
1 Stück Lauch
1 Möhre
1 Stück Sellerie
1 Tomate
1/8 l Fleischbrühe
1 Glas trockener badischer Wein
1 Lorbeerblatt
1/4 l dicke saure Sahne

Geschichte von den Dilsberger Kampfbienen:

Daß die Badener Bienen nicht nur fleißig süßen Honig produzieren, sondern auch noch mutig und kämpferisch sind, haben sie auf eindrucksvolle Weise einmal bewiesen: Dilsberg – ein Wehrdorf in der Nähe von Heidelberg – liegt auf einem 333 Meter hohen Bergkegel und wurde von dicken Mauern geschützt. Als diese von feindlichen Soldaten anläßlich eines kleinen Scharmützels fast erklommen war, schien die Stadt verloren. Not macht erfinderisch: Und so holten die Dilsberger aus den umliegenden Gärten alle Bienenkörbe herbei, die sie auftreiben konnten, schüttelten sie kräftig und warfen sie von der Mauer auf die Feinde herunter. Gegen diese Waffe waren die feindlich gesonnenen Widersacher wehrlos, und so flohen sie vor den wildgewordenen Bienen so schnell sie nur konnten.

Schwetzinger Spargel

Jedes Jahr im Mai reden die Badener, wenn's ums Essen geht, nur von einem: vom Spargel. Kein Wunder, denn der Schwetzinger Spargel ist wohl der berühmteste in ganz Deutschland, und der Spargelmarkt von Bruchsal ist der größte in ganz Europa. Rund um Schwetzingen gibt es mindestens 50 verschiedene Zubereitungsarten für dieses Gemüse. Am besten schmeckt der Spargel, wenn er mit Zucker, Salz, Zitronensaft und Butter gekocht wird. Dazu gibt's natürlich Schwarzwälder Schinken, neue Kartoffeln oder Kratzete und zerlassene braune Butter.
Davor gibt es eine Spargelsuppe, in der ein Ei verkleppert wird. Die Suppe verkürzt das Warten auf den Spargel.

Schwarzwälder Kirschcreme

Die Kirschen waschen, entsteinen und mit Rotwein und Zucker aufkochen. Die Speisestärke zugeben und 1 Minute kochen lassen. Vom Herd nehmen und mit Kirschwasser abschmecken, dann auskühlen lassen.
Für die Creme Milch, Zucker, das ausgekratzte Vanillemark und die Schote aufkochen lassen. Die Schote herausnehmen. Die Eier mit der Speisestärke verschlagen. Die heiße Milch zugießen und unter ständigem Rühren bis kurz vorm Kochen erhitzen. Vom Herd nehmen, die eingeweichte Gelatine darin auflösen, dann kühl stellen. Kurz vorm Stocken die steifgeschlagene Sahne unterheben.
Portionsgläser zu einem Drittel mit der Kirschmasse füllen. Die Vanillecreme darüberfüllen und mit geraspelter Schokolade verzieren.

Zutaten für 4 bis 6 Portionen:
600 g Sauerkirschen
250 ccm Rotwein
30 g Zucker
25 g Speisestärke
100 ccm Kirschwasser
Creme:
300 ccm Milch
100 g Zucker
1 Vanilleschote
3 Eigelb
1 Ei
8 g Speisestärke
4 Blatt weiße Gelatine
500 g süße Sahne
50 g geraspelte Schokolade zum Garnieren

Zwiebelsuppe

1 [illegible] geschälte Zwiebeln in Streifen schneiden, dann in 30 Gramm Butter in einem geschlossenen Topf glasig dünsten. Danach mit 1 Liter Brühe auffüllen und 20 Minuten ziehen lassen. Mit einem Schuss badischen Wein, etwas Salz und Pfeffer abschmecken. Vorm Servieren entweder mit gerösteten Weißbrotwürfeln bestreuen oder mit Weißbrot und Käse (je 1 Scheibe auf 1 Tasse) überbacken.

Spargelsuppe

Zutaten für 4 Portionen:
500 g Spargel
Salz
1 Prise Zucker
1/8 l süße Sahne
3 Eigelb
Pfeffer
2 TL Zitronensaft
1 EL Weißwein
20 g Schinken
10 g Butter

Den Spargel schälen und in Stücke schneiden. Die Spargelstücke in 3/4 l Salzwasser mit dem Zucker in 20 Minuten gar ziehen lassen. Jetzt die Sahne in die Spargelbrühe rühren. Die Suppe mit dem Eigelb legieren und pfeffern. Dann mit dem Zitronensaft und dem Weißwein würzen. Den Schinken würfeln und dann in der Butter kroß ausbraten. Die Schinkenwürfelchen vor dem Servieren auf die Suppe streuen.

Wildente vom Altrhein

Man sollte darauf achten, daß man eine junge, möglichst kleine Wildente bekommt. Große Wildenten sind meist etwas tranig. Sie werden vor dem Braten abgezogen. Außerdem wird auch das Fett abgeschnitten.
Die Wildente wird ausgenommen, gründlich abgespült, dann trockengetupft und innen und außen leicht mit Salz, Pfeffer und einigen zerstoßenen Wacholderbeeren eingerieben. Dann wickelt man die Ente in große, nicht zu dicke Scheiben aus grünem Speck, setzt sie in einen Bräter oder auf die Saftpfanne vom Backofen und brät sie bei einer Temperatur von 200 Grad (Gas: Stufe 3) je nach Größe 25 bis 40 Minuten. Dann entfernt man die Speckscheiben und hält die Ente warm, während man die Sauce zubereitet. Dafür kocht man den Bratenfond mit etwas Weißwein los, gibt saure Sahne mit hinein und läßt darin in Scheiben geschnittene Pilze gar ziehen, aber nicht kochen. Zum Schluß wird etwas gehackte Petersilie in die Sauce gerührt, die man getrennt zur Ente reicht. Dazu passen Salat und Spätzle.

„Das schönste am Freiburger Markt sind um 9 Uhr die Leberle und Nierle und um 1 das dampfendheiße Ochsenfleisch mit Meerrettichsauce." Ein Marktgänger.

Nicht immer sind Kochlöffel nur ein Hinweis auf gute Küche. Wer zum Beispiel im Renchtal dem Kochlöffelbuben begegnet, muß etwa mit demselben rechnen, wie der Seemann, der den Klabautermann trifft. Der Kochlöffelbub bedeutet Tod und Unheil und wird mit dem Untergang des Klosters Allerheiligen in Zusammenhang gebracht.

Kratzete

Aus 3 Eiern, 1/2 Liter Milch, 1 Prise Salz und 250 Gramm Mehl wird ein Teig gerührt. Er muß 10 Minuten ausquellen. Dann gießt man ihn wie Pfannkuchenteig in eine Pfanne und zerreißt ihn ganz schnell mit 2 Gabeln in kleine Stücke.

Im Frühling zu gekochten Spargelspitzen.

Im Sommer zu gedünsteten Kirschen oder frischen Blaubeeren.

Im Herbst zu geschmorten Waldpilzen.

Im Winter mit gewürfeltem Bauernspeck.

Schwaben

Neckarland: Seliges Land!
Kein Hügel in dir wächst ohne den Weinstock.
Nieder ins schwebende Gras
regnet im Herbste das Obst.
(Friedrich Hölderlin)

Die Schwaben", so jubelte Ernst Moritz Arndt, „sind einer der herrlichsten Bestandteile des deutschen Volkes, ein begeisternder, belebender Stoff." Und ein durchreisender Schöngeist aus Hannover sinnierte Anno 1859 in einem Brief an seine Verlobte: „Es hat hier im schönen Schwabenland ein gut Teil mehr Genies gegeben als anderswo, und der denkende Kopf mag sich fragen, ob das wohl nur an der innewohnenden Begabung dieses Stammes lieget, oder ob die Natur der Gegend oder gar die Nahrung zu diesem geistigen Überfluß des sonst eher armen Ländchens beigetragen haben mag?" Und in der Tat: Ist es nicht höchst sonderbar, daß trotz zahlloser Versuche, die Menschheit durch allerlei Diätformen schöner, schlanker und gesünder zu machen, niemand (nicht einmal ein genialer Schwabe) auf den Einfall gekommen ist, für die benachteiligten Nichtschwaben eine „Alemannische Geniekur" in Form eines Konzentrates aus Kutteln, Spätzle, Zwiebelkuchen und Laugenbrezeln auf den Markt zu bringen? Vielleicht könnten dann auch wir Andersstämmige eines Tages in das schöne Schwabenlied einstimmen:

Der Schiller und der Hegel,
Der Uhland und der Hauff,
Das ist bei uns die Regel,
Das fällt uns gar nicht auf.

Immerhin gibt Ihnen die folgende reichlich bemessene Rezeptauswahl aus der Schwabenküche die Möglichkeit zu Selbstversuchen. Sollte es nicht klappen, sollten Sie nicht „die vielen wallenden und unbewußten edlen Triebe und Kräfte fühlen", die laut Ernst Moritz Arndt der geniale Schwabe verspürte, dann trösten Sie sich damit, daß es auch unter den Schwaben einige Nicht-Genies gibt. Was sogar der mehrfach zitierte Ernst Moritz einräumt, indem er bemerkt: „Weil einige ihrer Vögel herrlich singen, soll man den Schwaben nicht einreden, sie seien allesamt geborene Nachtigallen."

Spätzle

Zutaten
für 4 Portionen:
375 g Mehl
2 Eier
Salz
1 EL Öl oder Butter

Das Mehl, die Eier und etwas Salz zu einem Teig verarbeiten, ⅛ bis ¼ l Wasser zugießen (je nach Größe der Eier) und den Teig weiterrühren und schlagen, bis er Blasen wirft, dann auch das Fett unterrühren.
In einem großen Topf Salzwasser zum Kochen bringen. Ein kleines Brett mit kaltem Wasser anfeuchten. Eine kleine Portion Teig auf das Brett geben und mit einem nassen Messer schmale Teigstreifen ins kochende Salzwasser schaben. Das Messer zwischendurch immer wieder naß machen, damit der Teig nicht daran kleben bleibt. Die Spätzle sofort mit dem Schaumlöffel aus dem Wasser nehmen, wenn sie an die Oberfläche kommen. Je zügiger man arbeitet, desto körniger sind die Spätzle hinterher. Die fertigen Spätzle entweder gleich unter heißem Wasser abbrausen oder kurz in einem Topf mit heißem (nicht kochendem) Wasser schwenken. Dann gut abtropfen lassen und auf einer vorgewärmten Platte warm stellen.

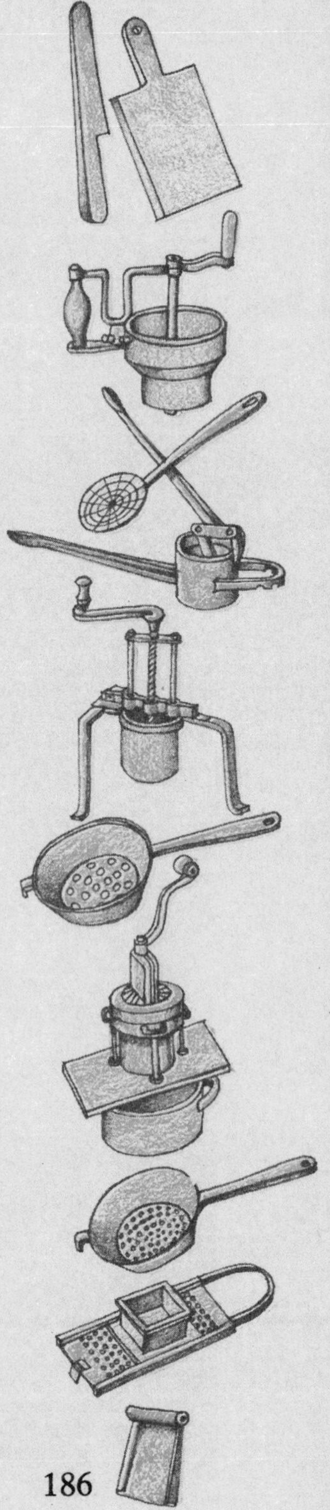

Anmerkungen zu Spätzle und Knöpfle:

Das Spätzleschaben vom Brett ist eine Kunst, die früher von Schwäbin auf Schwäbin vererbt wurde. Der gute Brauch ist leider fast ausgestorben. Weil aber die Schwaben natürlich trotzdem nicht auf ihre Spätzle verzichten können, hat man sich im Laufe der Jahrzehnte ein ganzes Arsenal an Spätzlesmaschinen ausgedacht. Auch die mit der Maschine gemachten Spätzle sind immer noch zigmal besser als die fertig gekauften!
Die Augsburger und Allgäuer Version der Spätzle heißen übrigens Knöpfle. Ob Spätzle oder Knöpfle besser schmecken – darüber wird man sich nie einigen können. Knöpfle jedenfalls werden aus genau dem gleichen Teig zubereitet wie Spätzle. Man tut (Schwaben „tun“ immer alles) diesen Teig in ein Knöpflessieb (ein Sieb mit großen Löchern) und rührt ihn ins kochende Salzwasser. Der Teig fällt in Tropfen ins Wasser und verfestigt sich dort zu kleinen Klümpchen.

Leberspatzen

Die geputzte Leber durch den Fleischwolf drehen. Die Brötchen in Würfel schneiden und mit der kochenden Milch übergießen. Die gepellte Zwiebel und die gewaschene Petersilie fein hacken und in der Butter glasig braten, dann kalt werden lassen. Die Brötchenwürfel gut ausdrücken. Aus der Leber, den Brötchen, dem abgekühlten Zwiebel-Petersilien-Gemisch, den Eiern und den Semmelbröseln einen festen Teig kneten und mit den Gewürzen abschmekken. Den Teig 15 Minuten ruhen lassen. Dann in einem Topf Salzwasser erhitzen. Aus dem Teig mit einem nassen Eßlöffel einen Probeknödel abstechen und 10 Minuten im Wasser ziehen, aber nicht kochen lassen. Wenn dann der Kloß nicht zusammenhält, noch mehr Semmelbrösel unter den Teig kneten. Aus dem restlichen Teig ebenfalls Klöße formen und garen. Die Leberspatzen werden entweder zu Sauerkraut oder zu Kartoffelsalat gegessen.

Zutaten für 4 Portionen:
500 g Rinderleber
6 Brötchen, altbacken
¼ l Milch
1 große Zwiebel
1 Bund Petersilie
20 g Butter
3 Eier
3–5 EL Semmelbrösel
Salz
Pfeffer
Muskat
Majoran

Kässpätzle

Aus Mehl, Eiern, ⅛ bis ¼ l Wasser, Salz und Öl einen Spätzleteig zubereiten (wie man das genau macht, steht im Rezept „Spätzle" auf Seite 186). Während der Teig ruht, in einem großen Topf Salzwasser erhitzen. Den Käse grob raffeln, die Zwiebeln schälen und in Ringe schneiden. Die Spätzle portionsweise ins kochende Wasser schaben (oder durch die Maschine drücken). Jede fertige Portion Spätzle in eine vorgewärmte Schüssel geben und mit einer Lage Emmentaler bestreuen. Wenn alle Spätzle fertig sind, die Zwiebelringe in der Butter goldbraun rösten und darüber verteilen.

Zutaten für 4 Portionen:
500 g Mehl
6 Eier
Salz
1 EL Öl
200 g Allgäuer Emmentaler
4 Zwiebeln
50 g Butter

„Laßt uns nach Schwaben entfliehen!

Hilf Himmel! Es findet sich süße
Speise da und alles Guten in Fülle ...
Und man bäckt im Lande das Brot mit Butter
und Eiern. Rein und klar ist das Wasser,
die Luft ist heiter und lieblich."
(Goethe: Reineke Fuchs)

Linsen und Spätzle

Zutaten für 4 Portionen:
(Spätzle siehe Rezept auf Seite 186)
1 Zwiebel
2–3 Knoblauchzehen
1 Lorbeerblatt
250 g Linsen
20 g Butter
2 EL Mehl
⅛ l Rotwein
Rotweinessig nach Geschmack
Salz
Pfeffer
4 Saitenwürste
4 Scheiben Rauchfleisch (jede etwa 100 g)

Zwiebel und Knoblauchzehen pellen, mit dem Lorbeerblatt und den Linsen in 1 l kaltes Wasser geben, langsam erhitzen, die Linsen in 35 bis 45 Minuten weich kochen. (In dieser Zeit auch die Spätzle zubereiten.) Inzwischen in einem anderen Topf die Butter zerlassen und das Mehl darin unter Rühren braun werden lassen. Aus den Linsen Zwiebel, Lorbeerblatt und Knoblauch entfernen, die Linsen mit ihrer Flüssigkeit zur braunen Mehlschwitze gießen. Mit Wein, Essig, Salz und Pfeffer pikant sauer abschmecken. Die Saitenwürste darin erhitzen und das Rauchfleisch kurz mitziehen lassen. Die Spätzle dazu servieren.

„Besser a Laus em Kraut als gar koi Floisch!"
(Schwäbische Weisheit)

Saure Kutteln

Zutaten für 4 Portionen:
30 g Fett
3 EL Mehl
1 Zwiebel
1½ l Fleischbrühe
Salz
Pfeffer
2 Lorbeerblätter
800 g Kutteln (vorgekocht und geschnitten)
1–2 EL Weinessig
⅛ l herber Weißwein

Das Fett in einem Topf erhitzen, das Mehl darin andünsten. Inzwischen die Zwiebel fein hacken. Wenn das Mehl hellbraun ist, die Zwiebel zugeben und alles unter Rühren dunkelbraun werden lassen. Dann die Brühe zugießen, mit Salz, Pfeffer und Lorbeer würzen. Die vorbereiteten Kutteln in die kochende Flüssigkeit geben und in knapp 1 Stunde weich kochen. Die Sauce mit Essig, Wein und Salz abschmecken. Die Kutteln in der Sauce servieren.

Die braune Sauce (oder besser gesagt die braune Brühe), die man im Schwäbischen zu Kutteln oder zu sauren Kartoffelrädle macht, ist eine ganz normale Mehrzweck- oder Standardsauce. Statt der Kutteln kann man darin genauso gut feingeschnittene Kalbslunge anrichten. Es gibt Schwaben, die legen sogar Schneidebohnen hinein.

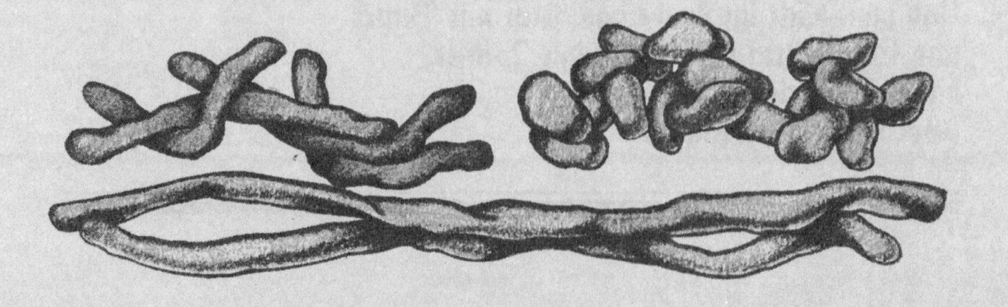

Brennte Grießsupp

Die Butter in einem Topf erhitzen, den Grieß darin unter ständigem Rühren in etwa 10 Minuten gelb rösten. Das geputzte und sehr klein geschnittene Gemüse zugeben und mitdünsten, bis der Grieß eine dunkelgelbe Farbe hat. Jetzt die Brühe zugießen. Die Suppe auf kleiner Hitze 1 knappe Stunde ziehen lassen. Danach eventuell mit Salz nachwürzen. Vor dem Servieren mit Muskatnuß bestreuen.

Zutaten für 4 Portionen:
60 g Butter
70 g Grieß
1 gelbe Rübe
1 Stück Sellerie
1 kleine Lauchstange
1 ½ l Brühe
Salz
1 Prise Muskat

Vom Suppenschwob:

Die Schwaben sind große Suppenesser vor dem Herrn. Ein Essen ohne Suppe als Vorspeise ist für sie völlig undenkbar. Am Sonntag ist die Grundlage dieser Suppe zumeist eine kräftige Rinderbrühe, wochentags darf es schon mal eine einfache Gemüsebrühe sein. An Ideen für Suppeneinlagen hat es den Schwaben nie gefehlt: Flädle (in ganz dünne Streifen geschnittene Eierkuchen), Riebele (winzige Knöpfle), kleingehacktes Hirn, Grießknödel, verquirltes Ei (das heißt Einlaufsuppe). Auf jeder Werktags- und Sonntagssuppe muß reichlich Schnittlauch schwimmen. Der „Suppenschwob" ist also keine Legende, während der „Spätzlesschwob" ein Name für eine der vielen Maschinen ist, durch die man Spätzle drückt.

Hefeknöpfle

Aus 30 g Hefe, 1/4 Liter lauwarmer Milch, 1 ℔ Mehl, je 1 Prise Zucker und Salz, 1 Ei, 50 g Butter macht man einen Hefeteig und läßt ihn gründlich gehen. Dann macht man daraus 8 bis 10 Knöpfle und läßt sie in siedendem Salzwasser 20 Minuten garziehen. In 20 g Butter röstet man Semmelbrösel und gibt das über die fertigen Knöpfle. Dazu ißt man Sauerkraut.

Kalbsbriesle

**Zutaten
für 4 Portionen:
500 g Kalbsbries
1 Bund Suppengrün
1 Zwiebel
Salz
1 Lorbeerblatt
100 g Butter**

Das Kalbsbries 2 Stunden in kaltes Wasser legen, dann die Haut entfernen. Das Suppengrün waschen und putzen, die Zwiebel schälen. In einem Topf Salzwasser mit Suppengrün, Zwiebel und Lorbeerblatt zum Kochen bringen, das vorbereitete Bries hineinlegen und 10 Minuten lang darin ziehen, aber nicht kochen lassen. Kurz vor dem Servieren die Butter leicht bräunen. Das Bries aus der Brühe nehmen, auf einer vorgewärmten Platte anrichten und mit der braunen Butter übergießen.
In Schwaben wird das Bries mit Kartoffelsalat und grünem Salat gegessen.

Natürlich gibt es in Schwaben verschiedene Zubereitungsarten für das Bries: So kann es auch gekocht in Scheiben geschnitten, anschließend in Ei und Semmelbröseln paniert und dann in Butter gebraten werden.

Saure Nierle

**Zutaten
für 4 Portionen:
500 g Schweinenieren
¼ l Milch
30 g Butter
4 Zwiebeln
1 EL Mehl
⅛ l Brühe
2–3 EL Weinessig
oder ⅛ l Weißwein
Salz
Pfeffer**

Die Nieren der Länge nach auf-, aber nicht durchschneiden. Alles Weiße sorgfältig herausschneiden, dann die Nieren 30 Minuten in Milch legen. Die Butter in einer Pfanne zerlassen, die Zwiebeln würfeln und darin goldgelb anbraten. Die Nieren aus der Milch nehmen, abtrocknen, in Scheiben schneiden und mit Mehl bestäuben. Die Zwiebeln an den Pfannenrand schieben, die Nieren in der Pfanne rundum anbraten. Die Brühe und den Essig oder den Wein zugießen. Alles gut miteinander verrühren und kräftig aufkochen lassen. Dann mit Salz und Pfeffer abschmecken und sofort servieren.

Zu den sauren Nierle ißt man traditionell „gröschte Kartoffle“, was mitnichten „groß“ bedeutet, sondern geröstet heißt. „Gröschte Kartoffle“ sind simple Bratkartoffeln, die man in Schwaben auch nicht anders zubereitet als anderswo.

Angemachter Kräuterkäs

Den Kräuterkäse fein reiben und mit der Butter gut verkneten. Je mehr Butter man nimmt, desto sanfter wird der Kräuterkäse. Aus dem fertigen Kräuterkäse einen Hügel formen, gut abdecken und kurze Zeit kühl stellen. Dann mit Schnittlauchröllchen, die sich jeder auf das mit Kräuterkäse bestrichene Brot streut, servieren.
Man kann den Schnittlauch auch gleich unter den Kräuterkäse mischen. Dann muß er allerdings rasch gegessen werden, weil sonst der Schnittlauch verdirbt.

**Zutaten
für 4 bis 6 Portionen:
1 Hütchen Kräuterkäse
zum Reiben
125–250 g Butter
1 Bund Schnittlauch**

Butter-S

Das Mehl mit Butter, Zucker, Eigelb und der abgeriebenen Zitronenschale zu einem glatten Teig verkneten. Den Teig einwickeln und mindestens 2 Stunden kühl stellen. Dann auf der bemehlten Arbeitsfläche aus dem Teig knapp fingerdicke Rollen formen. Die Rollen in 10 bis 12 cm lange Stücke schneiden, aus jedem Stück ein „S" formen und über Nacht trocknen lassen. Am nächsten Tag das Gebäck mit dem leicht aufgeschlagenen Eiweiß bestreichen und mit Hagelzucker oder Mandelblättchen bestreuen. Dann auf die gefetteten Backbleche legen und im vorgeheizten Ofen bei 225 Grad (Gas: Stufe 4) in 10 Minuten hellgelb backen.

**Zutaten
für etwa 80 bis
100 Stück:
500 g Mehl
250 g Butter
125 g Zucker
7 Eigelb
Schale von ½ Zitrone
1–2 Eiweiß
Hagelzucker oder
feine Mandelblättchen
Fett für die Backbleche**

**„Bei dene kommet d'Mäus mit verheulte Auge von der Bühne!"
(Bei denen kommen die Mäuse mit
verheulten Augen vom Dachboden.)
Sparsame Schwaben über Schwaben, die noch geiziger sind als sie selber.**

Ausstecherle

Zutaten für etwa 100 bis 120 Stück:
125 g Butter
4 Eier
250 g Zucker
1 Päckchen Vanillezucker
3 EL süße Sahne
375 g Mehl
250 g Speisestärke
15–20 g Backpulver
Fett für das Backblech
2 Eigelb
Hagelzucker

Die Butter schaumig rühren, nach und nach die Eier abwechselnd mit Zucker und Vanillezucker zugeben, weiterrühren, bis die Masse schaumig ist, dann die Sahne unterrühren. Das Mehl mit Speisestärke und Backpulver mischen, zugeben und zu einem glatten Teig verkneten. Den Teig abdecken und 1 Stunde kühl stellen. Den Teig auf leicht bemehlter Arbeitsfläche messerrückendick ausrollen und beliebige Förmchen daraus ausstechen. Die Teigformen auf ein gefettetes Backblech legen, mit Eigelb bestreichen und mit Hagelzucker bestreuen. Die Ausstecherle bei 175 Grad (Gas: Stufe 1–2) in 8 bis 10 Minuten goldgelb backen.
Die Ausstecherle sind ein schwäbisches Weihnachtsgebäck.

Bärentatzen

Zutaten für etwa 40 Stück:
4 Eiweiß (von kleinen Eiern)
250 g Zucker
Saft und abgeriebene Schale von ½ Zitrone
90 g Bitterschokolade, gerieben
5 g Zimtpulver
250 g süße Mandeln, gemahlen
Zucker für den Muschel-Model (Bärentatzen)
Fett für das Blech

Eiweiß zu steifem Schnee schlagen, Zucker, Zitronensaft und -schale zugeben, so lange weiterrühren, bis sich der Zucker gelöst hat und die Masse dick und schaumig ist. Dann die Schokolade und den Zimt zugeben, gut verrühren, dann auch die Mandeln sorgfältig untermischen (je nach Größe der Eier braucht man bis zu 80 g mehr Mandeln). Den Teig zudecken und 1 bis 2 Stunden kühl stellen. Dann aus dem Teig Kugeln formen. Den Muschel-Model mit Zucker ausstreuen, eine Teigkugel hineindrücken, dann herausklopfen. Vor jedem Formen den Model immer wieder mit Zucker ausstreuen. Die Bärentatzen auf ein gefettetes Blech setzen, 1 Stunde trocknen lassen, dann im vorgeheizten Ofen bei 150 bis 175 Grad (Gas: Stufe 1–2) 20 bis 25 Minuten backen. Die Bärentatzen heiß vom Blech nehmen, abkühlen lassen und dann etwa 2 Wochen an einem kühlen, nicht zu trockenen Platz aufbewahren, damit sie weich werden.

Die Bärentatzen sind ein echtes schwäbisches Weihnachtsgebäck, das frühzeitig, am besten schon im November, gebacken werden muß.

Kalbsvögerl

Zutaten für 4 Portionen:
350 g Kalbsbratwurstfüllung
3 Zwiebeln
½ Bund Petersilie
Salz
Pfeffer
Muskat
4 Scheiben Kalbfleisch, jede etwa 150 g (aus der Keule)
75 g Speck, durchwachsen
60 g Butter
3 Möhren
1 Stange Lauch
1 Lorbeerblatt
3 Pfefferkörner
3 Nelken
Saft und abgeriebene Schale von ½ Zitrone
¼ l Fleischbrühe, heiß
⅛ l Weißwein
20 g Mehl
3 Sardellenfilets
1 EL Kapern

Die Bratwurstfüllung in eine Schüssel geben. Mit 1 gehackten Zwiebel und der gehackten Petersilie mischen, dann mit 1 EL Wasser geschmeidig machen. Den Fleischteig mit Salz, Pfeffer und Muskat würzen. Die Fleischscheiben salzen und pfeffern. Dann die Farce daraufgeben. Die Scheiben zu Rouladen aufrollen und mit Holzspießen zusammenstecken. Den Speck würfeln, dann in 30 g Butter glasig braten. Die Kalbsvögerl im Fett rundherum braun braten. In der Zwischenzeit Möhren und Lauch putzen, grob zerkleinern und dann mit in den Topf geben. Die restlichen Zwiebeln grob hacken und mit dem Lorbeerblatt, den Pfefferkörnern, den Nelken und der Zitronenschale in den Topf geben. Die heiße Fleischbrühe und den Wein zugießen. Die Kalbsvögerl im geschlossenen Topf auf milder Hitze etwa 45 Minuten leise schmoren lassen. Anschließend herausnehmen und auf einer vorgewärmten Platte warm stellen.
Den Schmorsaft durch ein Sieb in einen anderen Topf gießen, das Gemüse passieren. Die Sauce einmal aufkochen lassen. Die restliche Butter und das Mehl mischen, dann in die heiße Sauce rühren. Die Sardellenfilets fein hacken und zugeben. Die Sauce mit den gehackten Kapern und dem Zitronensaft abschmecken. Die Kalbsvögerl in der Sauce wieder erhitzen und dann mit Spätzle servieren.

Vom schwäbischen Durst:

Ein Tübinger Weingärtner, dort Gog genannt, sagte zu seiner Frau: „Gell, Babett, weckscht mi, wenn i Durscht han.“ – „Woher soll i denn wisse, wenn du Durscht hosch?“ – „Halt, wenn mi weckscht.“

Eierhaber

Zutaten für 4 Portionen:
250 g Mehl
Salz
Muskat
3/8 l Milch
3 Eier, getrennt
Butter zum Braten

Das Mehl mit dem Salz und dem Muskat mischen, dann mit der Milch glatt rühren. Jetzt das Eigelb unterrühren. Das Eiweiß zu steifem Schnee schlagen. Den Eischnee unter den Teig heben.
Die Butter in einer Pfanne erhitzen. Den Teig mit einem Schöpflöffel portionsweise ins heiße Fett geben. Den kleinen Eierkuchen auf beiden Seiten goldbraun braten. Dann mit einer Gabel zerreißen. Die Eierkuchenstückchen noch etwas brauner werden lassen, dann warm stellen, bis der ganze Teig auf die gleiche Art verarbeitet ist.

Der schwäbische Eierhaber ist ein entfernter Verwandter vom Wiener Kaiserschmarrn, nur fehlen ihm die Rosinen und der Puderzucker, weil er bei den Schwaben zumeist mit herzhaften pikanten Beigaben gegessen wird. Er kann natürlich auch mit Zucker und Zimt serviert werden.

Metzelsuppe

Zutaten für 4 Portionen:
1 Zwiebel
30 g Schweineschmalz
1½ l Fleischbrühe
2 frische Leberwürste
2 frische Blutwürste
Salz
Pfeffer
Muskat
1 TL Majoran
4 Scheiben Brot, derb und dunkel
1 EL Schnittlauchröllchen

Die Zwiebel pellen und in Streifen schneiden. 20 g Schmalz in einem Topf erhitzen, die Zwiebel darin anbraten, dann mit der Fleischbrühe auffüllen. Die Würste häuten, in die Brühe geben und aufkochen lassen. Dann auf kleiner Hitze weiterkochen, bis die Würste fast zerfallen sind. Die Suppe mit Salz, Pfeffer, Muskat und Majoran würzen und etwa 5 Minuten weiter kochen lassen.
Inzwischen das Brot würfeln, im restlichen Schmalz rösten, vor dem Servieren mit den Schnittlauchröllchen auf die Suppe streuen.

Wir haben heut' nach altem Brauch
ein Schweinchen abgeschlachtet.
Der ist ein komisch ekler Gauch,
der solch ein Fleisch verachtet.
Es lebe zahm und wildes Schwein!
Sie leben alle, groß und klein,
die Blonden und die Braunen.
(Aus dem Loblied auf die Metzelsuppe von Ludwig Uhland)

Pfitzauf

Aus Mehl, Milch, Eiern und Salz einen glatten Teig rühren, zuletzt die zerlassene Butter untermischen. Eine Pfitzaufform oder kleine ofenfeste Auflaufförmchen reichlich mit Butter ausfetten und zur Hälfte mit Teig füllen. Die Förmchen in den vorgeheizten Backofen (225 Grad, Gas: Stufe 4) stellen und die Eierkuchen 30 bis 35 Minuten backen. Die Pfitzauf heiß aus den Förmchen stürzen und mit Puderzucker bestreut zu Kompott servieren.
Man kann sie aber auch kalt werden lassen, aufschneiden und mit gesüßter Schlagsahne gefüllt zum Kaffee servieren.

Zutaten für 4 Portionen:
250 g Mehl
½ l Milch
4 Eier
1 Prise Salz
30 g zerlassene Butter
Fett für die Förmchen
Puderzucker zum Bestreuen

Schwäbische Hochzeitssuppe

Man kocht eine kräftige Rindsbrühe, wobei man auch Geflügelreste und Kalbsknochen mitverwertet. Man läßt dann die Brühe erkalten und nimmt sodann das Fett ab. In die wieder erhitzte Suppe gibt man Leberspatzen oder Leberspätzle, Markscheiben, Flädle oder Grießknödel und Brätknödel. Über die Suppe streut man reichlich Schnittlauch.

Maultaschen

Zutaten
für 6 bis 8 Portionen:
400 g Mehl
4 Eier
Salz
250 g gemischtes Hackfleisch
200 g Kalbsbratwurstbrät
250 g frischer Spinat
1 Bund Petersilie
2 Eier
Pfeffer
Muskat
1 Eiweiß
Fleischbrühe
4 Zwiebeln
50 g Butter

Aus Mehl, Eiern, etwas Salz und etwa 8 EL Wasser einen Nudelteig kneten und dünn ausrollen. Das Hackfleisch mit dem Brät mischen. Spinat in Salzwasser blanchieren, mit einer Schaumkelle aus dem Topf nehmen, abtropfen lassen und grob hacken. Die Petersilie auch hacken und untermischen. Den Spinat unter die Hackmasse kneten, die Eier zugeben, mit Salz, Pfeffer und Muskat abschmecken.
Den Teig in knapp 15 cm große Quadrate schneiden, auf jedes Quadrat so viel wie möglich von der Füllung geben. Die Teigränder mit Eiweiß bepinseln. Die Quadrate über Eck zusammenklappen, die Ränder fest andrücken. Die Maultaschen in der heißen Fleischbrühe etwa 10 Minuten ziehen, aber nicht kochen lassen. Inzwischen die gepellten Zwiebeln in Ringe schneiden und in der Butter goldbraun braten. Die Maultaschen in Suppentellern mit etwas Brühe servieren, und die Zwiebeln darübergeben.

Die listigen Mönche von Maulbronn

So alt wie die Maultaschen sind, so alt ist auch der Streit um die richtige Füllung. Jede schwäbische Hausfrau hat ihr eigenes Rezept, von dem sie steif und fest behauptet, ihres sei das einzige und richtige. Was nichts anderes heißt, als daß es ebenso viele Maultaschenfüllungen gibt wie schwäbische Hausfrauen.
Im Gegensatz zur Füllung ist der Ursprung der Maultasche selber fast völlig geklärt. Sie sind eigentlich eine richtige Fastenspeise, wenn auch keine richtig fromme. Denn:
Als die Mönche des Klosters Maulbronn in den Hungerjahren des Dreißigjährigen Krieges durch einen glücklichen Zufall ausgerechnet in der Fastenzeit in den Besitz eines großen Stückes Fleisches gerieten, wollten sie diese seltene Gottesgabe natürlich unter keinen Umständen (wie die Schwaben sagen) „umkommen" lassen. Listig mischten sie das Fleisch mit allerlei Grünzeug und versteckten es in Teigfladen – in der Hoffnung, der liebe Gott möge in diesem Falle nicht den rechten Durchblick haben.

Saure Kartoffelrädle

Die rohen Kartoffeln schälen und in feine Scheiben schneiden, in Salzwasser 15 Minuten kochen, dann abgießen und zugedeckt beiseite stellen. Inzwischen das Fett erhitzen, das Mehl unterrühren und dunkelbraun werden lassen, dabei ständig rühren. Die Brühe zugießen und aufkochen lassen. Die gepellte Zwiebel, die Gewürze und etwas Salz zugeben, die Brühe 30 Minuten kochen lassen. Dann durch ein Sieb in einen anderen Topf gießen und mit Essig, Wein und Salz abschmecken. Jetzt die Kartoffelscheiben zugeben und noch etwa 5 bis 10 Minuten in der braunen Sauce garen.

Zutaten für 4 Portionen:
800 g Kartoffeln
Salz
30 g Fett
3 EL Mehl
$1\frac{1}{4}$ l Fleischbrühe
1 kleine Zwiebel
2 Lorbeerblätter
6 Pfefferkörner
2 Nelken
6 Wacholderbeeren
2–3 EL Weinessig
$\frac{1}{8}$ l herber Weißwein

Schwäbischer Wurstsalat

Die gepellte Wurst in gleichmäßige, feine Streifen schneiden. Die gepellte Zwiebel grob würfeln. Dann aus Essig, Öl, Salz, 3 EL Wasser und Pfeffer eine pikante Salatsauce zubereiten. Wurst und Zwiebel zugeben und gut mischen. Den Salat 2 bis 3 Stunden durchziehen lassen.
Es ist wichtig, daß die Sauce nicht zu knapp bemessen wird. Die Wurst muß praktisch darin schwimmen.

Zutaten für 4 Portionen:
125–150 g Schwarze Wurst (oder roter Schwartemagen)
125 g weiße Preßwurst
125 g Fleischwurst
1 große Zwiebel
3 EL Essig
6 EL Öl
Salz
schwarzer Pfeffer aus der Mühle

Des isch ebbas args, was i Wurscht fressa muaß, bis meine fenf Kender von dr Haut satt werdet!"
(Das ist schon eine arge Last, wieviel Wurst ich essen muß, bis meine fünf Kinder von der Haut satt werden)
Spruch eines schwäbischen Rabenvaters.

Kartoffelsalat

Die Kartoffeln in der Schale kochen, abgießen, abschrekken, pellen und dann in feine Scheiben schneiden. Die Schüssel mit der geschälten, halbierten Knoblauchzehe ausreiben. Die Kartoffelscheiben hineingeben. Den Essig mit der Brühe mischen und über die Kartoffelscheiben gießen. Mit Salz, Pfeffer und der Zwiebel würzen und pikant abschmecken. Dann erst das Öl zugießen und unterheben. Den Salat noch 1 Stunde durchziehen lassen.

Zutaten für 4 Portionen:
1 kg Salatkartoffeln
1 Knoblauchzehe
3–4 EL Essig
$\frac{1}{4}$ l warme Fleischbrühe
$1\frac{1}{2}$ TL Salz
$\frac{1}{2}$ TL weißer Pfeffer
1 kleine Zwiebel, fein gehackt
3–4 EL Öl

Schwäbischer Zwiebelkuchen

Zutaten für 4 bis 6 Portionen:
knapp ⅛ l lauwarme Milch
8 EL Öl
250 g Mehl
Salz
20 g Hefe
1,5 kg Zwiebeln
3 große Eier (oder 4 kleine)
1 Becher saure Sahne
etwas Kümmel
Öl für die Form
150 g durchwachsener Speck

Die lauwarme Milch mit 6 EL Öl, Mehl und 1 guten Prise Salz in eine Rührschüssel geben und die Hefe darüber zerbröseln. Die Zutaten gut mischen und einen glatten, geschmeidigen Teig daraus kneten. Den Teig zugedeckt an einem warmen Platz 20 Minuten gehen lassen.
Inzwischen die Zwiebeln schälen und in Würfel schneiden. 2 EL Öl in einem möglichst großen und weiten Topf erhitzen, die Zwiebelwürfel darin glasig braten. Den Topf vom Herd nehmen, die Zwiebelmasse etwas abkühlen lassen, dann die Eier und die saure Sahne unterrühren. Die Masse mit Salz und Kümmel nach Geschmack würzen. Den gegangenen Hefeteig noch einmal kurz durchkneten, dann dünn ausrollen. Eine Springform (26 cm Durchmesser) mit Öl ausfetten, den Teig hineinlegen und einen hohen Rand hochziehen. Die Zwiebelmasse einfüllen. Den durchwachsenen Speck in kleine Würfel schneiden und darüberstreuen. Den Kuchen im vorgeheizten Ofen bei 200 Grad (Gas: Stufe 3) 1 Stunde backen, bis er an der Oberfläche goldbraun ist. Der Zwiebelkuchen muß unbedingt warm serviert werden.

Zwiebelkuchen gibt es überall in Süddeutschland, wo man Wein anbaut: in Schwaben, in Baden, in der Pfalz und in Franken. Zwiebelkuchen ißt man am besten zu neuem Wein, der noch süß oder schon „räs" (sauer) sein darf.

Zwiebelkuchen

Ganz richtig hört ich sagen,
daß wer in Zwiebeln schlief,
hinunter wird getragen
in Träume schwer und tief.
Dem Wachen selbst geblieben
sei irren Wahnes Spur:
Die Nahen und die Lieben
hielt er für Zwiebeln nur.
Und gegen dieses Übel,
das gar nicht angenehm,
hilft selber nur die Zwiebel
nach Hahnemanns System.

Das laß uns gleich versuchen!
Gott gebe, daß es glückt! –
Und schafft mir Zwiebelkuchen!
Sonst werd ich noch verrückt!
(Eduard Mörike)

Krautwickel

Zutaten für 4 Portionen:
1 Weißkohlkopf (etwa 1,5 kg)
Salz
375 g gemischtes Hackfleisch
1 Brötchen, altbacken
1 Ei
1 Zwiebel
40 g Butter
Pfeffer
etwas Muskat
⅛ l Fleischbrühe

Den Kohlkopf in Salzwasser etwa 10 Minuten leise sieden lassen, herausnehmen, etwas abkühlen lassen, dann die äußeren Blätter vorsichtig ablösen. Die Blattrispen flach schneiden. Die abgelösten Kohlblätter müssen weich und geschmeidig sein.
Aus dem Hackfleisch, dem in Wasser eingeweichten und ausgedrückten Brötchen und dem Ei einen Teig kneten. Die gepellte Zwiebel fein würfeln, in 10 g Butter glasig braten, unter den Teig mischen, mit den Gewürzen abschmecken. Dann von der Fleischfüllung jeweils etwa 2 Eßlöffel voll auf ein Krautblatt geben, zuerst die Seitenteile über die Füllung klappen, dann das Blatt vom dicken Ende her zusammenrollen. Jeden Krautwickel mit Küchengarn zusammenhalten oder mit Rouladennadeln fixieren. Die restliche Butter in einem Schmortopf erhitzen, die Krautwickel hineinlegen und anbraten. Die Brühe zugießen und den Topf schließen. Die Wickel in etwa 1 Stunde garen, zwischendurch ein paarmal vorsichtig wenden. Dann herausnehmen, die Fäden entfernen und auf einer vorgewärmten Platte servieren. Dazu Salzkartoffeln oder Spätzle und die Schmorsauce reichen. Sie kann eventuell mit etwas Speisestärke oder Sahne gebunden werden.

Gurkengemüse

Man schält 2 Gurken und hobelt sie in dünne Scheiben. Nun würfelt man 1 große Zwiebel, dünstet sie in Fett glasig und gibt die Gurken zu. Jetzt rührt man 1 Eßl. Mehl mit 1 Tasse Sauerrahm glatt und gibt dies in die Gurken, würzt ein wenig mit Salz und läßt die Gurken in 15 bis 20 Minuten vollends weich werden. Dazu gibt es rote Würste und Spätzle.

Schwäbischer Rostbraten

Zutaten für 4 Portionen:
4 Scheiben Rostbraten vom gut abgehangenen Rostbeef (jede etwa 180 g)
Salz
Pfeffer
Mehl
3 EL Fett
3 mittelgroße Zwiebeln
1 TL Tomatenmark

Die Fleischscheiben mit dem Handrücken leicht klopfen, das Fett am Rand mehrere Male einschneiden. Das Fleisch etwas salzen, pfeffern und in Mehl wenden. Dann ins heiße Fett geben und auf jeder Seite je etwa 6 Minuten braun braten. Aus der Pfanne nehmen und warm stellen. Die in Ringe oder Scheiben geschnittenen Zwiebeln ins Fett geben und hellbraun braten, dann mit 1/4 l Wasser ablöschen und das Tomatenmark zugeben und durchrühren. Die Sauce abschmecken, aufkochen, die Fleischscheiben hineinlegen und noch 5 Minuten dämpfen.
Den schwäbischen Rostbraten mit Spätzle und frischem, grünem Salat reichen.

Die Laugenbrezel-Legende:

„So du einen Kuchen backen kannst, durch den die Sonne dreimal durchscheint, soll dir dein Leben geschenkt sein." Nichts Leichteres als das verlangte einst in Urach der Landgraf von seinem frevelhaften Bäckermeister, der durch eine böse Tat in die Lage versetzt war, ernsthaft um seinen Kopf fürchten zu müssen. Der Bäckermeister dachte bei sich: Not macht erfinderisch und erbat sich drei Tage Bedenkzeit, ging in seine Backstube und erfand eine der schönsten Schöpfungen schwäbischer Backkunst: die Laugenbrezel. Bleibt noch nachzutragen, daß er seinen Kopf behalten durfte.

Ofenschlupfer

Zutaten für 4 Portionen:
70 g Butter
6 Milchbrötchen, altbacken
6 große Äpfel
Zimtpulver
50 g Sultaninen
3 Eier
gut 1/2 l Milch
3 EL Zucker

Mit 20 g Butter eine Auflaufform gut ausfetten. Die Brötchen in Scheiben schneiden. Die Äpfel schälen, mit dem Apfelausstecher das Kernhaus ausstechen, Äpfel in Scheiben schneiden. In die Auflaufform zuerst eine Schicht Brotscheiben legen, darauf eine Schicht Apfelscheiben, dann etwas Zimt und Sultaninen darüberstreuen. Abwechselnd Brotscheiben und Apfelscheiben einschichten und bestreuen, bis die Zutaten verbraucht sind. Die Eier mit Milch und Zucker gut verquirlen und darübergießen. Zuletzt die restliche Butter in Flöckchen daraufsetzen. Den Auflauf bei 200 bis 225 Grad (Gas: Stufe 3–4) auf der unteren Einschubleiste 1 Stunde backen, bis seine Oberfläche goldbraun ist.
Der Ofenschlupfer wird warm gegessen. Die Reste können natürlich am nächsten Tag kalt serviert werden.

Essiggürkle

Zutaten:
100 kleine Gurken zum Einlegen
1 Beutelchen Gurken-Einmachgewürz
Salz
etwa 3 EL Zucker
1 Flasche Essig

Die Gurken einzeln gründlich säubern und über Nacht in Salzwasser legen. Am folgenden Tag herausnehmen und einzeln gründlich trockentupfen. Dann in einen gut gereinigten Steingut- oder Glastopf schichten. Das Einmachgewürz, 1 EL Salz und den Zucker daraufgeben. Ein Drittel Essig mit zwei Dritteln Wasser verdünnen, aufkochen und heiß über die Gurken gießen. Die Flüssigkeit muß 2 Finger hoch über den Gurken stehen. Den Steingut- oder Glastopf luftdicht mit Einmachhaut zubinden und kühl und am besten im Keller lagern.

Auf das Wohl des Herrn:

1484 kosteten in Stuttgart anderthalb Liter Wein einen Pfennig. Bei Gastereien rechnete man pro Kopf sechs Liter Wein, bei größeren Festereien, die sich allerdings auch über mehrere Tage erstreckten, brauchte man zwischen 3000 und 6000 Liter. Während des Baus der Stuttgarter Stiftskirche gab es so viel neuen Wein, daß die Weingärtner, die mitbauten, den Mörtel mit dem alten Wein anrührten.

„Des isch besser als a Gosch voll Glufa!"
(Das ist besser als ein Mund voll Stecknadeln.)
Höchstes Schwabenlob über ein außerordentlich gut gelungenes Essen.

Geriebener Kartoffelsalat

Zutaten
für 4 Portionen:
1 kg Salatkartoffeln
1½ TL Salz
etwas Streuwürze
½ TL Pfeffer
1 mittelgroße Zwiebel, gerieben
3 EL Essig, gemischt mit heißem Wasser
3 EL Öl
evtl. Petersilie oder Scheiben von hartgekochten Eiern

Am Vortag die Kartoffeln in der Schale garen, dann abgießen, abschrecken und pellen. Am nächsten Tag auf dem Reibeisen fein reiben oder durch eine Kartoffelpresse drükken. Dann Salz, Streuwürze, Pfeffer, Zwiebel und das heiße Essiggemisch darüberschütten, gut unter die Kartoffeln heben und noch einmal pikant abschmecken. Jetzt erst das Öl zugießen und unterheben.
Den fertigen Salat wie einen Hügel aufhäufen, glattstreichen und mit dem Messerrücken Streifen einkerben. Dann etwa 1 Stunde durchziehen lassen und vor dem Servieren eventuell mit einem Petersiliensträußchen auf der Spitze garnieren. Oder einfach mit hartgekochten Eischeiben belegen und obendrauf ein Petersiliensträußchen setzen.

Gaisburger Marsch

Zutaten
für 4 Portionen:
200 g Suppenknochen
1 TL Salz
1 TL gekörnte Brühe
10 Pfefferkörner
1 kleine Zwiebel
1 kleine gelbe Rübe
1 Stück Sellerie
1 Bund Petersilie
1 kleine Lauchstange
600 g Rindfleisch (Ochsenwade)
Für die Spätzle:
300 g Mehl
Salz
2 Eier
20 g flüssige Butter
außerdem:
750 g Kartoffeln
30 g Butter
2 Zwiebeln

Die Suppenknochen mit Salz, gekörnter Brühe, Pfeffer, geschälter Zwiebel und geputztem, gewaschenem Suppengemüse in 1½ l kaltes Wasser geben und langsam erhitzen. Wenn das Wasser kocht, das Rindfleisch zugeben. Alles zusammen etwa 2 bis 2½ Stunden ganz leise sieden lassen.
In der Zwischenzeit für die Spätzle das Mehl in eine Schüssel geben, mit Salz und Eiern verrühren und so viel Wasser zugeben, bis der Teig mehr zäh als flüssig ist, dann auch die geschmolzene Butter unterrühren. Den Teig 30 Minuten ruhen lassen. In einem großen Topf Salzwasser zum Kochen bringen. Ein kleines Holzbrettchen mit kaltem Wasser abspülen, etwas Teig daraufgeben und mit dem Messer feine Teigstreifen ins sprudelnd kochende Wasser schaben. Zwischendurch das Messer immer wieder in kaltes Wasser tauchen, damit der Teig nicht kleben bleibt. Wenn die Spätzle an die Oberfläche steigen, sofort mit einem Schaumlöffel herausnehmen und mit heißem Wasser abbrausen. Fertige Spätzle auf einer vorgewärmten Platte warm halten, bis auch der Rest fertig ist.
Die rohen Kartoffeln schälen und in Salzwasser in 20 Minuten gar kochen, dann abgießen. Das gegarte Fleisch aus der Brühe nehmen und in mundgerechte Würfel schneiden. Die Brühe durch ein Sieb gießen und wieder erhitzen. Die Butter schmelzen und die in Ringe geschnittenen Zwiebeln darin goldbraun braten.
Zum Anrichten Fleisch, Spätzle und Kartoffeln in eine Suppenschüssel schichten, mit der kochenden Brühe begießen und die Zwiebeln obendrauf geben.

Zum Essen: Marsch!

„Supp ess i bloß sechs Teller – aber Salat!“ sagte einmal ein Schwabe. Sicher verstand er unter der Suppe das Nationalgericht der Schwaben: den Gaisburger Marsch. Selbiger hat eine militärische Vergangenheit. Dazu muß man folgendes wissen: Zu Kaisers seligen Zeiten hatten die sogenannten „Einjährigen“ in den Kasernen gewisse Vorrechte. Denn schließlich hatten sie vorher mindestens sechs Klassen einer höheren Schule besucht, was sie dann ohne weiteres zu Offiziersanwärtern qualifizierte. Außerdem brauchten sie, der Name sagt es ja, nur ein Jahr zu dienen. Und letztendlich mußten sie sich auch nicht mit der schmalen Kantinenkost begnügen. Sie durften, im Gegensatz zu ihren „gemeinen“ Kameraden, zum Essen gehen. Die Einjährigen in der Stuttgarter Bergkaserne hatten eine besondere Vorliebe für die Küche der „Beckaschmiede“ im nahen Gaisburg entwickelt, deren Spezialität „Kartoffelschnitz und Spätzle“ war, ein prächtiger Eintopf in einer kräftigen Brühe aus Ochsenfleisch. Weil aber selbst die Einjährigen eine gewisse militärische Ordnung einhalten mußten, wurde der Gang ins Wirtshaus in Marschordnung absolviert. Was schließlich dem Gericht seinen Namen eintrug.

Gut schlafen, gut essen

In Markdorf, einem katholischen Städtchen bei Ravensburg, stiegen wir im Gasthaus zur Stadt Köln ab. Darin ist für den Kaiser die Post zwischen Italien und Deutschland eingerichtet. Was die Aufwartung bei Tisch betrifft, machen sie solchen Aufwand an Lebensmitteln und bringen in die Gerichte eine solche Abwechslung an Suppen, Saucen und Salaten, und das ist alles mit solchem Wohlgeschmack zubereitet, daß kaum die Küche des französischen Adels damit verglichen werden kann, auch fände man in unseren Schlössern wenig derart geschmückte Säle. Bemerkenswert ist der Reichtum an guten Fischen, Wild, Schnepfen und jungen Hasen. Wir sahen niemals so zarte Fleischspeisen, wie sie dort täglich aufgetragen werden. Nach der Mahlzeit werden nochmals zwei volle Gläser und zwei oder drei verschiedene Sachen aufgetragen, welche die Verdauung befördern.
(Michel de Montaigne)

Bayern

Bayern ist ein deutsches Land, dem es durch materielle Bedeutung, ausgeprägte Stammeseigentümlichkeit und die Begabung seiner Herrscher gelungen ist, ein wirkliches und in sich selbst befriedigtes Nationalgefühl auszubilden.
(Otto von Bismarck, ein Preuße)

In den 70er Jahren des vorigen Jahrhunderts schrieb ein gewisser Herr von Jagemann ein Buch mit dem Titel „Deutsche Städte und deutsche Männer". In diesem tiefschürfenden Werk findet sich ein seltsamer (typisch preußischer?) Versuch, die bayerischen Landesfarben Weiß und Blau aufgrund einer anatomischen Besonderheit weiter Teile der dortigen Bevölkerung zu erklären: „Hier in Bayern", meint der offensichtlich medizinisch beschlagene Autor, „sieht man leicht an den weißblauen Augäpfeln, daß viele Landesbewohner biertrinkend sind." Daß die Bayern ihre vom Bier verfärbten Augäpfel zum nationalen Symbol erhoben haben sollen, wundert ihn gar nicht, denn: „Das Bier ist nämlich recht eigentlich des Bayern Lebenselement, und wenn er sein Land verläßt und in eine Gegend kommt, wo das Bier schlecht oder gar keines zu haben ist, schnappt er wie ein Fisch auf dem Trockenen." Und ganz besonders wichtig, sagt der Herr von Jagemann, sei das Bier für die Münchner, „die auf einer dürren Hochebene leben und darum, soll ihr Lebensflämmchen weiterbrennen, viel Kohlenstoff zum Nachschütten brauchen". Von den nicht-flüssigen Nahrungsmitteln sagt er nichts, muß er seiner Meinung nach auch nicht, weil „der Bayer in seinem Bier etwas sehr Solides besitzt, was ihn zugleich aufregt, aber doch auch nährt und sättigt". – Die folgenden Seiten sind als verspätete Wiedergutmachung für die betrüblich einseitige Berichterstattung des Herrn von Jagemann anzusehen. Wir haben Rezepte der festen und suppenförmigen Kost zusammengestellt, die der Bajuwaren-Zunge ein hervorragendes Zeugnis ausstellen, und natürlich haben wir uns der allergrößten Akribie befleißigt, weil wir sehr gut wissen, wie schnell sich das Auge des in seinen nationalen Belangen gekränkten Bayern vom heiteren Weißblau zum überaus gefahrdrohenden Purpurrot verfärbt. Und da sei der heilige Xaver davor!

Bayerische Creme

Zutaten für 10 Portionen:
½ l süße Sahne
¼ l Milch
1 Vanilleschote
4 Eigelb
200 g Puderzucker
6 Blatt weiße Gelatine
600 g Himbeeren
6 EL Himbeergeist

Die Sahne steif schlagen und im Kühlschrank aufbewahren. Die Milch mit der halbierten Vanilleschote aufkochen und durch ein Sieb gießen. Eigelb und 100 g Puderzucker verrühren. Die heiße Milch darunterschlagen. Die Creme auf milder Hitze mit dem Schneebesen schlagen, bis sie dicklich wird und kurz vorm Kochen ist (nicht kochen lassen!). Die eingeweichte Gelatine darin auflösen und die Masse in Eiswasser kalt rühren. Sobald die Masse anfängt zu stocken, die steif geschlagene Sahne unterheben. Die Creme im Kühlschrank fest werden lassen. Für die Sauce die Himbeeren pürieren, mit 100 g Puderzucker und Himbeergeist verrühren und ebenfalls kalt stellen. Die Sauce wird dann extra zur Bayerischen Creme serviert.

Oobazta

4 Pakete Doppelrahm-Frischkäse und 4 Teelöffel Butter werden mit einer Gabel erst zerdrückt und dann miteinander verrührt. Zur Würzung mischt man 2 feingehackte Zwiebeln, Salz, Pfeffer, Paprika, Kümmel und 4 Eigelb darunter.

Gamskeule

Die Keule vorsichtig waschen, trockentupfen, mit gestiftelten Knoblauchzehen spicken. Dann mit Rotwein in eine ausreichend große Schüssel geben und 2 Tage marinieren. Dabei ab und zu wenden. Die Keule danach aus dem Rotwein nehmen, gut abtropfen lassen, trockentupfen und mit den Speckscheiben umwickeln. In einem Bräter die Butter zerlassen, die Keule darin von allen Seiten gut anbraten. Dann die grob geschnittene Zwiebel, das feingeschnittene Gemüse, die grob zerstoßenen Pfefferkörner und die zerdrückten Wacholderbeeren zugeben. Etwas Wasser und Rotweinmarinade zugießen, und zunächst zugedeckt und dann offen etwa 3 Stunden bei 225 Grad (Gas: Stufe 4) im vorgeheizten Backofen braten.
Die Keule erst nach dem Braten salzen und im abgeschalteten Backofen warm halten. Den Bratenfond durch ein Sieb in einen kleinen Topf gießen. Die Sauce mit kleingehackten Tannennadeln und dem Preiselbeergelee abschmecken.

Zutaten für 10 Portionen:
1 Gamskeule (etwa 4 kg)
3 Knoblauchzehen
1 Flasche trockener Rotwein
200 g fetter Speck (in großen, dünnen Scheiben)
4 EL Butter
1 große Zwiebel
1 Petersilienwurzel
2 Möhren
¼ Sellerieknolle
2 Pfefferkörner
2 Wacholderbeeren
Salz
1 kleiner Tannenzweig
2 EL Preiselbeergelee

Es bekommt den Preiselbeeren in der Sauce ausgezeichnet, wenn diese zusätzlich mit einem Hauch Meerrettich abgeschmeckt wird. Zur Gamskeule werden verschiedene Sorten Knödel gereicht.

Kalbs- oder Schweinshaxen

Die Haxen mit Salz, Pfeffer und durchgepreßtem Knoblauch einreiben. Die fein zerriebenen Kräuter darüberstreuen. Die Haxen bei 200 Grad (Gas: Stufe 3) in den vorgeheizten Backofen schieben. Ab und zu mit Bier bepinseln und in 2 Stunden knusprig braten. Dazu gibt's selbstverständlich Sauerkraut und verschiedene Knödel.

Zutaten für 20 Portionen:
6 Kalbs- oder Schweinshaxen
Salz
Pfeffer
1–5 Knoblauchzehen
Estragon
Rosmarin
Thymian
1 Flasche bayerisches Bier

Pichelsteiner

**Zutaten
für 4 Portionen:**
500–750 g Schweinefleisch (aus der Keule)
30 g Schmalz
3 Zwiebeln
4 Möhren
500 g Wirsingkohl
500 g Kartoffeln
Salz
Pfeffer
1 TL Kümmel
2 EL Butter
¾ l Fleischbrühe

Das Fleisch würfeln und in einem Schmortopf in Schmalz anbraten. Inzwischen das Gemüse putzen, kleinschneiden und in Lagen auf das Fleisch schichten. Jede Lage mit Salz, Pfeffer und Kümmel würzen. Auf die oberste Lage Butterflöckchen setzen. Mit heißer Brühe begießen und zugedeckt im vorgeheizten Backofen bei 175 Grad (Gas: Stufe 2) 1½ bis 2 Stunden schmoren lassen.

Vom bayerischen Salz:

Einen großen Teil des bayerischen Reichtums macht das Salz aus, das seit Urzeiten in Salzbergwerken im Berchtesgadener Land abgebaut wird. Denn wenn die Bayern die eigene Suppe gesalzen hatten, tauschten sie das Salz nach Böhmen, Mähren, Österreich und Ungarn gegen Honig, Wein und ungekelterte Trauben und bereicherten dadurch wiederum den eigenen Speiseplan.
Das Salz wurde entweder auf der Salzach oder auf dem Landwege transportiert. Für den Landweg wurde es in Scheiben gestoßen. Darum heißt die Salzstraße auch die „Scheibenstraße". Die Salzgroßhändler, die nicht schlecht bei diesem Geschäft verdienten, waren die „Salzsender", und die Krämer, die es verkauften, die „Salzstößler".

Anislaiberl

**Zutaten
für etwa 25 Plätzchen:**
125 g Zucker
2 Eier
2 TL Anis, gestoßen
125 g Mehl
1 Prise Hirschhornsalz
Fett fürs Backblech

Den Zucker mit den Eiern schaumig rühren. Dann den Anis zugeben. Mehl und Hirschhornsalz verrühren und nach und nach unter die Eimasse rühren. Mit einem Teelöffel kleine Teighäufchen auf ein gefettetes Backblech setzen und über Nacht trocknen lassen. Am nächsten Tag 20 Minuten im vorgeheizten Backofen bei 175 Grad (Gas: Stufe 2) hellgelb backen, dann in einer Blechdose aufbewahren.

München (I)

**Ein liederliches, sittenloses Nest
Voll Fanatismus, Grobheit, Kälbertreiber,
Voll Heil'genbilder, Knödel, Radiweiber.
(Gottfried Keller)**

Zwetschgenknödel

Zutaten für 4 Portionen:
250 g Mehl
15 g Hefe
etwa ⅛ l Milch
6 EL Zucker
80 g Butter
abgeriebene Schale von ½ Zitrone
1 Ei
Salz
750 g Zwetschgen
30–35 Stück Würfelzucker
60 g Haselnüsse, gehackt

Das Mehl in eine Schüssel geben. In die Mitte eine Mulde drücken und die zerbröselte Hefe, die lauwarme Milch und 1 EL Zucker hineingeben. Mit etwas Mehl verrühren. Zudecken und etwa 15 Minuten an einem warmen Platz gehen lassen. Dann den restlichen Zucker, die Butter, die Zitronenschale, das Ei und 1 Prise Salz zugeben. Alles tüchtig zu einem geschmeidigen Teig verkneten. Den Teig noch einmal gehen lassen.
Inzwischen die Zwetschgen halbieren und entkernen. In jede Zwetschge ein Stück Würfelzucker geben. Den Teig etwa 1 cm dick ausrollen und kleine Quadrate von 7 cm Seitenlänge daraus schneiden. Auf jedes Quadrat eine Zwetschge legen und den Teig zu einem Kloß formen. Die Klöße noch einmal 10 Minuten gehen lassen.
Unterdessen Salzwasser zum Kochen bringen, und die Klöße in etwa 15 Minuten darin gar ziehen lassen. Sie sind fertig, wenn sie an die Oberfläche steigen. Die Klöße dann herausnehmen. Jeden Kloß mit zwei Gabeln aufreißen. Mit der restlichen flüssigen Butter begießen und mit den restlichen 5 EL Zucker und den Haselnüssen bestreuen.

Selbst ist der Bayer:

Weil die Münchner ungeheuer viel Zeit in den Bierkellern verbringen, bringen sie sich, vorsorglich wie sie sind, ihre Schmankerln selber mit. Denn: In einem Rechtsstreit zwischen Münchner Wirten und Brauern ist zur Zeit Ludwigs I. entschieden worden, daß in den Bierkellern keine Eßwaren verkauft werden dürfen.

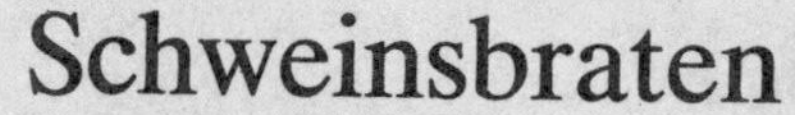

Schweinsbraten

Zutaten
für 4 bis 6 Portionen:
1 kg Schweinefleisch mit Schwarte (aus der Schulter oder Oberschale)
Salz
1 TL Nelken
1 Bund Suppengrün
1 Zwiebel
1 Lorbeerblatt
4 Pfefferkörner
1 Knoblauchzehe
1 TL Speisestärke
gekörnte Brühe
Pfeffer

Das Fleisch mit Salz einreiben und bei 225 Grad (Gas: Stufe 4) mit der Schwarte nach unten in die Bratenpfanne des Backofens legen. Mit ¼ l heißem Wasser begießen und kräftig durchbraten. Den Braten herausnehmen, die Schwarte mit einem scharfen Messer kreuzweise einritzen und an den Schnittpunkten mit Nelken spicken. Zurück in die Saftpfanne legen, diesmal mit der Schwarte nach oben, und weiterbraten. Das Fleisch häufig begießen. Das Suppengrün putzen und die gepellte Zwiebel kleinschneiden. Dann zusammen mit dem Lorbeerblatt, den Pfefferkörnern und dem zerdrückten Knoblauch nach 45 Minuten zum Fleisch geben. Pro Kilo Fleisch wird die Bratzeit beim Schwein mit 60 bis 70 Minuten berechnet. Kurz vor Ende der Garzeit die Schwarte mit Salzwasser bestreichen. Das Fleisch herausnehmen und warm stellen. Es muß vor dem Aufschneiden mindestens 10 Minuten rasten, damit der Saft sich setzt und nicht herausläuft. Den Bratenfond durch ein Sieb streichen. Mit angerührter Speisestärke binden und mit etwas gekörnter Brühe, Salz und Pfeffer abschmecken. Dann mit Kraut und Knödeln servieren.

Brotzeit und Schmankerln

Schmankerln sind das, was die Bayern zwischendurch essen, das, was zum Hungrigbleiben zuviel und zum Sattwerden zu wenig ist. So etwa sieht der Schmankerl-Stundenplan eines Durchschnitts-Bayern aus:

10 Uhr	*Leberkäse*
11 Uhr	*Weißwurst mit süßem Senf und Bauernloibi*
12 Uhr	*Saures Nierndl mit Semmeln*
1 Uhr	*Tellerfleisch mit Meerrettich*
4 Uhr	*Schwarzer Preßsack*
5 Uhr	*Radi und Brezen*

Und nicht zu Unrecht behauptete Victor Tissot 1876:
„Der Bayer hat auch großen Appetit und 12 Schüsseln sind ihm etwas Gewöhnliches.“

Kronfleisch

Zutaten für 4 Portionen:
2 Möhren
1 Stück Porree
1 Stück Sellerie
1 Zwiebel
Salz
750 g Kronfleisch (Zwerchfellfleisch vom Rind)

Das Gemüse putzen und in kleine Würfel schneiden. Dann mit der geschälten, halbierten Zwiebel in 1 bis $1\frac{1}{4}$ l Salzwasser kalt aufsetzen. Das Kronfleisch waschen, mit zum Gemüse geben und 15 bis 20 Minuten leicht kochen lassen. Herausnehmen, wenn es innen noch leicht rosa ist, abtropfen und etwas rasten lassen, damit der Saft sich setzt. Dann in Scheiben schneiden und auf Holztellern anrichten. Dazu muß frisch geriebener Meerrettich und Brot gereicht werden. Außerdem vielleicht auch Senf, grobes Salz, Essiggürkchen und Schnittlauchröllchen.

Das Kronfleisch ist für viele Bayern das zweite Frühstück, also eine Art Schmankerl. Man kann allerdings statt des mageren Rindfleisches auch Beinfleisch oder Tellerfleisch auf den Holzteller legen. Auf jeden Fall gehören Brot oder eine „Brezen“ dazu.

„Wer an Radi guat schneiden ko, der ko a guat tanzen."
(Altes bayerisches Sprichwort)

Apfelküchle

Zutaten für 8 Portionen:
6 große Äpfel
75 g Zucker
1 TL abgeriebene Orangenschale
Saft von 2 Orangen
1 Eigelb
Salz
4–5 EL Portwein
⅛ l Milch
150 g Mehl
20 g Butter
2 Eiweiß
Fett zum Ausbacken
Puderzucker zum Bestreuen

Die Äpfel schälen und mit einem Ausstecher das Kerngehäuse mit Stiel und Blüte herausstechen. Die Äpfel in zentimeterdicke Scheiben schneiden. Die Scheiben in eine flache Schüssel legen. 1 EL Zucker und die abgeriebene Orangenschale über die Apfelscheiben streuen, den Orangensaft darübergießen. Aus Eigelb, Salz, dem restlichen Zucker, Portwein, Milch und Mehl einen glatten Teig rühren. Zum Schluß die zerlassene Butter unterrühren. Den Teig eine Weile stehen lassen, damit das Mehl ausquillt. Kurz vorm Backen das Eiweiß sehr steif schlagen und unter den Teig heben. Inzwischen das Ausbackfett heiß werden lassen. Die Apfelscheiben gut abtropfen lassen, durch den Teig ziehen und im heißen Fett schwimmend ausbacken, bis sie goldbraun sind. Abtropfen lassen, mit dem Puderzucker bestreuen und heiß essen.

Bayerische Gastfreundschaft:
Der Bayer ist natürlich nicht unkommunikativ, aber Geselligkeit will er ausschließlich im Gasthaus. Zu Hause ist er selten. Aber wenn er schon mal da ist, dann will er möglichst alleine sein. Das bestätigt ein alter bayerischer Spruch:
Der Gast ist wie ein Fisch,
Am ersten Tag noch frisch,
Am zweiten eine Last,
Am dritten stinkt er fast.

Reibeknödel

Die Brötchen ohne Kruste mit heißer Milch übergießen. Die rohen Kartoffeln schälen, waschen und reiben. Ein paar Minuten im Wasser lassen, damit die Stärke herausgezogen wird. Die geriebenen Kartoffeln dann in einem Leinentuch auspressen. Mit den zerdrückten gekochten Kartoffeln und den eingeweichten Semmeln verkneten. Mit Salz würzen. In einem großen Topf Salzwasser kochen lassen. Inzwischen aus dem Kartoffelteig mit nassen Händen Knödel formen. Die Knödel im heißen, nicht mehr kochenden Wasser etwa 15 bis 20 Minuten ziehen, aber nicht kochen lassen, bis sie nach oben steigen.

**Zutaten
für 4 Portionen:
4 Brötchen
⅛ l Milch
1 kg rohe Kartoffeln
500 g gekochte
Kartoffeln
Salz**

Krenschaum (Meerrettichsahne)

Die Sahne mit der Prise Salz sehr steif schlagen, den Zitronensaft vorsichtig unterrühren, zum Schluß den geriebenen Meerrettich zugeben.

**Zutaten
für 6 bis 8 Portionen:
¼ l Sahne
1 Prise Salz
1 EL Zitronensaft
reichlich frisch
geriebener Meerrettich**

Semmelknödel mit Speck

Den Speck würfeln und in einer Pfanne kroß ausbraten. Die Speckwürfel aus der Pfanne nehmen und beiseite stellen. Die Semmeln in kleine Würfel schneiden, im Speckfett ringsum goldbraun rösten und in eine Schüssel geben. Die Milch erhitzen, über die Brotwürfel gießen, gut durchrühren und alles einige Minuten ausquellen lassen. Eier und Speckwürfel unter die eingeweichten Semmelwürfel mischen. Die Petersilie fein hacken, zugeben und pfeffern. Reichlich Salzwasser oder Brühe erhitzen. Aus dem Teig mit nassen Händen Knödel formen und in der heißen, nicht kochenden Flüssigkeit in 20 Minuten gar ziehen lassen.

**Zutaten
für 4 Portionen:
250 g durchwachsener
Speck, mager
6 Brötchen, altbacken
¼ l Milch
3 Eier
1 Bund Petersilie
Pfeffer
Salzwasser oder Brühe**

Leberknödel

Zutaten
für 4 Portionen:
1 Brötchen
10 g Butter- oder Schweineschmalz
250 g Rinderleber
1 Ei
2 Bund Petersilie
Salz
Pfeffer
1 EL Semmelbrösel

Das Brötchen in Würfel schneiden. Das Schmalz in der Pfanne erhitzen und die Brotwürfel darin goldbraun braten. Die geputzte Rinderleber mit den Brotwürfeln durch die feine Scheibe des Fleischwolfes drehen. Die Masse mit dem verquirlten Ei und der feingehackten Petersilie mischen, dann mit Salz und Pfeffer würzen. Den Teig 1 bis 2 Stunden ausquellen lassen. Sollte er dann noch flüssig sein, die Semmelbrösel untermischen. Mit zwei nassen Löffeln längliche Klöße aus der Masse abstechen und in heißem Salzwasser 10 bis 15 Minuten ziehen lassen.

Krautsalat

Zutaten
für 15 Portionen:
2 kg Weißkraut
Salz
Zucker
Pfeffer
2 Zwiebeln
6–8 EL Weinessig
6 EL Öl

Das geputzte Weißkraut in Stücke schneiden und fein hobeln. Mit Salz bestreuen und mit dem Kartoffelstampfer oder den Händen so lange stampfen, bis sich etwas Saft bildet. Den Saft abgießen. Das Kraut mit Salz, Zucker, Pfeffer, den fein gewürfelten Zwiebeln und Essig würzen. Zum Schluß das Öl zugießen. Den Salat gut durchziehen lassen. Vor dem Servieren eventuell nachwürzen.

Bierliqueur

man läßt 2 Liter Bockbier mit 2 [illegible] Zucker und 2 Vanilleschoten 15 Minuten kochen und dann abkühlen. Dann wird 1 1/4 Liter 90prozentiger Alkohol aus der Apotheke dazu gegossen und umgerührt. die Flüssigkeit gießt man dann durch ein sauberes Tuch und füllt sie dann in peinlich saubere Flaschen ab. nach 3 Monaten ist der Liqueur fertig.

Ochsenschwanzragout

Den Ochsenschwanz waschen, trockentupfen, in etwa 5 cm lange Stücke schneiden, dann salzen und pfeffern. Die Zwiebeln schälen und fein würfeln. Den Speck auch würfeln. Das Schmalz in einem schweren, flachen Topf zerlassen, den Speck darin braten, die Zwiebeln zugeben und glasig braten. Inzwischen den Sellerie und die Möhre putzen und würfeln. Dann mit den Ochsenschwanzstücken ins Fett zu den Zwiebeln geben und kräftig anbraten.
Etwas Fleischbrühe zugießen, restliche Brühe beiseite stellen. Die Pfefferkörner und Lorbeerblätter mit in den Topf geben. Den Ochsenschwanz auf milder Hitze in 1½ bis 2 Stunden garen. Dabei immer wieder verkochte Flüssigkeit durch Fleischbrühe ersetzen. Kurz vor Garende den Rotwein angießen. Etwas Mehl mit wenig Wasser verrühren, die Sauce damit binden. Dann noch einmal abschmecken. Zum Schluß die saure Sahne hineingeben, erhitzen, aber nicht mehr kochen lassen. Das Ochsenschwanzragout in eine vorgewärmte Schüssel umfüllen und mit Semmelknödeln servieren. Vorher die Lorbeerblätter und (wenn möglich) die Pfefferkörner entfernen.

Zutaten für 4 Portionen:
1 Ochsenschwanz (mindestens 500 g)
Salz
Pfeffer
4 Zwiebeln
150 g durchwachsener Speck, geräuchert
50 g Schweineschmalz
¼ Sellerieknolle
1 Möhre
1 l Fleischbrühe
8 Pfefferkörner
2 Lorbeerblätter
⅛ l Rotwein
etwas Mehl
gut ⅛ l saure Sahne

München (II)

Ein Maß Bier und zwei Maß Bier
Und hundert Maß Bier und tausend Maß Bier,
So leben wir, so leben wir
An der Isar.
Und Kalbshaxn und Kalbshaxn.
Wir sind keine Preußen, Wir sind keine Sachsen.
Wir sind keine Spießer,
Wir sind Genießer. **(Ringelnatz)**

Dampfnudeln

Zutaten für 4 Portionen:
250 g Mehl
etwa ⅛ l Milch
20 g Hefe
80 g Butter
1 Ei
Salz
50 g Zucker
250 g Backobst
150 g durchwachsener Speck

Mehl, Milch, Hefe, 50 g Butter, das Ei, je 1 Prise Salz und Zucker zu einem nicht zu festen Teig verrühren. Den Hefeteig 20 Minuten an einem warmen Platz gehen lassen. Aus dem Hefeteig Klöße formen und auf einem bemehlten Tuch noch mal 20 Minuten gehen lassen. In dieser Zeit das Backobst mit Zucker (1 Prise zurücklassen) und wenig Wasser mehr dünsten als kochen. In einem Bräter mit gut schließendem Deckel etwa 1 cm hoch Wasser mit 30 g Butter, je einer Prise Salz und Zucker zum Kochen bringen. Die aufgegangenen Hefeklöße, die in Bayern Dampfnudeln heißen, hineinsetzen und zugedeckt zuerst auf milder, dann auf mittlerer Hitze aufziehen lassen. Das dauert 15 bis 20 Minuten. Inzwischen den Speck würfeln und ausbraten. Wenn es im Bräter brutzelt, haben die Dampfnudeln ein goldbraunes Füßchen und sind fertig. Dann muß der Deckel so schnell abgehoben werden, daß kein Wassertropfen auf die Dampfnudeln fällt. Die Nudeln herausnehmen, aufreißen und den ausgebratenen Speck daraufgeben. Dazu wird das gegarte Backobst gereicht.

Bayerischer Wurstsalat

Zutaten für 3 bis 4 Portionen:
3 mittelgroße Möhren
300 g Fleischwurst
2–3 Zwiebeln
1 Gewürzgurke
1 großer Apfel
3 EL Essig
4 EL Öl
Salz
Pfeffer
1 Bund Schnittlauch

Die Möhren putzen und in wenig Wasser 10 Minuten kochen. Inzwischen die Fleischwurst in 2 bis 3 cm lange Streifen schneiden, die Zwiebeln pellen und in Ringe schneiden, die Gewürzgurke stifteln. Den Apfel schälen und vierteln, das Kernhaus herausschneiden. Die Apfelviertel in Stücke schneiden und mit den vorbereiteten Zutaten in eine Salatschüssel geben. Aus Essig, Öl, Salz und Pfeffer eine Salatsauce rühren und darübergießen. Die gekochten Möhren grob würfeln und mit den anderen Zutaten unter die Apfelstückchen mischen. Den Schnittlauch kleinschneiden und vor dem Servieren über den Salat streuen.

Weißwurst-Geschichten

Die Weißwurst verdankt ihr Dasein einem Irrtum: Am frühen Morgen des 22. Februar im Jahre 1857 bekam der Metzgergeselle Sepp Moser den Auftrag, schnell Bratwürste für die „Ewige-Lampe" zu machen. Es scheint so, daß Moser Sepp nach einer durchzechten Münchner Faschingsnacht noch nicht so recht bei Bewußtsein gewesen ist. Auf jeden Fall griff er zu den falschen Därmen. Er nahm nämlich dicke, wo er dünne hätte nehmen müssen. Vermutlich sagte er bei sich: passiert ist passiert! Und preßte diese Därme mit Brät voll. Die Würste waren natürlich viel zu dick zum Braten, weshalb der schlaue Metzgergeselle sie einfach sott und anschließend als eine besondere Spezialität offerierte.
Heute sind die Weißwürste aus München nicht mehr wegzudenken. Täglich werden 120 000 Stück davon umgesetzt. Und das alles bis zum Mittag! Denn das Zwölf-Uhr-Geläut dürfen Weißwürste nicht mehr hören, sonst werden sie „lätschert" und unansehnlich.
Weißwürste bestellt man auch nicht paarweise, sondern stückweise, und der besondere Reiz soll in der ungeraden Zahl liegen. Dazu gibt es „Maurerloibi" (das Brot der Maurer, das mit Kümmel zubereitet wird), süßen oder Meerrettichsenf und Weiß- oder Weizenbier. Einen echten Münchner erkennt man übrigens daran, wie er seine Weißwurst ißt: Er „zuzelt" sie aus der Pelle und schneidet sie nicht etwa der Länge nach durch. (Für Nicht-Bayern: Zuzeln heißt soviel wie saugen.)

Indian oder: Puter auf bairisch

Zutaten für 6 bis 8 Portionen:
1 junge Pute (höchstens 3 kg), küchenfertig, mit Herz und Leber
Salz
Pfeffer
250 g Kalbfleisch
250 g Schweinefleisch
2 Zwiebeln
1 Bund Petersilie
130 g Butter
⅛ l Milch
2 Brötchen
3 Eier
etwas Majoran
2 TL Speisestärke

Die Pute am Vorabend waschen, gründlich trockentupfen, dann innen mit Salz und Pfeffer, außen nur mit Salz einreiben. Die Pute zugedeckt kalt stellen.
Für die Füllung das Kalb- und Schweinefleisch mit den geputzten Innereien zweimal durch die feine Scheibe vom Fleischwolf drehen. Die gewürfelten Zwiebeln und die gehackte Petersilie in 50 g Butter andünsten. Die in der Milch eingeweichten Brötchen gut ausdrücken und zerpflücken, dann zu den Zwiebeln geben, mitdünsten und dann kalt werden lassen. Anschließend mit dem Fleisch mischen, die Eier mit einkneten. Den Fleischteig mit Salz, Pfeffer und Majoran kräftig abschmecken. Die Füllung in die Pute geben, die Öffnungen mit Küchengarn zunähen. Die Flügel und Keulen am Körper festbinden (dressieren).
Die restliche Butter zerlassen, die Pute damit gründlich einpinseln. Die Pute mit der Brustseite nach unten in einen Bräter legen und zugedeckt in den vorgeheizten Backofen bei 200 Grad (Gas: Stufe 3) auf die untere Schiene stellen. Nach 1 Stunde Bratzeit den Deckel abnehmen. Die Pute umdrehen und noch 2 bis 2½ Stunden weiter braten. Dabei öfter mit Wasser begießen. Die Pute dann herausnehmen, die Fäden entfernen, auf einer vorgewärmten Platte im ausgeschalteten Backofen warm stellen. Den Bratenfond mit etwas Wasser loskochen und dann mit der mit etwas Wasser angerührten Speisestärke binden. Zur Pute Knödel und Gemüse (im Winter Rosenkohl, im Sommer zartes, junges Gemüse) reichen. Eine beliebte Ergänzung ist allerdings auch ein Krenschaum.

Kolumbus – der Bayern wegen nach Amerika?

Sehr bayerische Bayern behaupten zuweilen, Kolumbus hätte Amerika lediglich zu dem Zweck entdeckt, den Bayern den Truthahn über den Ozean zu bringen. Das ist natürlich ein wenig übertrieben. Der Truthahn ist hier aus zweierlei Gründen angesiedelt worden. Einmal natürlich seines Fleisches wegen. Zum anderen aber hat man ihn zum Brüten fremder Eier zweckentfremdet. Er hat nun eben mal ein breiteres Gefieder als ein kleines Huhn, und deshalb hat man ihm soviele Hühnereier wie möglich untergeschoben, aus denen nach ein paar Wochen die Biberl, die Küken, schlüpfen. Daher der Name „Bibgockel" für den Puter.
Nun gab es allerdings auch Puten, die überhaupt nichts mit fremder Hennen Eier zu tun haben wollten und keinen Spaß beim Brüten fanden. Sie wurden einfach mit Brotkrumen gefüttert, die die listigen Bayern vorher mit Schnaps getränkt hatten. Solchermaßen betäubt blieben die Vögel dann brav im Nest hocken und erfüllten ihre Pflicht.

Milzschöberl-Suppe

Zutaten für 4 Portionen:
350 g Rindermilz
1 Zwiebel
50 g Butter
1 Ei
Salz
Pfeffer
Majoran (oder Thymian)
1 Bund Petersilie
etwas abgeriebene Schale von 1 Zitrone
4 Scheiben Kastenweißbrot
1 – 1½ l kräftige Fleischbrühe

Die Milz waschen, trockentupfen, dann leicht klopfen und mit einem scharfen Messer schaben. In eine Schüssel geben. Die feingewürfelte Zwiebel in der Butter glasig braten, dann mit dem Ei zur Milz geben und gut verrühren. Die Masse mit Salz, Pfeffer, Majoran, reichlich gehackter Petersilie (etwas davon beiseite legen) und Zitronenschale würzen.
Die Weißbrotscheiben auf ein Backblech legen. Die Milzmasse dick auf die Brotscheiben streichen. Das Blech auf die mittlere Schiene im vorgeheizten Backofen stellen. Die Milzscheiben bei 225 Grad (Gas: Stufe 4) etwa 10 bis 12 Minuten überbacken. Die Milz darf auf keinen Fall schwarz werden.
Die Schnitten anschließend in Quadrate oder Rauten schneiden. Die heiße Fleischbrühe in eine Schüssel füllen. Die Milzschnittchen hineinlegen, etwas gehackte Petersilie darüberstreuen und servieren.

Steckerlfisch

Steckerlfisch ist eine Münchner Spezialität, die es alljährlich auf dem Oktoberfest gibt. Man muß natürlich nicht das übrige Jahr darauf verzichten, sondern kann sie im Sommer, z. B. im Garten, zubereiten. Dazu werden Heringe, Makrelen oder andere fette, nicht zu große Fische gesäubert, ausgenommen, gewaschen und mit Butter bepinselt. Dann werden mehrere Fische auf einen Stab gespießt. Der Stab wird schräg zur Feuerstelle in den Boden gespießt, so daß die Fische garen. Nach 15 Minuten sind die Fische fertig. Vorm Servieren werden sie gepfeffert und gesalzen. Dazu schmeckt knuspriges Brot.

Das Münchner Bier

Das Münchner Bier ist älter als München selbst. Es wurde am 2.10.815 zum ersten Mal im Haushaltsbuch des Freisinger Domstifts erwähnt. Der Diakon Huvezzy fuhr den Lehenszins von Oberföhring zum Bischof Hitto nach Freising. Er führte mit sich: „1 Fuhre Bier, 2 Scheffel Mehl, 1 Frischling, 2 Hühner, 1 Gans“.
Bis heute darf das Münchner Bier nur aus Malz, Hopfen, Hefe und Wasser bestehen. Dieses Reinheitsgebot wurde 1487 von Herzog Albrecht IV. erlassen und 1516 von Wilhelm IV. und Ludwig X. bestätigt. Bayern ist bis heute das einzige Bundesland, in dem man am Arbeitsplatz Bier trinken darf.
Denn Bier gilt als Nahrungsmittel. Allerdings: Auch den Bayern kann's manchmal zuviel werden. So wurde 1663 erlassen: „Hans Frickl, Schiffmann, ist wegen seiner stetigen Vollsauferei und Verschwendung eine Schelle anzuschlagen und in der Keuche unter der Stiege zu legen.“ Dabei ist auch beschlossen worden, in alle Bräu- und Weißbierhäuser Tafeln hängen zu lassen, daß ihm, dem Frickl Hans, bei hoher Strafe niemand Branntwein oder Bier reichen solle.

Böfflamott

Zutaten für 4 Portionen:
2 EL Butter
2 EL Mehl
½ TL Salz
Pfeffer aus der Mühle
2 Lorbeerblätter
5 Wacholderbeeren
1 Zitrone
1 Tasse Rotwein
750 g Rindfleisch, gekocht

Die Butter in einem Topf erhitzen. Das Mehl darin dunkel schwitzen, mit ½ l Wasser ablöschen und glatt verrühren. Die Mehlschwitze salzen und pfeffern. Die Lorbeerblätter, Wacholderbeeren und die geschälte Zitrone in Scheiben hineingeben. Die Sauce auf milder Hitze 40 Minuten ziehen lassen, dann den Rotwein zugießen und das in Scheiben geschnittene Rindfleisch darin erhitzen.
Das Böfflamott wird in einer Schüssel serviert. Dazu gibt es Semmelknödel oder Petersilienkartoffeln.

Es werden französische Soldaten gewesen sein, die seinerzeit ihr Boeuf à la mode mit nach Bayern brachten. Im Laufe der Jahre hat es sich dann ins derbherzhafte Böfflamott verwandelt.
Das Rindfleisch muß übrigens, bevor es in einer kräftigen Brühe mit Liebstöckel, Thymian und Salbei gegart wird, mindestens 3, maximal 8 Tage gebeizt werden.
Eine pikante Variante: Statt des Rotweins wird die Sauce mit einer Zucker-Einbrenne abgeschmeckt. Dafür wird 1 EL Zucker in 50 g Schweineschmalz karamelisiert, dann werden 50 g Mehl dazu gerührt. Schließlich wird die Einbrenne mit etwas Wein oder Beize abgelöscht. Sie wird dann in die Sauce gerührt, die noch 10 Minuten ziehen muß.

Liptauer Käse

1 ℔ magerer Quark wird mit 100 g Butter glatt gerührt. Dann kommen 1 Röhre feingehackte Kapern und 2 fein gewürfelte Zwiebeln hinzu. Mit Salz, Pfeffer und Paprika wird kräftig abgeschmeckt. Der Liptauer muß vorm Servieren 3 Stunden kalt durchziehen. Man ißt ihn zu Laugenbrezeln.

Hennenknödel-Suppe

Zutaten für 4 Portionen:
6–8 Brötchen, altbacken
¼ l heiße Milch
½ Zwiebel, gehackt
2 Eier
250 g rohes Hühnerfleisch, durchgedreht
Salz
Pfeffer
Muskat
etwas abgeriebene Schale von 1 Zitrone
1 Bund Petersilie, gehackt
2 l Fleischbrühe

Die Brötchen zerbröseln und mit der heißen Milch übergießen. Wenn sie richtig vollgesogen sind, Zwiebel, Eier und Hühnerfleisch zugeben, einen Teig daraus kneten. Mit Salz, Pfeffer und Muskat kräftig würzen. Die Zitronenschale und die gehackte Petersilie mit einarbeiten. Den Teig weiterkneten, bis er glatt ist. Dann mit nassen Händen Knödel daraus formen. Die Knödel in der heißen Brühe in 15 bis 20 Minuten gar ziehen, aber nicht kochen lassen. Dann in eine vorgewärmte Terrine umfüllen und servieren.

Vom Leberkäse

Leberkäse gehört zu den ältesten bayerischen Schmankerln, genau gesagt ist er seit dem 16. Jahrhundert bekannt. Kein Bayer würde auf die Idee kommen, diese Spezialität zu Hause selber zuzubereiten. Ein Bayer, der auf sich hält, hat wegen des Leberkäses einen Metzger seines Vertrauens. Und jeder Metzger, der auf sich hält, kündigt den Leberkäse, sobald er aus dem Ofen kommt und eine braune Kruste hat, auf einem Schild vorm Laden an. Das ist gewöhnlich so gegen 10 Uhr.
Ganz zünftig ist es, eine dicke Scheibe Leberkäse noch warm auch gleich aus dem gewachsten Papier zu essen. Man kann ihn natürlich auch mit nach Hause nehmen und ihn dort kalt essen oder noch einmal aufbraten. Vielleicht legt man sogar noch ein Spiegelei darauf und ißt ihn dann mit Kartoffelsalat, in dem auf keinen Fall Mayonnaise sein darf. – Sagen die Bayern.
Der Name Leberkäse ist ein wenig irreführend. Er kommt mitnichten vom Wort „Leber“, er enthält auch keine. Der „Leberkäse“ stammt vom „Laib“ und ist auch geformt wie ein altbayerischer Bauernkäse-Laib.

Oberpfälzer Goaßbratl

Die Kartoffeln schälen, waschen, gut abgetropft in feine Scheiben schneiden. Eine Auflaufform gut ausfetten, die Kartoffelscheiben hineinschichten. Die saure Sahne und die Hälfte der Milch darübergießen. Die Rippchen obendrauf legen. Den Auflauf im vorgeheizten Backofen bei 225 Grad (Gas: Stufe 4) 45 Minuten backen. Dabei eventuell noch etwas Milch zugießen, weil der Goaßbratl auf keinen Fall trocken, sondern sehr saftig sein muß.

Zutaten für 4 Portionen:
1 kg Kartoffeln
Fett für die Form
½ l saure Sahne
½ l Milch
Salz
Pfeffer
4 dünne Schweinerippchen, geräuchert

Der Boden ist karg in der Oberpfalz, weshalb das Land als „Erdapfl-Landl" oder gar als Kartoffel-Pfalz verschrien ist. Es will halt einfach nichts anderes gedeihen. Aber die Oberpfälzer haben, wie das Ergebnis oben zeigt, verstanden, aus dem wenigen das schmackhafteste zu machen. In den bösen Hungerjahren des Krieges zwischen Österreich und Preußen von 1778 bis 1779 ist allerdings auch ein böser Spruch über die Kartoffel entstanden:

Erdäpfl in da Froih, (am Morgen)
mittags in da Bröih, (in der Suppe)
af d'Nacht in da Heit, (mit der Haut)
Erdäpfl in Ewichkeit!

Was alles zu einer echten Oberpfälzer Kerwa gehört:

Im Oberpfälzer Stiftland, wo die Berge des Egerlandes, des Kaiserwaldes, des Fichtelgebirges, des Steinwaldes und des Böhmerwaldes ineinander übergehen, ist der Broterwerb mühselig gewesen, sind die Leute noch heute auf schweigsame Art fleißig. Der Fremde wird mit einer gewissen Reserviertheit betrachtet. Das alles hat dem Stiftländer gelegentlich den Vorwurf eingetragen, der Ostfriese Bayerns zu sein. Aber sie können feiern, die Oberpfälzer, ihre Kerwa, ihre Kirchweihfeste, sind über die Grenzen berühmt. Und was dazu gehört, beschreibt ein Oberpfälzer Heimatbuch: „eine fette Gans oder Ente, Knödl und vor allem Bavesen, Nudeln, Striezeln und Apfliküachla und roggene Schnucksen."

Franken

Die Franken sind
die harte Nuß im Maul
des bayerischen Löwen.
(Fränkische Überzeugung)

Sie haben nämlich allesamt eine gar dünne Haut, in der ihnen manchmal wohl und manchmal weh ist", bescheinigt jemand um 1850 den Franken, und Theodor Heuss hat hundert Jahre später behauptet, sie seien die Sanguiniker unter den deutschen Stämmen, was so ziemlich auf dasselbe hinausläuft. Wir wollen hier nicht untersuchen, inwiefern die Erfindung der Taschenuhr durch den Franken Peter Henlein die Tat eines Sanguinikers war. Und wir möchten uns auch nicht um den sanften und doch wohl typisch sanguinischen Größenwahn kümmern, der uns aus Dürers Selbstbildnissen anschaut. Uns geht es nur darum, ob sich das fränkische Sanguinikertum auch in den Eß- und Trinkgewohnheiten dortzulande spiegelt, und da kann die Antwort nur ein eindeutiges „Ja" sein. Denn der Franke, so wird uns versichert, „wurzelt einerseits fest in der Bindung an das strenge Maß der Sitte", neigt aber andererseits dazu, „im Taumel der Kirchweih Familiendenken und Heimatseligkeit bacchantisch zu überhöhen". Daß die knochige Trockenheit des Franken sich in merkwürdiger Weise in manchen seiner Weine wiederholt, ist schon von verschiedenen feinsinnigen Beobachtern angemerkt worden, und die nämlichen Autoren haben mit Staunen festgestellt, daß die Addition von knochentrockenem Wein plus knochentrockenem Franken eine überaus feurige und manchmal sogar gefährliche Summe ergibt. Völlig zu verwerfen ist allerdings die alberne These, der Franke hätte seine berühmte Bratwurst als Symbol seiner selbst geschaffen: ein dünnhäutiges Wesen, das im Feuer der Welt gegart wird und gelegentlich platzt. Wogegen nicht geleugnet werden kann, daß sogar Leute, die des Lateinischen nicht mächtig sind, aus dem Klang der Würzburger Glocken ganz deutlich ein „vinum bonum, vinum bonum" heraushören, was auf deutsch „guter Wein, guter Wein" heißt. „So schwankt", meint Konrad Zellner, ein schreibender Gymnasiallehrer um 1870, „der Franke zwischen biederem, christlichem Weihnachtslebkuchen und dem dionysischen Bocksbeutel hin und her, wobei er vielleicht vergessen hat, daß diese Flaschenform dem Fortpflanzungsapparate des männlichen Ziegentieres nachgebildet ist, jenes Tieres, das nicht nur an das Heidentum, sondern gar an den Teufel gemahnt!"

Blaue Zipfel

Zutaten
für 4 Portionen:
4 große Zwiebeln
1 TL Salz
1/8 l Weinessig
1 TL Zucker
2 Lorbeerblätter
1 Nelke
5 Pfefferkörner
5 Wacholderbeeren
8 Nürnberger Schweinsbratwürstel

Die Zwiebeln schälen und in Scheiben schneiden. In einem Topf 1 l Salzwasser aufkochen, dann die Zwiebeln, den Essig, Zucker, Lorbeerblätter, die Nelke, Pfefferkörner und Wacholderbeeren hineingeben. Den Sud 20 Minuten kochen lassen. Dann die Hitze herunterschalten. Die Würste im Sud etwa 15 Minuten ziehen, aber nicht kochen lassen. Sie sind gar, wenn sie fest werden. Die Würste aus dem Sud heben, auf tiefe Teller verteilen, etwas Sud darüber gießen. Die Zwiebeln darauf verteilen. Dazu Schwarzbrot, Bier oder einen herben Wein reichen.

Die Bratwürstl laufen im Essigwasser blau an, weshalb sie denn auch „blaue Zipfel" heißen. Es wird allerdings auch behauptet, daß sich die Bezeichnung „blau" aus der Tatsache ableitet, daß Nürnberger, die eine Nacht durchgezecht haben, die Zipfel als Katerfrühstück verspeisen, um wieder nüchtern zu werden. Wozu sie natürlich sofort wieder Bier oder Wein zum Runterspülen brauchen.

Nürnberger Schäufele

Die Zwiebel pellen und fein würfeln. In einem Bräter die Butter zerlassen. Die Zwiebel darin glasig braten. Das gewaschene Schäufele mit Salz, Pfeffer und grob zerstoßenem Kümmel einreiben, dann im Fett kurz ringsum anbräunen. Jetzt etwa ½ l Wasser zugießen und den Bräter in den vorgeheizten Backofen schieben. Das Schäufele bei 200 bis 250 Grad (Gas: Stufe 3 bis 5) mindestens 2 Stunden braten. Zwischendurch immer wieder mit Wasser beschöpfen. Den fertigen Braten aus dem Bräter nehmen und auf einer vorgewärmten Platte warm stellen.
Das Mehl mit etwas Wasser anrühren, den Bratensaft damit binden. Dann mit Salz und Pfeffer abschmecken. Zum Nürnberger Schäufele werden halbseidene Klöße und Sauerkraut gegessen.

Zutaten für 4 Portionen:
1 Zwiebel
1 EL Butter
1 kg Schäufele (Schweinefleisch aus der Schulter, mit Knochen)
Salz
1 TL Pfeffer
1 TL Kümmel
etwa 3 TL Mehl

Schnitz

Möhren, Kartoffeln, Sellerie und Lauch putzen, waschen, dann in dünne Scheiben schneiden. Den Blumenkohl auch putzen und waschen, dann in Röschen teilen. Die Butter in einem Topf erhitzen, das Rinderhackfleisch kurz darin anbraten, dann die vorbereiteten Gemüse zugeben. Mit Salz und Pfeffer würzen. Dann etwa 1½ l Wasser zugießen. Den Eintopf auf kleiner Hitze 1 Stunde leise kochen lassen. Die Petersilie waschen, grob hacken und vor dem Servieren auf den Schnitz streuen. Es wird Landbrot dazu gereicht, das beim Essen in die Sauce getunkt wird.

Zutaten für 4 Portionen:
500 g Möhren
350 g Kartoffeln
125 g Sellerie
2 Stangen Lauch
1 Kopf Blumenkohl
40 g Butter
150 g Rinderhackfleisch
Salz
Pfeffer
1 Bund Petersilie

„Wie nützlich die Erdöpfl sind, ist kaum zu beschreiben, sie sind die meiste Nahrung hier für Mensch und Tier. Sie werden unterschiedlich zugerichtet. Einige tun sie unter das Brot, andere kochen Klöß davon, die meisten werden gesotten, geschält, gesalzen und gegessen. Man kann billig sagen, daß Gott mit diesem Gewächs der Notdurft hiesiger Leut zu Hülf gekommen, sintemalen, wann auch alles Getreid und Gemüs Not leidet, doch die Erdöpfl geraten."
(Beobachtung eines reichen Reisenden, den es im 18. Jahrhundert zu den armen Holzfällern in den Frankenwald führte.)

Nürnberger Karpfen in Bierpanade

Zutaten für 4 Portionen:
2 junge Karpfen (insgesamt 1 ½ kg), küchenfertig vom Fischhändler vorbereitet und halbiert
Salz
2 Eiweiß
Mehl
⅛ l Bier
etwa 150–200 g Butter

Die vorbereiteten Karpfenhälften waschen und trockentupfen. Dann innen und außen mit etwas Salz einreiben. Das Eiweiß steif schlagen, etwas Mehl unterrühren. Bier und noch etwas Salz zugeben und einen glatten Teig rühren. Die Karpfenhälften mit dieser Masse auf beiden Seiten dick bestreichen.
Die Butter in einer großen Pfanne heiß werden lassen. Die Karpfenhälften darin nacheinander knusprig ausbacken. Bei Bedarf noch etwas Butter nachgeben, denn die Karpfenteile sollen im Fett fast schwimmend ausgebacken werden. Die Backdauer für jede Hälfte beträgt etwa 20 Minuten. Zum Nürnberger Karpfen in Bierpanade gibt es säuerlich angemachten Kartoffelsalat.

Vom fränkischen Laster:

„Auch ist dieses Gebürg vor vielen anderen Ländern reich an Vogelbeerbäumen, deren Früchte jedem in Sonderheit die herrlichsten Brandweine geben, welches des gemeinen Manns umb diese Gegend fast allgemein Arzneyen vor Menschen und Viehe seind." So ein Chronist anno 1716 über den berühmten „Sechsämter" aus dem Fichtelgebirge. 35 Jahre später notiert der Hilfspfarrer Johann Heinrich Reul über die Bewohner des Dorfes Tschirn im Frankenwald: „Endlich ist dies noch ein Laster, daß viele dem Branntweinsaufen also ergeben sind, daß sie ganze Nächt' daran wenden. Auch die Weiber seint dabei nicht faul und setzen Flachs, Brot, Eier, Mehl, Hafer, Gersten, Korn und anderes daran, wenn sie Geld haben."

Speckplatz

Die Hefe in etwas lauwarmer Milch auflösen, mit 3 EL Mehl und 1 Prise Zucker zu einem Vorteig mischen, zugedeckt im offenen Backofen bei 50 Grad (Gas: Stufe 1) etwa 30 Minuten gehen lassen. Die restliche Milch in eine vorgewärmte Schüssel geben. Mit den Eiern, 1 Prise Salz, der zerlassenen Butter (nicht heiß!) und dem gegangenen Teig gut mischen. Den Teig mit einem Holzlöffel so lange schlagen, bis er Blasen wirft. Zugedeckt weitere 30 Minuten gehen lassen. Dann auf einem gut gefetteten Blech dünn ausrollen und noch mal etwas gehen lassen. Den Speck in feine Würfel schneiden. Den Teig mit dem Eigelb bepinseln, den Speck darauf verteilen, leicht in den Teig drücken. Mit Kümmel bestreuen, eventuell salzen. Den Speckplatz im vorgeheizten Backofen bei 200 Grad (Gas: Stufe 3) 20 bis 30 Minuten backen. Der Boden sollte, wenn er gebacken ist, höchstens fingerdick sein. Der Speckkuchen wird warm gegessen. Dazu trinkt man Most oder jungen Wein.

Zutaten für 4 Portionen:
25 g Hefe
¼ l Milch, lauwarm
500 g Mehl
1 Prise Zucker
2 Eier
Salz
60 g Butter, zerlassen
Fett fürs Backblech
250 g Speck, durchwachsen
1 Eigelb
2 EL Kümmel

Quittenäpfel

Man koche aus Quitten und Gelierzucker ein schönes Gelee. Will man die Äpfel für die Nachspeise zubereiten, lasse man 8 Eßl. Gelee und 8 Eßl. Rosinen in 1/8 Liter fränkischem Weißwein 5 Minuten leise kochen. dann gebe man geschälte Viertel von 4 großen Äpfeln dazu und lasse diese weitere 5 Minuten mitkochen. Später kühlt alles ab. Kurz vor dem Servieren schlägt man 1/8 Liter süße Sahne mit etwas Vanillezucker steif, füllt die Quittenäpfel in Schälchen und setzt obendrauf dicke weiße Sahnehäubchen.

Nürnberger Eierzucker

**Zutaten
für 50 bis 60 Stück:
5 Eier, getrennt
550 g Zucker
1 Msp. Hirschhornsalz
1 EL Arrak
abgeriebene Schale
von 1 Zitrone
550 g Mehl
50 g Kartoffelmehl
Butter fürs Backblech
verschiedene
Speisefarben**

Alle Zutaten über Nacht warm stellen. Am anderen Tag das Eigelb mit 2 Eiweiß und dem Zucker schaumig schlagen. Das Hirschhornsalz in Arrak auflösen, mit der Zitronenschale in die Zucker-Eimasse geben. Mehl und Kartoffelmehl mischen, die Hälfte nach und nach unter die Zucker-Eimasse rühren. Das restliche Eiweiß steif schlagen, unter die Masse ziehen, dann das restliche Mehl unterkneten. Den Teig mindestens 6 Stunden ruhen lassen. Ein Holzbrett mit wenig Mehl bestäuben, den Teig darauf ½ cm dick ausrollen. Mit Holzmodeln Muster in den ausgerollten Teig drücken. Die Formen mit einem scharfen Messer ausschneiden. Ein Backblech oder Tablett mit einem Tuch auslegen, die Teigformen darauf setzen und in einem warmen Raum 1 bis 2 Tage trocknen lassen. Dann ein Blech mit wenig Butter fetten, die getrockneten Eierzucker darauf setzen und im vorgeheizten Backofen bei 180 bis 200 Grad (Gas: Stufe 2 bis 3) 15 bis 20 Minuten backen. Die Eierzucker anschließend mit Speisefarben bemalen.

Woher das Wort „Schorlemorle" kommt:

Im Jahre 1813 wurde Herzog Pierre François Charles Augereau, Sohn eines Hausknechts und einer Obsthändlerin, von Napoleon I. zum Militärgouverneur der Großherzogtümer Frankfurt und Würzburg berufen. Außerhalb der Dienstzeit begab sich Augereau gern in die bürgerlichen Wirtshäuser, wobei sich allerdings alsbald herausstellte, daß ihm die dort kredenzten Weine zu stark waren. Feinschmecker, der er war, ließ er sich aus Niederselters bei Limburg Krüge mit Mineralwasser kommen und mischte vor den Augen der entsetzten Würzburger die für sie unvereinbaren Elemente Wein und Wasser. Er brachte jeweils vor dem ersten Schluck den Trinkspruch „toujours l'amour" aus, was die Mittrinkenden im weiteren Verlauf des Abends dann nur noch als ein undeutliches Genuschel wie „Schulemurle" oder „Schorlemorle" wahrnahmen. Der gespritzte Wein hatte somit seinen Namen gefunden.

Würzburger Fuhrmannsbraten

Zutaten für 4 Portionen:
1½ kg Rinderbrust (ohne Knochen)
Salz
Pfeffer
2 Brötchen
4 Zwiebeln
80 g Butter
2 Eier
250 g Bratwurst
2 Bund Petersilie
1 Bund Suppengrün
1 Lorbeerblatt
¼ l süße Sahne
2 EL Mehl
2 EL Tomatenmark
⅛ l Weißwein

Vom Fleischer eine Tasche in die Rinderbrust schneiden lassen. Die Brust waschen und trocknen. Dann innen salzen und pfeffern, außen nur salzen. Für die Füllung die Brötchen in etwas Wasser einweichen. 3 Zwiebeln würfeln. 30 g Butter in einer Pfanne erhitzen, die Zwiebeln darin glasig braten, dann in eine Schüssel geben. Die Eier und die gut ausgedrückten Brötchen zugeben. Ebenso die Bratwurstfüllung und 1 Bund gehackte Petersilie. Aus allem einen geschmeidigen Teig kneten und in die Tasche in der Rinderbrust füllen. Die Öffnung mit Küchengarn zunähen.
2½ l Salzwasser aufkochen. Das Suppengrün putzen und grob zerkleinern. Die vierte Zwiebel mit dem Lorbeerblatt spicken. Das Fleisch, das Suppengrün und die Zwiebel ins Wasser geben und auf kleiner Hitze 1 Stunde leise kochen lassen. Dann das Fleisch herausnehmen und gut abtropfen lassen.
Die restliche Butter in einem Bräter erhitzen, das Fleisch darin rundherum kräftig anbraten. Die Sahne mit ¼ l durchgesiebter Fleischbrühe mischen, über das Fleisch gießen. Den Bräter in den vorgeheizten Backofen auf die untere Schiene stellen. Das Fleisch bei 220 Grad (Gas: Stufe 4) 45 Minuten braten. Dann herausnehmen, auf einer vorgewärmten Platte anrichten, im ausgeschalteten Backofen warm halten.
Den Bratenfond durch ein Sieb in einen Topf gießen, aufkochen lassen. Das Mehl mit Tomatenmark und Wein verquirlen, in den Fond rühren und 8 Minuten leise kochen lassen. Die restliche Petersilie hacken und in die fertige Sauce rühren.

Knieküchle

Zutaten
für etwa 25 Stück:
500 g Mehl
20 g Hefe
⅛ l Milch, lauwarm
1 Prise Salz
100 g Butter
100 g Zucker
1 Paket Vanillezucker
1 Ei
2 cl Zwetschgenwasser
abgeriebene Schale
von 1 Zitrone
700 g Schmalz
Puderzucker
zum Bestäuben

Das Mehl in eine Schüssel geben, in die Mitte eine Mulde drücken. Die Hefe und die Hälfte der lauwarmen Milch in die Mulde geben, etwas Mehl vom Rand hineinrühren. Die Schüssel mit einem Tuch abdecken, und den Vorteig etwa 30 Minuten im offenen Backofen bei 50 Grad (Gas: Stufe 1) gehen lassen. Dann die restliche Milch, das Salz, die zerlassene Butter, Zucker, Vanillezucker, Ei, Zwetschgenwasser und die Zitronenschale zum Vorteig geben und durchkneten. Den Teig mit einem Holzlöffel so lange schlagen, bis er Blasen wirft. Zugedeckt weitere 30 Minuten im offenen Backofen (50 Grad) gehen lassen. Dann den Teig auf ein leicht bemehltes Brett geben und noch einmal tüchtig durchkneten.

Mit einem Löffel kleine Teigstücke abstechen, daraus auf dem bemehlten Brett Kugeln formen. Die Kugeln wieder abdecken und noch einmal 30 Minuten gehen lassen. Jede aufgegangene Teigkugel in die leicht bemehlte linke Handfläche legen. Mit den Fingern der rechten Hand die Kugel so auseinanderdrücken, daß die Fläche in der Mitte ganz dünn ist und am Rand ein gleichmäßig dicker Wulst entsteht.

Das Schmalz erhitzen, die Küchle schwimmend darin ausbacken. Mit Löffel und Gabel umdrehen, wenn sich ein Hütchen gebildet hat. Vorsicht, daß in die Mitte der Küchle kein heißes Fett gelangt, sie müssen dort ganz weiß bleiben. Wenn der Wulst auf der unteren Seite knusprig braun ist, die gegarten Küchle mit der Schaumkelle aus dem Fett heben, abtropfen lassen und noch heiß mit Puderzucker bestreuen.

Am besten schmecken die Küchle, wenn sie heiß aus dem Fett kommen. Aber dann kann man sich mit ihnen schnell den Magen verderben. Besser ist es, man ißt sie kalt zu heißem Kaffee.

Einiges über die Küchle:

Der Stolz einer fränkischen Hausfrau sind (so kann es ohne Übertreibung behauptet werden) gelungene Knieküchle. Es bedarf schon einiger Erfahrung, um sie richtig hinzukriegen. Früher hat man sie in der Gegend von Lichtenfels über dem Knie ausgezogen, damit sie richtig in Form kamen. In Nürnberg machte man es ebenso, weshalb sie da auch „Knoikoichla" heißen. Die ordentliche fränkische Hausfrau breitete ein sauberes, dünnes Tuch über dem Knie aus und zog den Teig darauf glatt. Die Lichtenfelser und Nürnberger Küchle waren deshalb etwas größer als die im übrigen Franken. In der Mitte muß ein Küchleteig auf jeden Fall so beschaffen sein wie ein Strudelteig: Man soll Liebesbriefe durch ihn durch lesen können. An den Seiten hat ein richtiges Knieküchle einen dicken Wulst. Selbstgerechten Stolz und anderer Hausfrauen Neid erweckt ein Knieküchle, wenn der dicke Wulst außen herum ein dünnes weißes Rändchen hat. Eine erfahrene Küchle-Bäckerin gibt nämlich nur so wenig Fett in den Topf, daß es nicht überall an das Küchle herankommt und sich deshalb dort der weiße Rand bildet.

Es geht allerdings auch einfacher und ist trotzdem fränkisch: Der Teig wird dünn ausgerollt und dann in 10 × 10 cm große Quadrate geschnitten. Auch diese Teigquadrate werden schwimmend ausgebacken. Sofort nach dem Hineinlegen bläht sich das Küchle auf und steigt hoch. Wenn die Unterseite knusprig braun ist, wird es umgedreht und weitergebacken.

Wenn einer ißt, iß mit!
Wenn einer trinkt, trink mit!
Wenn einer schafft, laß'n schaffen!
(Fränkische Weisheit)

Wasserschnalzn (Brotsuppe)

Zutaten für 4 Portionen:
2 große Zwiebeln
40 g Butter
1 EL Petersilie
1 EL Schnittlauch
1 EL Kerbel
(alles gehackt)
1 TL Schmalz
Salz
Pfeffer
4 Scheiben Schwarzbrot

Die Zwiebeln pellen und in Streifen schneiden. Die Butter zerlassen, die Zwiebelstreifen darin glasig braten. 1 l Wasser zugießen und auf milder Hitze 5 Minuten kochen lassen. Jetzt die Kräuter zugeben. Das Schmalz unterrühren. Die Brühe mit Salz und Pfeffer abschmecken. Das Schwarzbrot würfeln und 5 Minuten mitziehen lassen. Dann die heiße Wasserschnalzn in Suppentassen verteilen und servieren.

Wenn schon Brotsuppe, sagten sich die Nürnberger, dann aber bitte in zwei Versionen. Die zweite wird so zubereitet: Brühe kochen wie oben beschrieben. Die Brotscheiben in eine Terrine legen. Die Brühe daraufgießen, dann servieren.
An Schlachttagen nahmen die Nürnberger für ihre Brotsuppe die kräftige Wurstbrühe, ließen dann aber das Schmalz weg. Wenn die Wasserschnalzn heute nachgekocht wird, sollte man besser gleich Fleischbrühe nehmen.

Schwemmkniedla mit Poiterlassooß (Schwemmklößchen mit Petersiliensauce)

Zutaten für 4 Portionen:
500 g Rindfleisch
1 Zwiebel
1 EL Salz
3 Bund Petersilie
3 Petersilienwurzeln
60 g Butter
2 Eier
120 g Grieß
Pfeffer

Das Rindfleisch mit der geschälten, geviertelten Zwiebel in 1½ l Salzwasser zum Kochen bringen. Dann die gewaschene, grob zerkleinerte Petersilie und die geputzten, in Scheiben geschnittenen Petersilienwurzeln zugeben. Die Brühe 1 Stunde auf schwacher Hitze kochen lassen. Das Fleisch herausnehmen, wenn es weich ist, in mundgerechte Stücke schneiden und beiseite stellen. Die Butter schaumig rühren, mit den Eiern, 1 Prise Salz und dem Grieß gut verrühren. Mit einem Löffel kleine Klößchen abstechen. Die Schwemmklößchen in der heißen Brühe etwa 10 Minuten ziehen, aber nicht kochen lassen. Sie sind gar, wenn sie nach oben steigen. Vor dem Servieren das Fleisch in der Suppe erhitzen, eventuell noch mit Salz und Pfeffer abschmecken, und dann in einer vorgewärmten Terrine servieren. Dazu außerdem knusprige Backerbsen reichen.

Ihrem Lieblingsgericht, „Schwemmkniedla mit Poiterlassooß“, verdanken die Nürnberger ihren Spitznamen „Nürnberger Poiterlasboum“.

Backerbsen

Aus dem Schwemmklößchenteig können auch Backerbsen gemacht werden. Dann sticht man mit der Teelöffelspitze kleine Punkte aus dem Teig, setzt diese auf ein gebuttertes und leicht mit Mehl bestäubtes Backblech. Das schiebt man in den vorgeheizten Backofen und läßt die Backerbsen bei 150 Grad (Gas: Stufe 1) etwa 5 Minuten backen. Sie schmecken in einer kräftigen Brühe herzhaft und knusprig.

Nürnberger Gwärch

Gekochtes Ochsenmaul, schwarzen und weißen Preßsack und die Stadtwurst in feine Streifen schneiden und in eine Schüssel geben. Gepellte Zwiebeln auch in Streifen schneiden, zur Wurst geben, gut mischen. Salz, Zucker und Pfeffer in dem Essig völlig auflösen, dann mit dem Öl verrühren. Die Sauce über den Wurstsalat gießen, gut durchrühren. Das Gwärch vor dem Servieren 2 bis 3 Stunden kühl durchziehen lassen. Dann auf Salatblättern anrichten und mit Schwarzbrot und Butter essen.

Zutaten für 4 Portionen:
100 g Ochsenmaul, gekocht
100 g schwarzer Preßsack
100 g weißer Preßsack
100 g Nürnberger Stadtwurst (ersatzweise Fleischwurst)
3 Zwiebeln
Salz
1 Prise Zucker
weißer Pfeffer
3 EL Essig
3 EL Öl

Selbstgemachte Bratwürste ohne Haut

600 g Schweinefleisch (aus der Schulter) durch den Fleischwolf drehen und mit Salz, Pfeffer, Muskat, Majoran gut würzen. Den Teig in 12 Teile teilen und auf einem nassen Brett in daumendicke Würste rollen. Die Würste müssen 10 Minuten ruhen und werden dann in wenig Fett knusprig braun gebraten.

Lammfleisch mit Hopfensprossen

Zutaten
für 4 Portionen:
1 kg Lammfleisch
(ohne Knochen)
Salz
Pfeffer
60 g Butter
2 EL Mehl
l Fleischbrühe
1 Zwiebel
2 Nelken
2–3 Zitronenscheiben
500 g Hopfensprossen
1 Eigelb
⅛ l süße Sahne

Das Lammfleisch waschen, würfeln, salzen und pfeffern. In einem Schmortopf die Butter heiß werden lassen, das Fleisch darin von allen Seiten braun anbraten. Dann das Mehl darüberstäuben und etwas anrösten. Mit der Fleischbrühe ablöschen. Die Zwiebel pellen und mit den Nelken spicken, dann mit den Zitronenscheiben in den Topf geben. Das Fleisch auf mittlerer Hitze mit geschlossenem Deckel mindestens 1 Stunde schmoren. Nach 40 Minuten die Hopfensprossen gründlich waschen, in 3 cm lange Stücke schneiden und mitschmoren. Kurz vor dem Servieren die Sauce mit Eigelb legieren und die Sahne unterziehen, dabei nicht mehr kochen lassen. Das Lammfleisch in eine vorgewärmte Schüssel umfüllen und mit Röstkartoffeln servieren. Dazu einen fränkischen Rotwein bereitstellen.

Wichtige Informationen zu Hopfensprossen:

Die Hopfensprossen sind die jungen Triebe der Hopfenpflanzen, die im April bis Anfang Mai aus der Erde kommen. Jede Hopfenpflanze hat ungefähr ein Dutzend solcher Triebe. Aber der Hopfenbauer läßt pro Pflanze nur ein bis zwei Triebe hochwachsen. Die anderen schneidet er ab. Im sparsamen Franken (ebenso natürlich im nicht weniger sparsamen Bayern) läßt man nichts umkommen. Und so bereitet man in der Hallertau und in der Gegend um Nürnberg aus diesem Abfall äußerst wohlschmeckende Gerichte.
Der Umgang mit Hopfensprossen ist nicht schwer. Sie werden in etwa wie Spargel behandelt und heißen deshalb mitunter auch Hopfenspargel. Die jungen Triebe werden gründlich gewaschen, aber nicht geschält. Man kocht sie in Salzwasser etwa 20 Minuten, so daß sie gar sind, trotzdem aber noch „Biß" haben. Das Kochwasser verwendet man zum Beispiel zur Zubereitung einer Salatmarinade. Man kann es aber auch mit Speisestärke binden und mit Eigelb legieren.

Zickla mit Schlotterbrüh

Das bratfertig vorbereitete Zicklein waschen, gut abtrocknen, mit Salz und Pfeffer innen und außen einreiben. Die gut gewaschene und trocken geschwenkte Petersilie ins Innere geben. In einem ausreichend großen Bräter (mit Deckel) reichlich Butter zerlassen, das Zicklein darin von allen Seiten anbraten. Dann mit etwas heißer Fleischbrühe ablöschen. Im vorgeheizten Backofen bei 200 Grad (Gas: Stufe 3) insgesamt 1½ bis 2 Stunden braten. Die erste Stunde mit geschlossenem Deckel, dann offen. Das Zicklein muß während des Bratens immer wieder mit heißer Brühe begossen werden, sonst wird sein zartes Fleisch trocken.
Den Braten aus dem Bratenfond heben, auf einer vorgewärmten Platte im ausgeschalteten Backofen warm stellen. Den Bratenfond dann mit dem Wein und etwas Fleischbrühe loskochen, durch ein Sieb in einen Topf passieren, dann mit den verquirlten Eiern binden (Schlotterbrühe). Das Tier am besten in der Küche tranchieren und dann mit Stopfer (Kartoffelbrei), der Schlotterbrühe und frischem Salat servieren.

Zutaten für 6 bis 8 Portionen:
1 Osterzicklein (1½ kg), bratfertig vom Fleischer vorbereitet
Salz
Pfeffer
2 Bund Petersilie
Butter zum Braten
1 l Fleischbrühe
1 Glas Frankenwein
2 Eier

Im Odenwald führen die Schafhirten noch heute in ihren Herden einen „Sündenbock“ mit, einen schwarzen Ziegenbock, der alles Übel und alle Krankheit auf sich ziehen soll, auf daß die Herde vor solchem Mißgeschick verschont bleibe.

„Darwider ist zu vermuthen, daß man in jenem Franzosenland wohl rechte Vogelmaegen habe, zum anderen aber aus eigner Ansicht des Verf. zu sagen, daß die Tischmaniren nirgends zierlicher seyn als in Nuernberg. Sprechen die schmucken Bratwuerst davon nicht ein eigen Lied? Sind sie nicht eher einem Puppenvolke zupaß als einem Volke der Eßriesen und Mampfer? Sieh, da liegen die koestlichen braunen Daeumlinge auf dem blinkenden Zinn. Duftet der Majoran und der bissige Kren (das ist Meerrettich), lockt das gueldne Broedchen und schaumiche Bier. Ruesten die roßtfrohen Fleischzwerge sich fuer den Marsch in den Mund. Oh Fremder! Huete dich, so du ihnen begegnest und sie genießest! 87 Stuecke schaffte jemandt auf einen Record. Aber Freßsaecke giebt es in jeder Stadt.“
(Der Herr über die rechten Manieren, Adolph Knigge, über die Nürnberger Würste)

Bamberger Zwiebeln

Zutaten für 4 Portionen:
8 große Zwiebeln
½ l Fleischbrühe
Salz
Pfeffer
400 g Bratwurstmasse
8 Scheiben Frühstücksspeck
3 EL Rauchbier (ersatzweise Starkbier)

Die Zwiebeln pellen und in der Fleischbrühe auf schwacher Hitze 10 Minuten kochen lassen. Dann mit einem Sieb herausheben und darin abkühlen lassen. Auf der Wurzelseite jeder Zwiebel (da, wo die Fäden hängen) einen 1 cm dicken Deckel abschneiden, auf der anderen Seite das Lauch so weit wegschneiden, daß die Zwiebel stehen kann. Die Zwiebeln von der Wurzelseite her mit einem Messer aushöhlen, innen leicht salzen und pfeffern, Die Zwiebeln mit der Bratwurstmasse füllen. Die Deckel daraufsetzen. Die Zwiebeln in eine feuerfeste Form setzen. ¼ l von der Fleischbrühe zugießen und zugedeckt im Backofen bei 200 Grad (Gas: Stufe 3) 35 bis 45 Minuten garen. Während der letzten 10 Minuten Backzeit den Speck in einer Pfanne kroß ausbraten. Die Zwiebeln auf einer Platte anrichten. Das Rauchbier mit der Sauce mischen und über die Zwiebeln gießen. Den gebratenen Frühstücksspeck auf die Zwiebeln legen und servieren. Dazu gibt es Kartoffelbrei (Stopfer), Sauerkraut und Rauchbier.

Im Boden der Ebene unterhalb Bambergs gedeihen Zwiebeln besonders gut. Deshalb hat man sie dort schon immer gerne angebaut. Früher, als die Anbau- und Erntemethoden noch nicht mechanisiert waren, mußte das Zwiebelkraut vor der Ernte umgetreten werden. So kam es, daß sich zur Erntezeit viele Bamberger auf den Zwiebelfeldern zwiebeltretend wiederfanden. Woher sie auch ihren gutmütigen Spottnamen haben: Bamberger Zwiebeltreter.

Fränkische Apfelkoteletts

Die Zwiebeln schälen und in dünne Scheiben schneiden. Die Äpfel schälen, vierteln, entkernen, auch in Scheiben schneiden. Die Tomaten an der Stirnseite über Kreuz einritzen, mit heißem Wasser überbrühen und abziehen, dann auch in Scheiben schneiden. Äpfel und Tomaten leicht zukkern und salzen. Eine feuerfeste Form mit Schmalz einfetten. Die Hälfte der Zwiebeln darin glasig braten. Dann die Hälfte von Äpfeln und Tomaten darauf geben. Jetzt die Schweinekoteletts salzen, pfeffern und leicht mit Mehl bestäuben, in die Form legen. Darauf die zweite Hälfte Zwiebeln, Äpfel und Tomaten geben. Den Weißwein darüber träufeln, die Form zugedeckt in den vorgeheizten Backofen schieben. Die Apfelkoteletts bei 200 Grad (Gas: Stufe 3) 30 Minuten schmoren lassen. Dazu gibt es Kartoffelbrei und Wein.

Zutaten für 4 Portionen:
4 Zwiebeln
4 Äpfel
4 Tomaten
Zucker
Salz
Schmalz für die Form
8 Schweinekoteletts (jedes etwa 150 g)
Pfeffer
Mehl zum Bestäuben
6 EL Weißwein

Wo die Hosen Husen haßen
Und die Hasen Hosen haßen
do sin mir daham!
(Fränkische Buchstabenklauberei)

Bauchstecherle

man schält 700g Kartoffeln, kocht und läßt sie dann kalt werden. Dann reibt man sie und mischt sie mit 1 Eßl. Mehl, 1 Eßl. Grieß, 4 Eßl. Milch und würzt den Teig mit einer Prise Salz. Nun formt man aus dem Teig ovale Puffer, die so dick sind wie ein Finger. Diese brät man in Schmalz recht braun. Dann ißt man sie zu Schmorbraten oder anderem Fleisch. Gut auch zu süßen Kompott!

Bamberger Krautbraten

**Zutaten
für 4 Portionen:
500 g Weißkohl
3 EL Schweineschmalz
2 Zwiebeln,
fein gewürfelt
250 g Schweinefleisch,
gewürfelt
500 g Hackfleisch,
gemischt
2 EL Kümmel
Salz
Pfeffer
⅛ l Weißwein
Fett für die Form
200 g geräucherter
Speck, in 7 dünne
Scheiben geschnitten**

Die äußeren Blätter vom Kohlkopf abnehmen. Mit einem scharfen Messer den Strunk herausschneiden, dann den Kohlkopf 10 Minuten in kochendem Wasser blanchieren. Auf einem Sieb abtropfen lassen. Vorsichtig 12 große Blätter ablösen, den restlichen Kohl fein hacken. 2 EL Schweineschmalz in einem Schmortopf erhitzen, die Zwiebeln, das Schweinefleisch und das Hackfleisch darin anbraten. Mit dem gehackten Kohl mischen, mit Kümmel, Salz und Pfeffer würzen. Den Wein zugießen, 10 Minuten schwach kochen lassen.
Eine Auflaufform ausfetten und mit 8 Kohlblättern auslegen. Die geschmorte Masse einfüllen, mit den restlichen Kohlblättern belegen und mit den Speckscheiben abdecken. Das restliche Schmalz in Flöckchen darauf setzen. Den Bamberger Krautbraten im vorgeheizten Backofen bei 225 Grad (Gas: Stufe 4) etwa 45 Minuten garen.

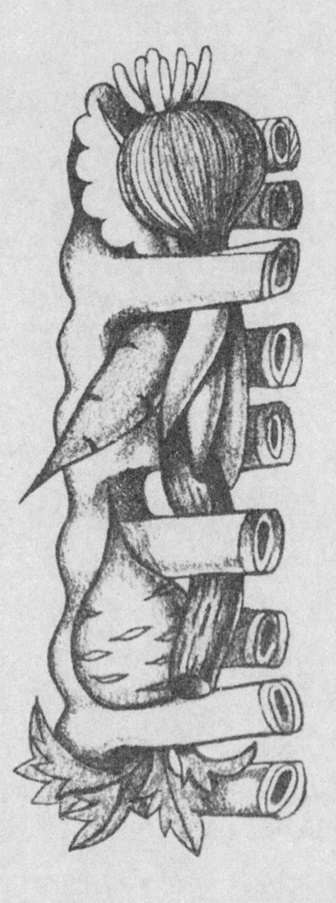

Leiterle im Wurzelwerk

Pro Person rechnet man 1 kg Leiterle (Schweinerippen) und 200 g geputztes, grob zerkleinertes Suppengrün. Dazu kommen Salz, Pfeffer, Schmalz, Honig, Fleischbrühe, Kümmel, Zwiebeln, Lorbeerblatt und einige Scheiben Mischbrot.
Die Leiterle werden mit Salz und Pfeffer gewürzt und im großen Bratentopf in Schmalz angebraten. Danach bepinselt man das Fleisch mit Honig, gießt die Brühe an, gibt das Suppengrün zu und die geschälten, geviertelten Zwiebeln. Dann wird mit Kümmel und Lorbeerblatt gewürzt. Die Mischbrotscheiben werden grob zerbröselt untergerührt. Das Gericht muß auf kleiner Hitze schmoren, bis sich das Fleisch von den Knochen löst. Das dauert etwa 1 Stunde. Dann sind die Leiterle fertig.

Das Frankenlied (letzter Vers)

Einsiedel, das war mißgetan,
daß du dich hubst von hinnen!
Es liegt, ich seh's dem Keller an,
ein guter Jahrgang drinnen.
Hoiho! die Pforten brech' ich ein
und trinke, was ich finde.
Du heiliger Veit von Staffelstein,
verzeih mir Durst und Sünde!
Valleri, vallera, valleri, vallera,
verzeih mir Durst und Sünde!

Meefischli

Meefischli sind Weißfische aus dem Main. Sie dürfen nicht größer sein als fingerlang und daumendick. In Mehl und wenig Zimt gewälzt, mit Kopf und Schwanz gebraten, schmecken sie aus der Hand zum Frankenwein am besten. Für manchen Würzburger sind Meefischli der gute Beginn eines Abends, den er beim Bocksbeutel in einem der Bürgerspitäler beendet.

Vom fränkischen Wein und dem Bocksbeutel:

„Sende mir noch einige Würzburger, denn kein anderer Wein will mir schmecken, und ich bin verdrüßlich, wenn mir mein gewohnter Lieblingstrank abgehet." Das schrieb 1806 Goethe an seine Frau Christiane. Daß fränkische Weine nicht nur gegen Verdruß, sondern auch gegen die Pest halfen, berichtet ein Chronist aus dem 17. Jahrhundert, wonach ein Würzburger Prälat, von der Seuche bereits befallen, allein durch den Genuß des Weines gesundete. „Frankenwein ist Krankenwein", von dieser Weisheit profitierten schon im 16. Jahrhundert die Bewohner des Bürgerspitals in Würzburg, einer Stiftung für Alte und Kranke. Laut Speisenordnung erhielten hier Männlein und Weiblein täglich eine Maß Wein, und das waren immerhin 1¼ Liter. An Sonn- und Feiertagen war sogar das doppelte Quantum genehmigt.
Im Mittelalter, so schätzt man heute, waren in Franken 40000 Hektar Land mit Wein bepflanzt, getrunken wurde der Ertrag ausschließlich im eigenen Lande. So soll denn auch ein Weintrauben fressender Ziegenbock, gleich Bacchus Sinnbild maßloser Völlerei und Ausschweifung, dem Bocksbeutel seinen Namen gegeben haben. In die typischen platten Glaskugeln darf heute (von ein paar badischen Enklaven einmal abgesehen) nur Franken rechtmäßig seinen Wein füllen. Jedoch: Auch Franken ist nicht mehr das, was es einmal war; der Weinanbau schrumpfte auf 3000 Hektar. Und selbst die Franken von heute sind auch nicht mehr die Saufbeutel von ehedem; sie sind mittlerweile maßvolle Trinker. Den großen Durst löschen sie vorwiegend mit Bier und Most.

Steinpilzsuppe

Zutaten für 4 Portionen:
1 Zwiebel
300 g Steinpilze
20 g Butter
1 l Fleischbrühe
3 gestr. EL Speisestärke
5 EL Milch
Salz
2 Eigelb
4 EL süße Sahne
Muskat
weißer Pfeffer
1 Bund Petersilie

Die Zwiebel schälen und fein würfeln. Die Steinpilze putzen, möglichst nicht waschen, dann in kleine Stücke schneiden. Die Butter in einem Topf zerlassen, die Zwiebel darin glasig braten, dann die Steinpilze zugeben und kurz mit braten. Die Fleischbrühe zugießen und einmal aufkochen lassen. Speisestärke in der Milch anrühren, die Suppe damit binden, dann salzen und noch einmal aufkochen lassen. Den Topf vom Herd nehmen. Eigelb mit der Sahne mischen und unter die Suppe ziehen. Dann mit Pfeffer, Muskat und gehackter Petersilie würzen, noch einmal abschmecken und servieren.

Blöcher

Man mische 2 ℔ Mehl mit 1 ℔ weicher Butter, gebe 6 Eßl. Zucker, 4 Eigelb, 1 Prise Salz, 1/2 Teelöffel Backpulver und etwas Arrak hinzu und verknete alles zu einem Teig. Anschließend wird 1/2 Liter saurer Rahm mit dem Teig gemischt, der nun eine Nacht recht kühl stehen muß. Am nächsten Tag streicht man den Teig auf kleine Rundeisen und backe ihn in siedendem Fett knusprig braun. Die Blöcher werden auf einer Platte abgekühlt und mit Zucker bestreut.

Die Flößerei war für die Leute im Frankenwald ein hartes Brot. Es kostete viel Mühe und Schweiß, die Baumstämme erst den Main und dann den Rhein hinunter bis nach Holland zu bringen. Zu aller Mühe erhoben dann auch noch die Amtsvögte auf die Flößerei Zölle: ein Bloch von jedem Schock Blöcher. Und Blöcher waren die kurzen, dicken, also die wertvollsten Stämme. Zur Kirchweihzeit, zur „Kerwa", ging's dann im Frankenwald, wie überall im Land der Franken, ans Feiern. Und da wurden die Blöcher nicht geflößt, sondern gebacken.

Steinpilze von der Frankenhöhe

500 g Reis in leicht gesalzenem, heißem Wasser ausquellen lassen, abschrecken, abtropfen lassen. 500 g Steinpilze putzen, möglichst nicht waschen und in fingerdicke Scheiben schneiden. 2 Zwiebeln schälen, würfeln und mit 6 Scheiben geräuchertem Speck in einer Auflaufform glasig braten. Die Hälfte Reis einfüllen, etwas salzen, 1 EL Zitronensaft und 2 EL gehackte Petersilie darübergeben. Dann die Steinpilze und obendrauf den Rest Reis einschichten. 2 EL Butter in Flöckchen daraufsetzen. Den Pilzauflauf im vorgeheizten Backofen bei 200 Grad (Gas: Stufe 3) etwa 30 Minuten backen. Dann in der Form mit frischem Salat servieren.

Vom fränkischen Bier:

Seit dem 13. Jahrhundert wird in Franken Bier gebraut, fast jede Stadt hatte ihre eigene Brauerei. Besondere Spezialitäten sind das Bamberger Rauchbier – die Gerste wird über Buchenholzscheiten getrocknet – und der Kulmbacher Eisbock, das Ergebnis eines Zufalls. Ein Kulmbacher Brauer hatte im Winter ein Faß im Hof vergessen, der Frost entzog dem Bier das Wasser und machte es zu Sirup. Das „Bayrisch Gfrorne" mit 24 Prozent Stammwürze-Gehalt gibt es noch heute, aus Vorsicht allerdings nur kurz vor Aschermittwoch. Fränkische Biere sind für ihre Qualität weltweit berühmt, die heute leider anders geprüft wird als noch in früheren Jahrhunderten: Amtlich bestellte Bierbeschauer gossen mehrere Krüge Bier auf eine Holzbank, setzten sich darauf nieder und warteten. Wenn die Hose nach einiger Zeit an der Bank festklebte, war die Bierprüfung bestanden.

Hessen

Wir essen lieber was Gutes
als was Schlechtes –
un lieber ab un zu emal e bissi zuviel
als dauernd zu wenig!
(Hessische Maxime)

Jeder, der sich durch die umfangreiche Literatur über den interessanten Stamm der Hessen schmökert, staunt über die seltsame Faszination, die das hessische Auge seit nunmehr fast zwei Jahrtausenden auf einheimische und fremde Beobachter ausgeübt hat. Bereits die alten Römer zeigten sich beunruhigt durch den drohenden Ausdruck in der glitzernden Hessen-Pupille. Und noch im 19. Jahrhundert vermerkt ein angesehener Lehrbuchautor mit viel Nachdruck, wie sehr ihn bei seinen Reisen „das meist bläuliche Auge im offenen Hessen-Antlitz" beeindruckt habe. Angehörige anderer deutscher Stämme haben allerdings meist abschätzig von dem Sehorgan der Hessen gesprochen und geschrieben, und schon Ernst Moritz Arndt hat dagegen protestiert, daß man allerorten von den „blinden Hessen" rede. Dies alles könnte uns Wurst sein, weil dieses Buch ein Koch- und kein Geschichtsbuch ist. Aber: Bei all dem Hin und Her über das Thema „hessisches Auge und hessische Sehkraft" fielen leider zwei andere und nicht weniger wichtige hessische Sinnesorgane unter den Tisch, nämlich die hessische Zunge und der hessische Gaumen. Von ihnen wird in der Hessen-Literatur so gut wie nie gesprochen, obgleich sie (die folgenden Rezepte legen dafür Zeugnis ab) offensichtlich voll entwickelt und funktionstüchtig sind. Auch sonst ist der Weg des Küchen-Volkskundlers durch das Hessenland ziemlich dornig. Die erste große Frustration tritt ein, wenn man erkennt, daß die Kasseler Rippe nichts mit Kassel, aber sehr viel mit Berlin zu tun hat. Das Land ist, sieht man von ein paar Städten ab, doch recht arm und hat es den Hessen nicht immer leichtgemacht, sich ihre gastronomischen Wünsche zu erfüllen.

Im Lande zu Hessen hat's große Berge und nichts zu essen,
Große Krüge und sauren Wein,
Wer wollte gern im Land der Hessen sein!

Sagt ein alter Spruch. Und vielleicht heißen die Hessen darum „blind", weil sie sich in grauer Vorzeit trotz des dürftigen Bodens dort niedergelassen haben. Aber die Hessen sind tüchtige Leute, und sind nicht nur den Römern, sondern auch ihrer Landwirtschaft mit bedrohlich blitzendem Auge zu Leibe gegangen. Fest steht, daß es in Hessen tatsächlich nichts zu essen gäbe, gäbe es die Hessen nicht. Die so fürchterlich fleißig sind, daß man von ihnen rühmte: „Wo Hessen und Holländer verderben, kann niemand Nahrung erwerben."

Sämige Kartoffelsuppe

Zutaten für 4 Portionen:
100 g durchwachsener Speck, geräuchert
5 Zwiebeln
1 Stange Porree
½ Sellerieknolle
2 Möhren
1 kg Kartoffeln
1 EL Schmalz
1 l Rinderbrühe
1 Lorbeerblatt
4 Wacholderbeeren
Salz
Pfeffer
1 Prise Zucker
2 Scheiben Weißbrot
1 TL Butter
100 ccm Sahne

Den Speck würfeln. Drei Zwiebeln würfeln, zwei in Ringe schneiden. Porree, Sellerieknolle, Möhren putzen, waschen und würfeln. Die Kartoffeln schälen, waschen und in Scheiben schneiden. Das Schmalz erhitzen, den Speck darin ausbraten, dann das vorbereitete Gemüse und die Zwiebelwürfel zugeben und kurz mit anbraten. Die Kartoffeln zugeben, dann die Fleischbrühe angießen. Das Lorbeerblatt und die Wacholderbeeren in den Topf geben. Die Suppe salzen, pfeffern und mit dem Zucker abschmecken. Dann zugedeckt 30 Minuten kochen lassen.
Inzwischen das Weißbrot würfeln und rösten. Die restlichen Zwiebeln in Ringe schneiden, in 1 TL Butter goldgelb braten. Die Suppe mit dem Schneebesen tüchtig durchrühren, die Sahne unterziehen. Dann in eine vorgewärmte Terrine umfüllen und mit Zwiebelringen und Weißbrotwürfeln bestreuen. Dazu Frankfurter Würstchen, Rindswurst, Fleischwurst oder gekochtes Rauchfleisch reichen.

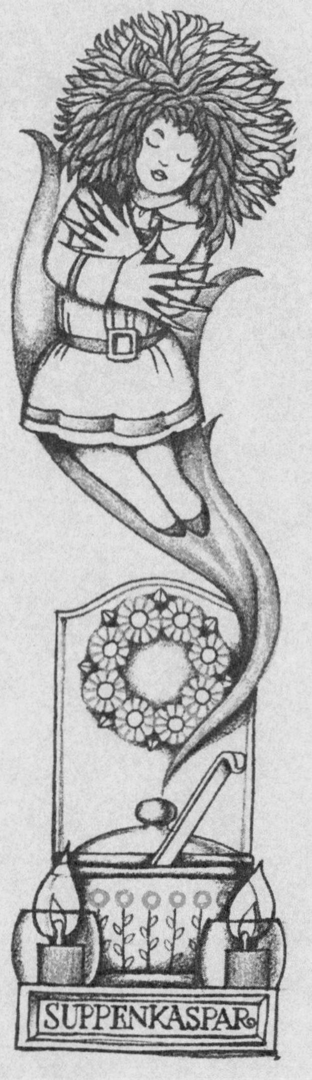

Der Suppenkaspar

Der Kaspar, der war kerngesund.
Ein dicker Bub und kugelrund.
Er hatte Backen rot und frisch:
Die Suppe aß er hübsch bei Tisch.
Doch einmal fing er an zu schrein:
Ich esse keine Suppe! Nein!
Ich esse meine Suppe nicht!
Nein, meine Suppe ess' ich nicht!

Am vierten Tage endlich gar
der Kaspar wie ein Fädchen war.
Er wog vielleicht ein halbes Lot –
Und war am fünften Tage tot.

(Aus dem Struwwelpeter von Dr. Heinrich Hoffmann, einem Urfrankfurter)

Rippchen mit Kraut

Zutaten für 4 Portionen:
1 EL Schweineschmalz
2 Zwiebeln
750 g Sauerkraut
2 Lorbeerblätter
3 Wacholderbeeren
1 Apfel
1 Tasse Weißwein (oder Sekt)
750 g gepökelte Rippchen (in 4 Scheiben)
1 Nelke

Schweineschmalz in einem Topf heiß werden lassen, eine gewürfelte Zwiebel darin glasig braten. Das Kraut etwas zerpflücken und auf die Zwiebel geben. Ein Lorbeerblatt und die Wacholderbeeren auch zugeben. Ebenso den geschälten, in Scheiben geschnittenen Apfel. Alles kurz anschmoren, dann den Wein zugießen. Zugedeckt 30 bis 40 Minuten auf kleiner Hitze schmoren lassen.
Das Fleisch in Wasser mit einer mit Lorbeerblatt und Nelke gespickten Zwiebel 2 bis 3 Minuten kochen, dann 20 Minuten ziehen lassen. Zum Kraut servieren. Als Beilage Kartoffelpüree reichen. Oder einfach ein herzhaftes Stück Brot dazugeben.

Frankforter Rippcher

Frankfurter Rippchen sind kein Kasseler. Kasseler ist gepökelt und geräuchert. Die Rippchen sind nur gepökelt. Rippchen vom Hals sind durchwachsen, Lendenrippchen dagegen weniger fett.
Der echte Frankfurter macht seine Rippchen so:
Wasser erhitzen, 1 mit Lorbeerblatt und Nelke gespickte Zwiebel hineingeben und 1 Bund geputztes, grob zerkleinertes Suppengrün. Das gepökelte rohe Rippenstück (pro Person rechnet man 200 bis 300 g) wird am Rückgratknochen mit einem Beil (Metzger) oder mit einem großen Küchenmesser leicht eingehackt. Das Rippchenstück wird in die Brühe gesetzt und darin nur 2 Minuten gekocht, dann läßt man es auf ganz kleiner Hitze 15 Minuten ziehen und dann auf abgeschalteter Hitze im Sud noch 1 Stunde abkühlen. Nur so werden die Rippchen saftig! Der Frankfurter ißt sie kalt.

Roter Schaumwein

man schlägt gut 1/2 Liter Rotwein mit Zucker und Zimt (nach Geschmack) und 4 Eiern auf milder Hitze auf, füllt den Schaum in Gläser und trinkt ihn warm.

Kalbsrücken mit Niere

Zutaten
für 4 bis 6 Portionen:
1,5–2 kg Kalbsrücken mit Niere und Fett
Salz
Pfeffer
1 Bund Suppengrün
getrocknete Steinpilze
1 gehäufter EL Mehl
¼ l saure Sahne

Beim Fleischer rechtzeitig ein Stück Kalbsrücken bestellen, an dem die Niere sitzt. Der Sattel soll der Länge nach halbiert sein. Die Niere mitsamt dem Fett auslösen und den Fettmantel ringsum etwas beschneiden. Die Niere darf dabei auf keinen Fall freigelegt werden. Den Kalbssattel kräftig mit Salz und Pfeffer einreiben. Die Niere mit dem Fett nach unten in die Saftpfanne vom Backofen legen und mit dem Kalbssattel bedecken (Knochenseite nach unten). Die Niere ist so von beiden Seiten geschützt. Von dem abgeschnittenen Kalbsfett ein paar Stücke fein würfeln und auslassen. Den Kalbsrücken mit dem rauchendheißen Fett übergießen und im vorgeheizten Backofen bei 200 bis 225 Grad (Gas: Stufe 3–4) 1¾ bis 2 Stunden braten. Nach 1 Stunde das geputzte, nicht zerkleinerte Suppengrün zugeben. Nach Bedarf auch immer wieder Wasser angießen. Die in Wasser eingeweichten Steinpilze etwa 15 Minuten mitschmoren lassen. Den Braten nach der Bratzeit im ausgeschalteten Backofen warm stellen. Das Suppengemüse und die Pilze aus dem Bratfond nehmen. Den Fond in einen Topf gießen, entfetten. Das Mehl zugeben, gut durchschwitzen lassen. Dann mit ⅛ l Wasser ablöschen. Die Sauce mit der sauren Sahne verfeinern und mit Salz und Pfeffer abschmecken, dann auf kleiner Hitze warm halten.
Den Kalbsrücken vom Knochen lösen. Das Kalbfleisch und die Niere in Scheiben schneiden. Beides auf einer vorgewärmten Platte anrichten. Dazu Serviettenknödel und die Sahnesauce reichen. Als Gemüse: Erbsen und Möhren in Butter geschwenkt und mit Petersilie gemischt.

Frankfurter Hochzeit:

Bei Familienfeiern wurde in Frankfurt nie gespart. Als ein Brautpaar beim Brautunterricht vom Pfarrer auf eheliche Reife geprüft werden sollte, und er fragte, ob sie denn auch gut „vorbereitet" seien, antwortete die Braut:
„Ach ja, ich glaub' schon, Herr Parre. De Vatter hat e klaa Säu'che geschlacht, zwelf Gickelcher hawwe mer de Hals erumgedreht, e Faß Wei lieht im Keller un die Mutter hat zwanzich Kuche gebacke, ich hoff', daß mer dademit gut vorbereit' sin."

Schwarzer Magister

Die Backpflaumen 12 Stunden in Wasser einweichen. Dann im Einweichwasser mit einem Stück Schale von der Zitrone, 25 g Zucker und etwas Zimt auf kleiner Hitze 20 bis 30 Minuten dünsten. Die Pflaumen in einem Sieb abtropfen lassen, den Saft auffangen und kalt werden lassen. Eine Auflaufform ausfetten, mit Zwiebäcken auslegen, darauf Backpflaumen geben, dann wieder Zwieback schichten und so fort, bis die Form gefüllt ist. Die oberste Schicht müssen Zwiebäcke sein. Den Pflaumensaft mit Eigelb, dem restlichen Zucker, etwas Zimt, dem Bittermandelöl, dem Saft und der abgeriebenen Schale der Zitrone mischen. Dann die Sahne steif schlagen und unterziehen. Ebenso den steifen Eischnee. Den Pflaumenschaum auf die oberste Schicht Zwieback gießen. Den Auflauf im vorgeheizten Backofen bei mittlerer Hitze 30 Minuten backen. Dann mit Himbeersaft oder Vanillesauce reichen.

Zutaten für 3 Portionen:
375 g Backpflaumen, entkernt
1 Zitrone
100 g Zucker
etwas Zimt nach Geschmack
Fett für die Form
1 Paket Zwieback
4 Eier, getrennt
½ Fläschchen Bittermandelöl
⅛ l süße Sahne

Frankfurter Würstchen

Wann genau sie in Frankfurt am Main das erstemal in den Topf gelegt wurden , ist nicht präzise überliefert. Doch schon bei der Krönung des Kaisers Maximilian II., anno 1562, steckten sie als Füllsel im Ochsen, der vor dem Römer am Spieße hing, um das Volk zu speisen. Daher auch der Namen „Krönungswürstchen“. Zum Ende des 19. Jahrhunderts nannte man sie dann „Bratwerscht“ oder „gederrte Bratwerscht“. Den Namen „Frankfurter“ kriegten sie erst danach, als Reisende sie mit in alle Welt nahmen. 1835 schreibt Eduard Beurmann in seinen „Frankfurter Bildern“: „Die Stadt, in der Goethe geboren und in welcher Bratwürste gemacht werden, die eine gleiche Zelebrität wie er erlangt haben.“ 1860 wurden sie zum erstenmal außerhalb des „Worschtquartiers“ (im Bezirk zwischen Dom und Römerberg waren alle Frankfurter Metzger tätig – mehr als 150 Ochsen-, Schweine- und Hammelmetzger allein um 1850) industriell gefertigt, und zwar in Neu-Isenburg bei Frankfurt. Soweit die Geschichte, nun zum Inhalt: Die schlanken, zierlichen Würstchen mit der goldbraunen Haut bestehen aus dem besten mageren Schinkenfleisch. Das Aroma wird durch ein spezielles Räucherverfahren erreicht. Ihr Tod ist es, sie zu kochen. Sie dürfen nur 8 Minuten in heißem Wasser ziehen. Danach legt man sie dann auf vorgewärmte Teller (kalte machen das Aroma kaputt) und reicht Brot, Senf und/oder Meerrettich dazu. Man darf sie aus der Hand essen.

Frankfurter Worschtologie:

Der Erfolg der Frankfurter Schweinemetzger und ihrer Frankfurter Würstchen ließ die Frankfurter Ochsenmetzger nicht zur Ruhe kommen. Sie grübelten und grübelten, wie sie denn ihrerseits zu überregionalem Ansehen gelangen könnten. Aus diesem Grunde schufen sie dann aus Bullenfleisch die herzhafte, knackige Frankfurter Rindswurst, die den Frankfurter Würstchen in nichts nachsteht und mittlerweile in Frankfurt und im übrigen Hessen zusammen mit einem Stück Brot als herzhaftes Frühstück gilt. (Apropos Brot: Der Frankfurter unterscheidet zwei Arten „Knerzche" – Kanten oder Krusten – beim Brot. Am Anfang ist das „Lachknerzche" und am Ende das „Flennknerzche".)
Der lokale Erfolg der Ochsenmetzger ließ nun wieder die Schweinemetzger nicht zur Ruhe kommen, und deshalb erfanden sie auch noch die Frankfurter Fleischwurst, die man heutzutage um die Mittagszeit herum als „haaß Fleischworscht" bei jedem Metzger kriegen kann.
Außerdem gibt's dann noch die Gelbwurst, die ursprünglich aus Hirn, heute aber aus Kalb- und Schweinefleisch gemacht wird. Sie ist mild und zart und liegt nicht schwer im Magen, weshalb sie der Volksmund „Kindbettworscht" nennt. Der König unter den Frankfurter Würsten aber ist und bleibt der Schwartemagen:

Was de Keenig gilt unner de Ferschte,
gilt de Schwartemage unner de Werschte!
(Hessische Erkenntnis.)
„Im Essen, heißt es, kommt der Appetit,
bei mir verschwindet er!"
So hört ich Kunzen klagen
indem er sich vom Schwartemagen
das zwölfte Stück herunterschnitt.
(Demokritos, der lachende Philosoph aus Diedenbergen, vor 150 Jahren)

Ente mit Zwiebeln

Zutaten für 3 Portionen:
1 Ente (etwa 2 kg), küchenfertig vorbereitet
Salz
250 g roher Schinken
1 Bund Suppengrün
3/8–1 l heiße Fleischbrühe
1 TL Pfefferkörner
2 Lorbeerblätter
2 Zwiebeln
1 EL Mehl
1/2 Tasse Wein
Essig
Saft und Schale von 1 Zitrone

Die Ente waschen, trockentupfen und innen und außen salzen. Den Schinken würfeln. Das Suppengrün putzen, waschen und grob zerkleinern. Den Schinken in einem Bräter auslassen, die Ente darin anbraten, das Suppengrün zugeben und kurz mitbraten, dann etwas heiße Fleischbrühe zugießen. Die Pfefferkörner und Lorbeerblätter mit hineingeben. Die Ente bei geschlossenem Deckel so lange garen (etwa 2 Stunden), bis sie unten braun ansetzt. Dann aus dem Schmorsaft heben, auf eine vorgewärmte Platte setzen und im auf 50 Grad (Gas: Stufe 1) vorgeheizten Backofen warm halten. Den Schmorsaft entfetten, dann die gepellten, in Scheiben geschnittenen Zwiebeln darin weich dünsten, herausnehmen und beiseite stellen. In den Schmorsaft das Mehl einrühren und gut durchschwitzen, mit 1/2 l Fleischbrühe ablöschen. Den Wein, einen Schuß Essig und die Zitronenschale zugeben und gut durchkochen lassen. Die Sauce vor dem Servieren durch ein Sieb in einen Topf gießen, vorsichtig mit Zitronensaft abschmecken. Die Zwiebeln in die Sauce geben und darin wieder erhitzen, dann über die Ente geben. Dazu Knödel und frischen Salat oder eingelegte rote Rüben reichen.

Frankfurter Grüne Sauce

Zutaten für 6 bis 8 Portionen:
10 Eier, hartgekocht
2 EL Essig
1/4 l Öl
Salz
Zucker
10 EL Kräuter, gehackt (Dill, Petersilie, Kerbel, Borretsch, Estragon, Pimpernell, Liebstöckel, Sauerampfer, evtl. Zitronenmelisse und Spinat)

Die hartgekochten Eier trennen. Eigelb durch ein Sieb in eine Schüssel streichen, mit Essig und Öl verrühren. Mit etwas Salz und etwas Zucker abschmecken. Das Eiweiß fein hacken und in die Schüssel geben. Jetzt die Kräuter mit hineingeben und alles zu einem dünnen Brei verrühren.

Die Grüne Sauce, von Goethe geschätzt, von seiner Mutter, der Frau Aja, aber mitnichten erfunden (wie oft kolportiert), sondern aus Frankreich frühzeitig als Sauce verte importiert, gibt es in Frankfurt zu Ochsenfleisch, Kartoffeln oder Fisch. Heute rührt man Joghurt mit hinein, damit sie weniger kalorienlastig ist.

Gans mit Fleischfüllung

Zutaten
für 4 bis 6 Portionen:
1 Gans (etwa 4–5 kg), küchenfertig vorbereitet, mit Magen, Leber und Herz
Salz
Pfeffer
400 g Schweinehackfleisch
1 kleine Zwiebel
2 Brötchen, altbacken
2 Eier
Muskatnuß
1 Bund Petersilie
evtl. 1–2 EL Speisestärke

Die Gans waschen, trockentupfen, außen leicht salzen und pfeffern. Vom Gänsemagen die innere harte Haut abschneiden. Den Magen in Salzwasser leicht vorkochen. Die Leber und das Herz putzen und waschen. Die Zwiebel pellen und fein würfeln. Die Brötchen einweichen. Die Innereien durch den Fleischwolf drehen. Dann mit dem Schweinehack, der Zwiebel, den gut ausgedrückten Brötchen und den Eiern zu einem Teig verarbeiten. Mit Salz, Pfeffer und Muskat kräftig würzen. Die gehackte Petersilie unterrühren.
Die Gans mit dem Fleischteig füllen, zunähen, mit der Brust nach unten in einen Bräter setzen, der mit ½ l Wasser gefüllt ist. Die Gans im vorgeheizten Backofen bei 180 bis 200 Grad (Gas: Stufe 2 bis 3) 2 bis 2½ Stunden unter regelmäßigem Begießen goldbraun braten. Das Tier nach 1 Stunde Bratzeit auf den Rücken drehen. Die Gans in den letzten 15 Minuten mit Salzwasser bepinseln, damit die Haut schön knusprig wird. Die Gans aus dem Bräter heben und im abgeschalteten Backofen warm stellen. Dabei auf keinen Fall abdecken. Sonst fällt die knusprige Haut zusammen und wird schlaff. Das Fett im Bräter abschöpfen. Die Sauce eventuell mit etwas angerührter Speisestärke binden. Zur Gans ißt man in Frankfurt immer Kartoffelklöße und Rot- oder Sauerkraut, Rosenkohl oder Porree.

Der Parre Kännche:

Der Parre Kännche, der Herr Pfarrer Kännchen, aus Frankfurt ist in seinem Leben immer die Wege des Herrn gegangen, und zwar am liebsten in die „Wertschaft", wobei ihm der „Rewestock" die liebste war, gab es doch hier „e besonnerscht gut Tröppche und große Porzione". Außer Sposau (Spanferkel) bevorzugte er „von de Gäns de Berzel", aus den Schenkeln hat er sich nichts gemacht. So kam er an einem schönen Novemberabend zum Martinischmaus. „Also, die erschte sechs Berzel sein pour moi, Musje Lacroix, verstande vous?" Hat der Herr Parre zum Oberkellner Lacroix gesagt, einem geborenen Franzosen. Es ist überliefert, daß der Herr Parre, der Gänsegott hab' ihn selig, an nämlichem Abend verzeh (vierzehn) Gänseberzel nebst den dazugehörigen Käste (Kastanien) zu sich genommen hat, benebst gedämpfte Eppel (Äpfel) und sieben Schoppen Deidesheimer.
(Frei nach Friedrich Stoltze, aus Parre Kännche)

Frankfurter Gänsfüllsel

Die klassische Frankfurter Gansfüllung besteht aus Kastanien. Hierzu dünstet man 750 g geschälte Kastanien in Butter mit 1 gewürfelten Zwiebel, Salz und Pfeffer. Wenn die Kastanien halbweich sind, werden etwa 350 g Rosinen und etwas Wasser zugegeben und so lange gekocht, bis die Flüssigkeit verdampft ist. Die Gans wird dann gesalzen und gepfeffert, mit dem Gänsfüllsel versehen und dann auf die nebenan beschriebene Weise gebraten.

Handkäs mit Musik

Handkäs mit Musik und Äppelwein – wer jemals in Frankfurt und Umgebung gewesen ist und diese Spezialität nicht kennt, kennt nichts. Abgesehen von den ernährungsphysiologischen Handkäs-Werten (100 g = 38 g Eiweiß, höchstens 0,1 g Fett und 75 Kalorien. Gärstoffe und Enzyme machen ihn leichtverdaulich) sammelt dieser Weißkäse auch sonst Pluspunkte. Allerdings nur, wenn er „dorsch un dorsch dorsch“ ist, d. h. er muß durch sein, und sein Inneres durch nichts Weißes getrübt.
So wird er gegessen: Eine Scheibe Brot mit Butter bestreichen (oder nur das Stück, das man gleich abbeißen will), ein Stück vom Käse abschneiden und darauf legen. Für die „Musik“ mischt man Essig mit ein wenig Öl, läßt kleingeschnittene Zwiebeln darin ziehen und nimmt Pfeffer nach Geschmack. Auch der Handkäse kann darin etwas ziehen. Mag man ihn nicht „naß“, bestreut man ihn mit Kümmel.
Für Handkäs-Spezialisten gilt: Handkäs mit Gabel ist wie Fisch mit Messer.

Dippekuchen

Zutaten für 4 Portionen:
1 kg Kartoffeln
Salz
geriebene Zwiebeln nach Belieben
400 g frischer grüner Speck

Die geschälten rohen Kartoffeln reiben. Die Masse in einem Sieb etwa 5 Minuten stehen lassen. Das sich absetzende Kartoffelmehl mit etwas kochendem Wasser verrühren und wieder unter den Teig mischen. Den Kartoffelteig salzen und nach Belieben mit geriebener Zwiebel würzen.
Speck fein würfeln, in einem Bräter auslassen, die Hälfte Fett und Grieben rausnehmen und beiseite stellen. Auf die andere Hälfte die Kartoffelmasse geben. Den Bräter in den vorgeheizten Backofen stellen. Den Dippekuchen bei 200 Grad (Gas: Stufe 3) etwa 35 Minuten backen, bis sich oben eine Kruste bildet. Den Kuchen dann herausnehmen und auf einen Teller stürzen. Den Rest Grieben und Fett in den Bräter geben. Den Kuchen mit der Seite ohne Grieben in den Bräter geben und noch einmal etwa 30 Minuten backen. Dann herausnehmen, auf eine vorgewärmte Platte stürzen und servieren.

Schon in einem alten hessischen Kochbuch wird bei dem Verzehr von Dippekuchen vor Gallekoliken gewarnt. Um wie vieles mehr muß diese Warnung dann in unserer Zeit beachtet werden, wo Mägen und Verdauungsorgane an solch üppige Genüsse kaum mehr gewöhnt sind.

„Gekränkt Lewwerworscht!" Name für einen Überempfindlichen (weil: die Leberwurst verdirbt schnell bei Wetterumschwung)

Wie die Nassauer zum „Nassauern" kamen:

Im ganzen Deutschland heißt man einen Schnorrer einen „Nassauer". Und die armen Nassauer leiden darunter zutiefst. Zumal sie um den Ursprung dieses Namens wissen. Denn: Die Nassauer sind's, die einst beschnorrt wurden. Nassau unterhielt nämlich einstmals an der Universität Göttingen zwölf Freitische für seine Studenten. War die Zahl nicht voll, gaben sich Studenten aus anderen Landsmannschaften als Nassauer aus. Sie also nassauerten. Sie fraßen sich kostenlos bei den Nassauern durch. Dieweil Studenten viel reisen, machten sie diese Redensarten an allen deutschen Universitäten bekannt.

Majoranfilets im Apfelbett

Das Fischfilet säubern, mit Zitrone beträufeln und salzen. Die Äpfel schälen, vierteln, entkernen und in dünne Scheiben schneiden. Die Hälfte der Apfelscheiben in eine mit etwas Butter ausgefettete feuerfeste Form geben, mit Salz und Majoran bestreuen. Die Fischstücke darauf verteilen, ebenfalls mit Majoran bestreuen und den Rest der Apfelscheiben darauf geben. Die restliche Butter in Flöckchen darauf verteilen. Das Gericht im vorgeheizten Backofen bei 225 Grad (Gas: Stufe 4) zugedeckt etwa 30 Minuten dünsten. Dann in der Form servieren, dazu Salzkartoffeln und grünen Salat reichen.

Zutaten
für 4 Portionen:
750 g Fischfilet (Goldbarsch)
Saft von 1 Zitrone
Salz
500 g Äpfel, möglichst säuerlich im Geschmack
60 g Butter
Majoran

Arme Ritter aus Roggenbrot

Die großen Brotscheiben halbieren, die kleinen so verwenden und auf eine große flache Platte legen. Eier, Zucker, Salz und Milch verquirlen und über die Brote gießen. Die Brote aufquellen lassen (sie dürfen nicht zerfallen). Dann erst in dem verrührten Eigelb und anschließend in den Semmelbröseln wenden. Butter in einer Pfanne heiß werden lassen. Die panierten Brotscheiben darin auf beiden Seiten knusprig backen. Anschließend das Fett etwas abtropfen lassen. Die Armen Ritter mit Zimt und Zucker bestreuen und so heiß wie möglich essen.

Zutaten
für 2 Portionen:
5 Scheiben altbackenes Roggenbrot (bei kleinen Broten 10 Scheiben)
2 Eier
1–2 EL Zucker
etwas Salz
1 Tasse Milch
2 Eigelb
5 EL Semmelbrösel
Butter zum Braten
Zimt
Zucker

Rheingauer Weinäpfel

Zutaten für 4 Portionen:
½ l Milch
3 Eigelb
10 g Speisestärke
½ Vanillestange
100 g Zucker
4 große Äpfel
4 Walnüsse (oder Haselnüsse)
4 TL Sultaninen (mit 2 TL Zucker, Zimt und 1 TL Butter gemischt)
½ l Rheingauer Riesling

4 EL Milch mit dem Eigelb und der Speisestärke verrühren. Die halbe Vanillestange in der restlichen heißen Milch ziehen lassen. Dann herausnehmen und den Zucker in der heißen Milch auflösen. Die angerührte Speisestärke zugeben und unter ständigem Rühren zum Kochen bringen. Dann kalt werden lassen.
Die Äpfel schälen und das Kernhaus ausstechen. Nüsse fein hacken, mit den Sultaninen, Zucker, Zimt und Butter mischen. Die Mischung in die Apfelhöhlungen füllen. Die Äpfel in eine feuerfeste Form setzen, mit dem Wein übergießen. Die Äpfel im Backofen bei 175 Grad (Gas: Stufe 2) offen garen. In der Form servieren. Die kalte Vanillesauce dazu reichen.

„Mer kann aach aus Trauwe Wei mache." Vermächtnis eines sterbenden Winzers an seine Söhne.

Rheingauer Rebellion:

Es gab einmal eine Zeit, in der die Rheingauer Weinbauern, die heute vier Monate im Jahr ihren eigenen Wein in „Straußwirtschaften" verkaufen dürfen (das ist meist ihre „gut Stubb"), sehr rebellisch waren. Sie rebellierten nämlich gegen ihren Erzbischof in Mainz und wurden evangelisch, wenn auch nur für ein paar Tage. Sie hatten sich zum Diskutieren über's Rebellieren in den riesigen Weinkeller des Klosters Eberbach zurückgezogen. Und vom vielen Reden wurden ihre Kehlen trocken, und so tranken sie den ganzen Wein aus. (Man spricht von 100000 Litern!) Weshalb die sonst sehr gefürchtete, diesmal aber total blaue Schlägertruppe im Handumdrehen von den Mainzern überwältigt und somit wieder katholisch war.

Schnitzelkloß

In einigen abgelegenen kleinen Spessartdörfern erfreut sich die Bevölkerung im Winter an dem folgenden bescheidenen Leibgericht: Man bereitet aus den ersten 8 Zutaten einen Hefeteig, wie er für Hefeklöße üblich ist, und läßt ihn gehen. Währenddessen werden in einem eisernen Topf getrocknete Äpfel, in Hessen Schnitzel genannt, und Backpflaumen (sie heißen in Hessen Dörrzwetschgen) mit 1½ l Wasser kalt angesetzt. Darauf kommt dann der Hefeteig. Gut zugedeckt wird der Topf nun zum Backen bei 200 Grad in den Backofen gesetzt. Wichtig ist, daß sich immer genug Flüssigkeit im Topf befindet und daß der Kloß etwa 5 cm hoch von dem Dörrobstsaft bedeckt wird. Der Deckel bleibt nur so lange auf dem Topf (etwa 40 Minuten), bis der Kloß gar ist, dann läßt man offen nachbräunen. Die braune Kruste mit dem Obstgeschmack ist köstlich.

Zutaten für 4 Portionen:
500 g Mehl
1 TL Salz
250 g Butter
knapp ¼ l Milch
1 Ei
2 Eidotter
30 g Hefe
3 EL Zucker
500 g Äpfel, getrocknet
500 g Backpflaumen, entkernt

Reformierter Tee

Zuerst überbrüht man 1 Teelöffel schwarzen Tee mit 1/2 Liter kochendem Wasser. Dann würzt man 1 Liter Milch mit Zucker nach Geschmack, ein wenig Zimt und Vanille und bringt sie zum Kochen. Den Tee gießt man durch ein Sieb in die heiße Milch und rührt noch 3 bis 4 Eigelb darunter, worauf man alles noch einmal aufkochen läßt.
Man trinkt den reformierten Tee zu Käse- oder Wurstbroten.

Rindswurst „annerster“

Zutaten für 2 Portionen:
6 dünne Scheiben Dörrfleisch (durchwachsener Speck, geräuchert)
1 Rindswurst
1 Apfel
2 Scheiben Käse
1 Tomate

Eine feuerfeste Form mit 3 Scheiben Dörrfleisch auslegen. Die Rindswurst längs halbieren und mit der Schnittfläche nach oben darauf legen. Den Apfel schälen, vierteln, entkernen und in Spalten schneiden. Apfelspalten auf die Wurst legen, darüber die Käsescheiben legen. Zum Schluß die restlichen Dörrfleischscheiben darauf geben. Die Form in den vorgeheizten Backofen schieben, bei 225 Grad (Gas: Stufe 4) etwa 15 Minuten backen. Anschließend mit Tomatenscheiben oder -achteln garnieren und in der Form servieren.

**„Kräppel raus, der Fuchs ist haus,
un wann Ihr mir kei Kräppel gebt,
dann schick ich ihn Euch ins Hühnerhaus!“**

So singen in Hessen zur Fastnachtszeit die maskierten kleinen und großen Narren und ziehen dann mit der empfangenen Gabe singend zum nächsten Haus. „Kräppel“ sind das gleiche, was in Baden und Schwaben Fasnetküchle, in Bayern Schmalzküchle, in Thüringen Krapfen, im Rheinland „Össelkes“ und in Berlin Pfannkuchen genannt wird – ein in Deutschland verbreitetes Hefegebäck, das mit Marmelade gefüllt und in Schmalz gebacken wird. Aber nirgendwo spielen zur Faschingszeit die Kräppel eine größere Rolle als in Hessen. So beliebt sind sie dort, daß es in einem Volkslied heißt:
„Schweinerippchen, Sauerkraut un gedämpfte Äppel un dazu zum Überfluß e große Mahn voll Kräppel.“
Mahn ist die Bezeichnung für einen Waschkorb, und tatsächlich existiert die „Mahn voll Kräppel“ nicht nur im Lied, sondern in vielen Häusern in Wirklichkeit.

Motten und Klöße

Die Kartoffeln am Vortag in der Schale kochen, pellen und abgedeckt kalt aufbewahren. Am nächsten Tag den Schweinenacken in 1 EL Butter ringsum scharf anbraten, beiseite stellen. Die Brötchen in Milch einweichen. Die Karotten putzen und in längliche Stückchen schneiden. Die Zwiebel pellen und fein würfeln. Die restliche Butter in einem Topf zerlassen, die Zwiebel darin glasig braten, dann die Karotten hineingeben. Obendrauf den angebratenen Schweinenacken legen. Den Topf schließen, den Eintopf auf kleiner Hitze langsam garen. Dabei verdampfte Flüssigkeit durch heiße Fleischbrühe ersetzen.
Inzwischen die Kartoffeln reiben und mit Ei verrühren. Die ausgedrückten, gut zerdrückten Brötchen zugeben, mit den Kartoffeln mischen. Den Teig mit Muskat, Salz, Pfeffer und Paprika würzen. Aus dem Teig ziemlich große Klöße formen. Das Fleisch aus dem Topf nehmen. Die Petersilie waschen, grob hacken, unter die Karotten mischen. Die Klöße auf die „Motten" (die Karotten) setzen und garen. Das Fleisch in mundgerechte Stücke schneiden. Vor dem Servieren in den Karotten noch einmal erhitzen. Dann alles in einer großen Schüssel servieren.

**Zutaten
für 6 bis 8 Portionen:
1 kg Kartoffeln
750 g Schweinenacken
2 EL Butter
2 Brötchen, altbacken
etwas Milch
1 ½ kg Karotten
(neue gelbe Rüben)
1 Zwiebel
etwa ½ l Fleischbrühe
1–2 Eier
Muskat
Salz
Pfeffer
Paprikapulver
1 Bund Petersilie**

Motten nennt man in der Wetterau und dem südlichen Vogelsberg die gelben Rüben (Karotten). Zu den deftigen Motten und Klößen, deren Zubereitung zugegebenermaßen sehr einfach ist, trinkt der Bauer aus der Wetterau einen echten Wetterauer Korn.

Rettiche und Tomaten

Man braucht: Tomaten, Rettiche, Essig, Öl, Pfeffer und etwas Salz.
Wenn in den Gärten der Spessartbauern Rettiche und Tomaten reifen, ißt man dort folgenden Salat: Man schneidet einige Tomaten (je nach Größe des Hungers oder der Zahl der Esser) in ganz dünne Scheiben, tut Essig, Öl, Pfeffer und Salz dazu (man macht also einen richtigen Tomatensalat). In eine andere Schüssel gibt man eine dem Tomatensalat entsprechende Menge in Scheiben geschnittene Rettiche. Man salzt sie und läßt sie ziehen. Nach etwa 30 Minuten mischt man Tomaten und Rettiche. Das Gericht, das daraus entsteht, hat einen ungemein würzigen, urwüchsigen Geschmack. Man ißt am besten Butterbrot und Schweizer Käse dazu. Obwohl es sich hier um ein hessisches Gericht handelt, sollte eine Maß bayerisches Bier nicht fehlen.
Es ist übrigens die Kurstadt Wiesbaden, in deren Gärten die Rettiche für das Land Hessen wachsen.

Rote Rüben

Zutaten für 4 Portionen:
500 g rote Rüben (rote Bete)
Salz
2 Zwiebeln
1 TL Meerrettich, geraspelt oder fein
1/8 l Essig, mit Wasser verdünnt
Zucker nach Geschmack
1/2 TL Kümmel (oder 1 Lorbeerblatt)

Damit die Rübenknollen beim Kochen nicht zu stark ausgelaugt werden, die Wurzeln und Blattansätze nicht abschneiden. Die Knollen sorgfältig mit einer Bürste unter fließendem Wasser reinigen. Die geputzten Rüben in kochendes Salzwasser geben und in etwa 1 bis 1 1/2 Stunden darin weich kochen. Dann abgießen und mit kaltem Wasser abschrecken, damit sich die Schalen besser abziehen lassen. Die lauwarmen Knollen schälen und in Scheiben schneiden. Die Zwiebeln pellen und in Ringe schneiden, dann mit den Rüben und dem Meerrettich in dem verdünnten Essig mischen. Mit Salz, Zucker und Kümmel würzen, dann in einem Glas oder einer Schüssel zugedeckt zwei bis drei Tage durchziehen lassen.

Die eingelegten roten Rüben sind in Hessen eine sehr beliebte Beilage zu gekochtem Rindfleisch, zu Bratwurst oder Frikadellen.

Bethmännchen

Die Marzipanrohmasse mit 10 bis 15 g Zucker und etwas Rosenwasser gut durchkneten. Dann etwa 2 cm dick ausrollen und in gleichmäßige Würfel teilen. Aus den Würfeln kleine, kegelförmige Häufchen formen. Die abgezogenen, längs halbierten und noch feuchten Mandeln mit der Spitze nach oben an die Marzipankegel andrücken (3 Stück pro Bethmännchen) und über Nacht trocknen lassen. Das Eiweiß mit dem restlichen Zucker verrühren. Die Bethmännchen damit bepinseln. Auf ein leicht gefettetes Backblech setzen und ganz oben im Backofen bei 100 Grad (Gas: Stufe 1) leicht abbacken, bis die Spitzen hellbraun sind. Ein zweites Backblech zum Abdämmen der Unterhitze einsetzen. Die Bethmännchen dann vom Blech nehmen und mindestens 10 bis 14 Tage gut ausgekühlt in einer Blechdose „reifen" lassen.

Zutaten für 20 bis 25 Stück:
200 g Marzipanrohmasse
20 g feiner Zucker
Rosenwasser (aus der Apotheke)
50 g Mandeln
½ Eiweiß
Fett fürs Backblech

Die Bethmännchen sind die Spezialität Frankfurts. Früher gab es sie nur zu Weihnachten, heute sind die Regeln weniger streng: Die Bethmännchen dürfen das ganze Jahr über gegessen werden. Über ihre Herkunft wird gestritten. Die eine Bethmännchen-Partei führt das Marzipangepäck auf die bekannte Frankfurter Bankiersfamilie Bethmann zurück. Ursprünglich habe der Koch der Familie die Marzipanhäufchen mit 4 Mandelplättchen versehen – für jeden Sohn der Familie eine. Als aber ein Sohn starb, sei die Zahl der Mandeln auf drei verringert worden.
Die andere Bethmännchen-Partei behauptet, die Mandeln sähen aus wie zum Gebet gefaltete Hände.

Bauernfrühstück:

„Frühe, wenn die frohe Lerche der aufgehenden Sonne entgegensteigt und singt, eilt der muntere Pflüger mit seinem Geschirre nach dem Acker, nachdem er einen Schluck Branntewein und ein wenig Brot für das Nüchterne genossen hat." (Karl Wilhelm Justi in seinen „Hessischen Denkwürdigkeiten", 1799 bis 1805)

Frankfurter Brenten

Mandeln erstlich, rat' ich dir
Nimm drei Pfunde, besser vier
(Im Verhältnis nach Belieben).
Diese werden nun gestoßen
Und mit ordinärem Rosen-
Wasser feinstens abgerieben.
Je aufs Pfund Mandeln akkurat
Drei Vierling Zucker ohne Gnad'.
Denselben in den Mörsel bring,
Hierauf ihn durch ein Haarsieb schwing!
Von deinen irdenen Gefäßen
Sollst du mir dann ein Ding erlesen,
Was man sonst eine Kachel nennt,
Doch sei sie neu zu diesem End'!
Drein füllen wir den ganzen Plunder
Und legen frische Kohlen unter.
Jetzt rühr und rühr ohn' Unterlaß,
Bis sich verdicken will die Mass',
Und rührst du eine Stunde voll!
Am eingetauchten Finger soll
Das Kleinste nicht mehr hängen bleiben;
So lange müssen wir es treiben.
Nun aber bringe das Gebrodel
In eine Schüssel (der Poet,
Weil ihm der Reim vor allem geht,
Will schlechterdings hier einen Model,
Indes der Koch auf Ersterer besteht)!
Darinne drück's zusammen gut,
Und hat es über Nacht geruht,
Sollst du's durchkneten Stück für Stück,
Auswellen messerrückendick.
(Je weniger Mehl du streuest ein,
Um desto besser wird es sein.)
Alsdann in Formen sei's geprägt,
Wie man bei Weingebacknem pflegt;
Zuletzt – das wird der Sache frommen –
Den Bäcker scharf in die Pflicht genommen,
Daß sie schön gelb vom Ofen kommen.
(Eduard Möricke)

Goethe, der wohl berühmteste Sohn der Freien und Reichsstadt Frankfurt am Main, liebte Süßigkeiten über alles. Auch als er schon lange in Weimar war, mußte ihm Frau Aja, seine Mutter, nebst Kronberger Kastanien für das Gänsfüllsel mit süßen Brenten aus Frankfurt versorgen. Sie schickte sie ihm per Paket, wovon eines anno 1803 einem Posträuber zum Opfer fiel. Frau Aja beklagte sich darob bei ihrer Schwiegertochter: „... daß aber die Schurken den Confect gefreßen haben, hat mich geärgert."

Gießener Zimtwaffeln

Die Butter schaumig rühren. Zucker, Eigelb und den Zimt zugeben, mit dem Mehl verrühren und zum Schluß das steif geschlagene Eiweiß unterheben. Das Waffeleisen etwas ausfetten, den Teig portionsweise einfüllen und nacheinander Waffeln backen.

Zutaten für etwa 20 bis 40 Waffeln:
125 g Butter
250 g Zucker
2 Eier, getrennt
30 g Zimt
500 g Mehl
Fett für das Waffeleisen

Witz, die Deftigkeit der hessischen Sprache demonstrierend: Rüdesheim. An der Spitze der Himmelfahrtsprozession ziehen weißgekleidete kleine Mädchen. Ein feines, offenbar protestantisches Touristenpaar steht am Straßenrand und schaut zu. Die Dame weiß sich nicht zu fassen vor Entzückung. Recht laut sagt sie zu ihrem Gatten: „Sieh doch, sieh! Die hübschen kleinen Kommunionkinder." Da dreht sich eins der hübschen Kinder um und sagt zu der Dame: „Mer sein doch Engelcher, Ihr Arschlöscher!"

Schmantcreme

1/2 Liter Schlagsahne wird mit 200 g Zucker und etwas Vanille 10 Minuten geschlagen. Daraufhin gibt man 4 weiße und 4 rote Blatt Gelatine (in Wasser aufgelöst und dann ausgedrückt) hinein, füllt alles in eine Glasschale und läßt es steif werden. Statt Sahne kann man auch Buttermilch nehmen. Ist sehr erfrischend!

Thüringen

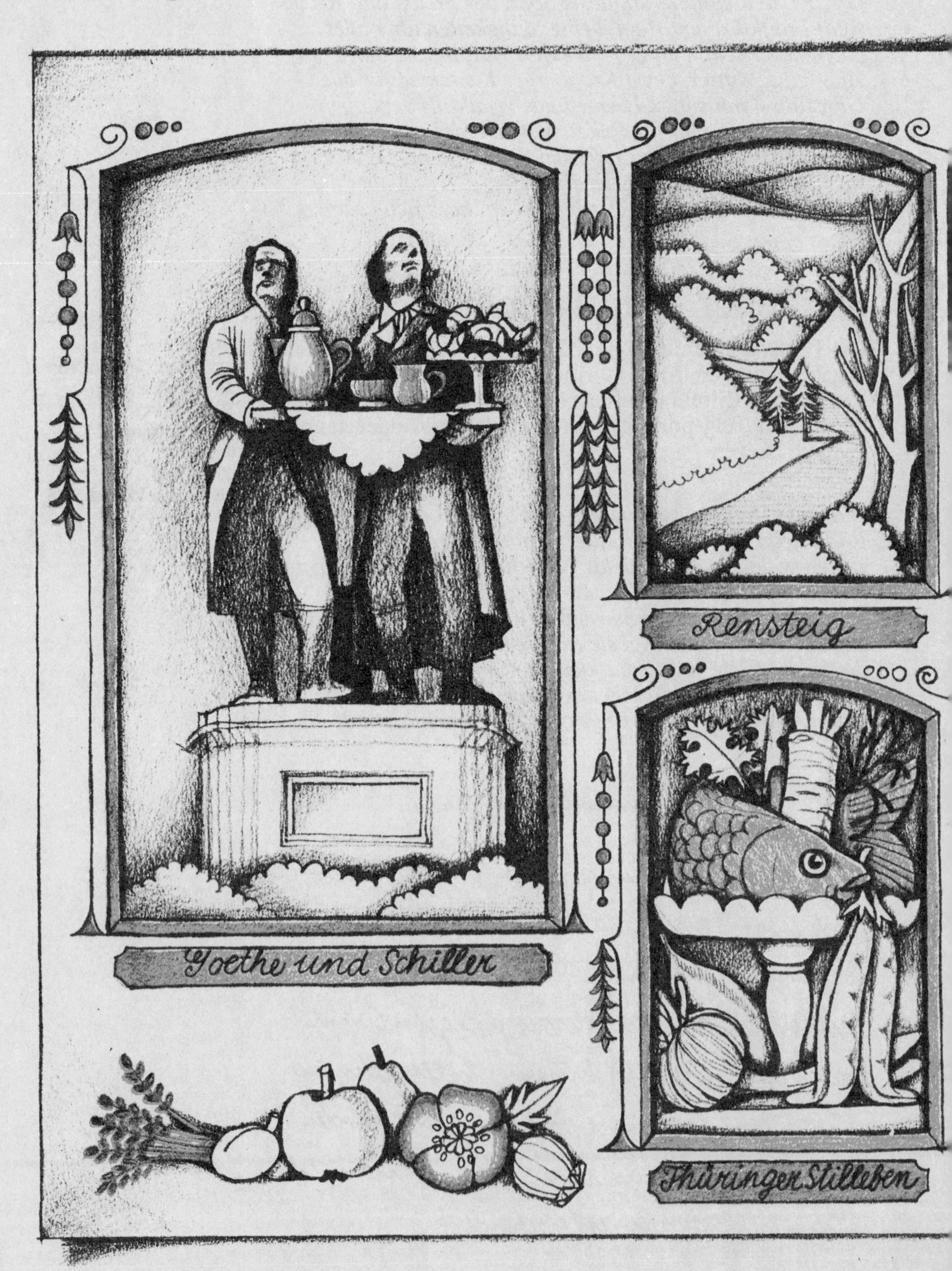

O Herr, gib Regen und Sonnenschein
Auf Greiz und Schleiz und Lobenstein;
Und woll'n die andern auch was ha'n,
So mögen sie dir's selber sa'n!
(Thüringer Gebet)

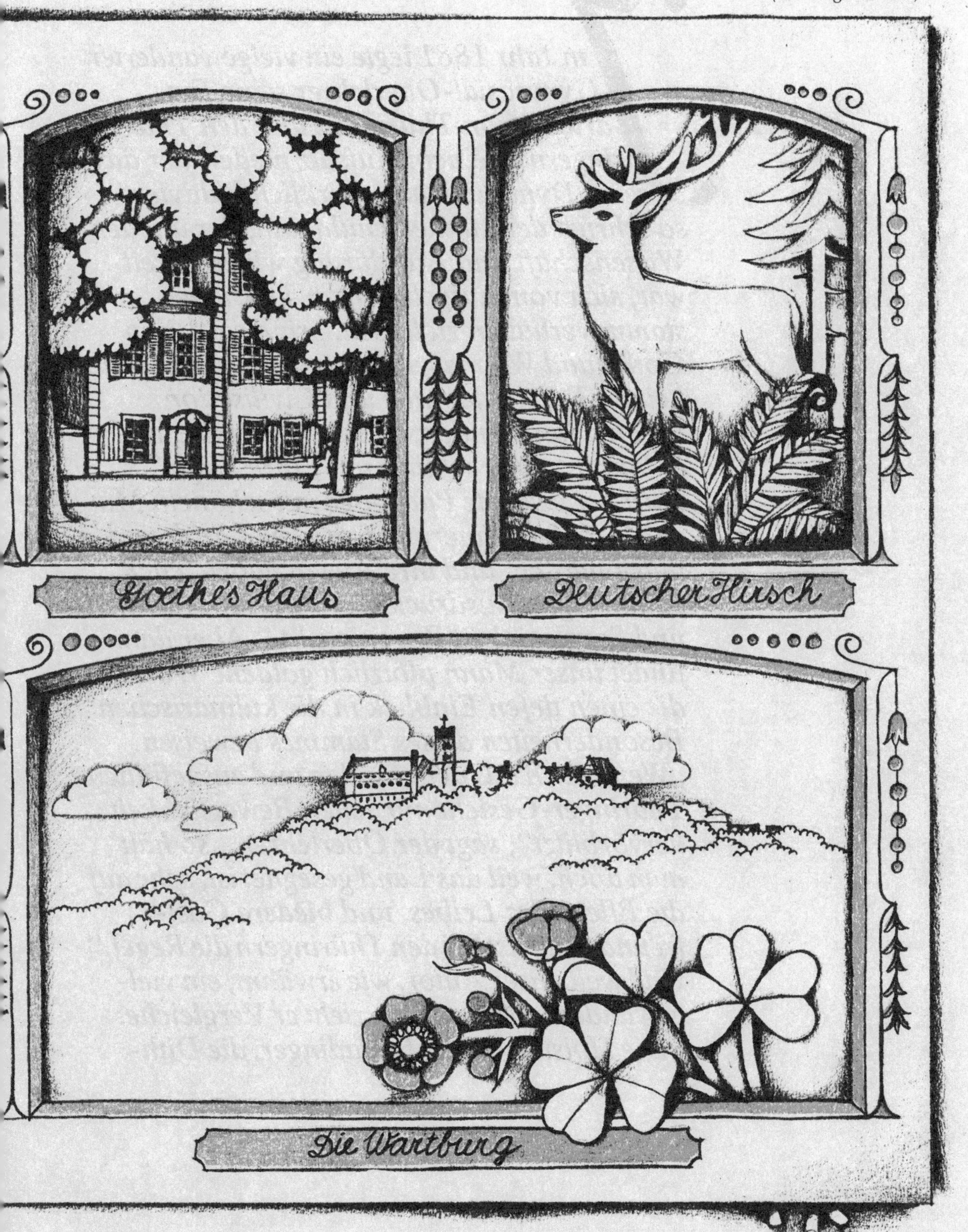

Im Jahr 1881 legte ein vielgewanderter Gymnasial-Oberlehrer seine Eindrücke von Thüringen und den Thüringern in einem Aufsatz nieder, der das reine Dynamit war. „Wirklich kultiviert", so schrieb der kühne Schulmann, der um der Wissenschaft und Aufklärung willen bereit war, sich vom aufgebrachten Thüringerstamm verhauen zu lassen, „sind sie nur in Gotha und Weimar, ansonsten aber haben sie keinen Teil an der Sitte und Civilisation unseres Jahrhunderts." Starker Tobak, aber es kommt noch schlimmer: „Ihre Züge", so fährt der gelehrte Pädagoge mit schönem Mut zur Verallgemeinerung fort, „sind grob und phlegmatisch, und ihre Augen haben jenen einförmigen Ausdruck, der von Zufriedenheit und Sorglosigkeit Zeugnis gibt." Aber dann findet unser Mann plötzlich goldene Worte, die einen tiefen Einblick in die kulinarischen Besonderheiten dieses Stammes beweisen. „Wenn auch aus dem runden und ausgefüllten Thüringer-Gesicht nur selten Beweglichkeit hervorblitzt", sagt der Oberlehrer, „so hält man doch, weil das Land gesegnet ist, sehr auf die Pflege des Leibes, und biedere Gastfreundschaft ist bei den Thüringern die Regel." Und weil unser Autor, wie erwähnt, ein vielgewanderter Mensch ist, zieht er Vergleiche: „Die Holsteiner, die Butjadinger, die Dith-

marscher, sie alle treiben großen Aufwand bei Speise und Trank, aber ihr Essen und Trinken dient nur dazu, ihre Sorgen niederzudrücken, während der Thüringer als einziger Deutscher schmaust um des Schmausens willen!" Und er versteigt sich sogar zu dem Satz: „Nur in Thüringen ist die Lustigkeit etwas Positives! Und selbst dort, wo der Acker weniger gesegnet ist, ißt und trinkt man leichten Herzens und des kommenden Tages nicht eingedenk." Was wir auch Ihnen, verehrte Leserin und geehrter Leser, beim Verzehr der nachfolgenden Thüringer Kost wünschen möchten.

Aschkloß, auch Aschkuchen genannt

Zutaten
für 6 bis 8 Portionen:
1½ kg rohe Kartoffeln
500 g gekochte Kartoffeln
2 EL Mehl
250 g durchwachsener Speck
etwas Salz
150 g Backpflaumen (ohne Stein)
Öl zum Braten
2 Brötchen
1 l Milch
2–3 Eier

Die rohen Kartoffeln schälen, waschen, dann in Wasser reiben und gut mit der Hand auspressen. Die gekochten Kartoffeln durch die Kartoffelpresse drücken und mit dem Mehl zu den rohen Kartoffeln geben. Den Speck würfeln und in die Kartoffelmasse mischen. Den Kartoffelteig eventuell mit etwas Salz würzen. Die Backpflaumen etwas zerkleinern, auch in den Teig mischen.
Eine tiefe Pfanne (einen Bräter) mit Öl ausreiben, den Kartoffelteig einfüllen. Die Brötchen in Scheiben schneiden und auf die Kartoffeln legen. Die Milch mit den Eiern verquirlen, etwas salzen und über die Brötchen gießen. Den Bräter in den vorgeheizten Backofen stellen. Den Aschkloß bei 225 Grad (Gas: Stufe 4) etwa 1 Stunde backen. Dann herausnehmen, in Semmelgröße aufschneiden und mit frisch gebrühtem Kaffee servieren.

Aschkuchen andere Art

Den Boden eines Bräters mit dünnen Speckstreifen auslegen. Roh geriebene, ausgepreßte Kartoffeln ungefähr 3 cm dick darauf streichen. Entsteinte Kirschen oder geschälte Birnen darauf verteilen. Zum Schluß die Milch mit reichlich Eiern verquirlen, etwas Mehl und gewürfelte Brötchen untermischen und als Schicht über die Kartoffeln gießen. Dann auch bei 225 Grad (Gas: Stufe 4) im vorgeheizten Backofen etwa 1 Stunde backen.

Barbarossa und die Aschklöße:

Am Fuße des Kyffhäusers liegt das kleine Dörfchen Riethnordhausen, dessen Existenz eigentlich nur deshalb bemerkenswert ist, weil seine Einwohner tagaus, tagein Aschklöße essen, und zwar des morgens, am Mittag und zur Nacht. Was darauf schließen läßt, daß es mit weltlichen Gütern nicht eben reich gesegnet war. Was wiederum die scharfzüngigen Nachbarn keineswegs davon abhielt, die Riethnordhäuser selber als „Aschkließa", als Aschklöße zu bezeichnen. Es wird sogar behauptet, daß Kaiser Barbarossa, der ja bekannterweise im Kyffhäuser sitzt, seit Urzeiten dort auf Aschklöße wartet, aber keine bekommt, weil die Riethnordhäuser sie selber essen, sobald sie aus dem Backhaus kommen, wo sie nach alter Sitte gebacken werden.

Feine Kräutersuppe

Das Bries in lauwarmem Wasser etwa 20 Minuten wässern. Dann die Häutchen abziehen. Die Kräuter sehr fein hakken. Die Fleischbrühe zum Kochen bringen, den Sago darin ausquellen lassen. Das Kalbsbries in Würfelchen schneiden, zusammen mit den Kräutern in die Brühe geben und 5 Minuten auf kleiner Hitze ziehen lassen. Eigelb, Sahne und Weißwein verquirlen. Die Suppe damit legieren, dann mit Zitronensaft und Salz abschmecken. Die Brötchen würfeln, in der Butter goldgelb rösten, getrennt zur Suppe reichen. Einen frischen grünen Salat dazu servieren.

Zutaten für 4 Portionen:
250 g Kalbsbries
je 1 Portion Kerbel, Sauerampfer, Spinat
je ½ Portion Tripmadam, Petersilie, Pimpernelle
1 l Fleischbrühe
30 g Sago
2 Eigelb
2 EL süße Sahne
6 EL Weißwein
1 EL Zitronensaft
Salz
2 Brötchen
Butter zum Rösten

Von der Eichsfelder Sparsamkeit:

Vor der Kirmes ist großes Reinemachen beim Bauern. Alle Ecken werden umgewühlt, nichts bleibt auf seiner Stelle, überflüssiges Gerümpel wird aussortiert. Unter anderem auch ein ramponierter Regenschirm, der sich durch eine außerordentliche Anzahl von Löchern auszeichnet. Die Bäuerin stellt ihn also in die Gerümpelecke, der Bauer sieht das, nimmt den Schirm und räsoniert: „Im Huse rümm geht he noch!" (Im Hause geht der noch.)

Rippenbraten

Zutaten für 4 Portionen:
1 kg Schweinerippe (auch Nacken oder Schmorrippe)
1 EL Kümmel
einige Pfefferkörner
250 g Zwiebeln
6 Wacholderbeeren

Das Stück Rippe mit dem gehackten Kümmel kräftig einreiben. Dann in einem gut schließenden Schmortopf mit ¼ l Wasser, den Pfefferkörnern, den grob zerteilten Zwiebeln und den zerdrückten Wacholderbeeren etwa 1½ Stunden auf kleiner Hitze leise schmoren lassen. Dabei bildet sich ein dunkler Saucenfond. Das Fleisch aus dem Fond nehmen und warm halten. Den Fond durch ein Sieb geben und getrennt zur Rippe reichen. Das Rippenstück vor dem Servieren portionieren. Zum Rippenbraten Thüringer Klöße oder Salzkartoffeln reichen.

Gebratene Hammelkeule auf Thüringer Art

Man braucht für 4 bis 6 Portionen: 1 Hammelkeule, 20 frische Salbeiblätter, Salz und reichlich Kümmel, etwas Schwarzbrotrinde, vielleicht Semmelbrösel, auch etwas Kartoffelmehl.
Wichtige Bemerkungen zum Hammel:
Der Hammel muß fett sein und dunkel im Fleisch. Im Winter kann er 8 bis 10 Tage hängen, darf aber nie Frost kriegen. Ganz frischer Hammel ist zäh, deshalb muß er mindestens 3 Tage hängen.
Zubereitung: Die schöne fette Hammelkeule klopft man tüchtig und spickt sie vorsichtig in der Fettschicht (nicht im Fleisch!) mit den Salbeiblättern. Dann legt man die solchermaßen vorbereitete Hammelkeule mit der runden Seite nach oben in die Bratpfanne, salzt sie und bestreut sie mit Kümmel. Sodann gießt man neben die Keule (nicht darauf!) reichlich kochendes Wasser (etwa 2 Finger hoch) und deckt den Bräter ab. Jetzt läßt man die Keule bei mittlerer Hitze in der Bratenröhre weich werden. Nach 1 Stunde wird sie gewendet. Nach einer weiteren Stunde abermals. Nun schöpft man den größten Teil der fetten Sauce ab und läßt statt dessen die Schwarzbrotrinde mitbraten. Die Keule kann zusätzlich auch mit Semmelbröseln bestreut werden. Jetzt wird die Keule nicht mehr zugedeckt, man brät sie im Gegenteil knusprig und begießt sie deshalb mit der abgeschöpften fetten Sauce. Dann macht man die Bratensauce, sollte sie nicht sämig genug sein, mit dem Kartoffelmehl fertig. Zum Schluß muß die Keule schön braun und knusprig sein und die Sauce sämig, aber nicht dick. Thüringer Klöße sind die richtige Beilage.

Kindtaufschüssel

Die Kalbsbrust in 30 g Butter rundherum anbraten. Das geputzte, grob zerkleinerte Suppengrün zugeben und auch anbraten. Dann 2 l Wasser zugießen und mit Salz und Pfeffer würzen. Die Kalbsbrust etwa 1½ Stunden leise kochen lassen, jetzt das Fleisch aus der Brühe nehmen, etwas abkühlen lassen und das Fett abschneiden. Das Fleisch in Portionsstücke teilen und beiseite stellen. Die Semmelbrösel und das Mehl in der restlichen Butter gut anrösten, mit ¾ l von der Kalbsbrühe auffüllen und bei milder Hitze kochen lassen. Die Rosinen, die abgetropften Kapern, Zitronensaft und -schale und die gehackten Mandeln in die Sauce geben. Auch das Fleisch wieder in die Sauce legen und noch einmal 10 Minuten darin ziehen lassen. Dann anrichten und mit Bandnudeln reichen.

Zutaten für 4 Portionen:
1 ½ kg Kalbsbrust (am besten von der Spitze)
75 g Butter
1 Bund Suppengrün (möglichst groß)
Salz
Pfeffer
30 g Semmelbrösel
1 EL Mehl
100 g Rosinen
50 g Kapern (ohne Saft)
2 EL Zitronensaft
Schale von ½ Zitrone
8 Mandeln, gehackt

Kartoffelkuchen

Man macht einen Teig aus: 1 l geriebenen Kartoffeln, 1/4 l Mehl, 1/4 l Butter, 3 Eiern und 2 Eßl. Zucker. den Teig rollt man ganz dünn aus und legt ihn auf ein gefettetes Backblech, streicht 50g Butter obendrüber, bäckt das Ganze bei 225 Grad etwa 25 Minuten. Dann nochmal Butter draufstreichen und Zucker und Zimt drüberstreuen.
Reicht für 2 Bleche!

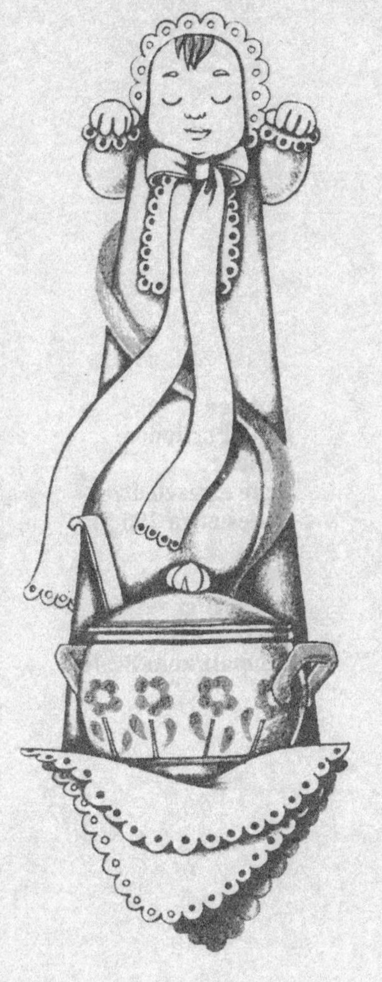

Löffelnocken

Zutaten für 4 Portionen:
500 g Rindfleisch
125 g Speck
2 Eier
2 EL Weißwein
1 EL gehackte Kräuter (Petersilie, Estragon, Basilikum)
abgeriebene Schale von ½ Zitrone
1 kleine Zwiebel
3 Sardellenfilets
1 EL Semmelbrösel
1 EL Mehl, Salz
50 g Butter
½ l Brühe

Das Rindfleisch und den Speck durch den Fleischwolf drehen. Dann daraus mit den Eiern, dem Wein und den feingehackten Kräutern, der Zitronenschale, gehackter Zwiebel, gehackten Sardellen, Semmelbröseln und Mehl einen Hackfleischteig machen. Eventuell mit Salz würzen. Aus dem Fleischteig mit 2 nassen Eßlöffeln Klöße (Nocken) abstechen. Die Butter in einer tiefen Pfanne zerlassen. Die Nocken darin rundherum leicht anbraten. Die Brühe zugießen, die Nocken darin auf milder Hitze in etwa 10 bis 15 Minuten gar ziehen lassen. Sie werden in der Brühe zu Kartoffelsalat oder grünem Salat serviert.

Wie der Thüringer einen Zugereisten erkennt:

Ein Thüringer erkennt einen Zugereisten, indem er ihn beim Verzehr einer Thüringer Rostbratwurst beobachtet. Nimmt der Mensch dazu nämlich Messer und Gabel, kann es sich nur um einen Fremden handeln. Ein Thüringer hingegen legt die Thüringer Rostbratwurst, die mindestens zweimal beim Braten geplatzt sein muß, nach alter Sitte zwischen zwei Semmelhälften und ißt sie mit viel Genuß aus der Hand.

Rostbrätel

Zutaten für 4 Portionen:
4 dicke Schweineschnitzel (jedes etwa 200 g)
Salz
Pfeffer
helles Bier zum Bestreichen
Schmalz zum Braten

Die Schweineschnitzel mit Salz und Pfeffer kräftig würzen und mit Bier bestreichen. In einer Pfanne das Schmalz erhitzen, die Schnitzel darin unter häufigem Wenden von beiden Seiten knusprig braun braten. Dabei öfter mit Bier bestreichen. Dann aus der Pfanne nehmen, das Fett etwas abtropfen lassen und mit scharfem Senf und Brot essen.

Daß die Thüringer ihre Rostbrätel nicht in der Pfanne, sondern auf dem Rost gebraten haben (wie so vieles andere Fleischerne auch), sagt ja schon der Name. Wichtig ist nur, daß das Brätel beim Braten oder Grillen so oft wie möglich gewendet und dabei mit Bier bestrichen wird. Es muß, wenn es fertig ist, recht naß sein und im Falle des Grillens an den Rändern etwas geschwärzt von der Holzkohle.

Kalbfleisch mit Stachelbeersauce

Das Kalbfleisch in 1 l kaltem Salzwasser aufsetzen, etwa 45 Minuten auf kleiner Hitze leise kochen lassen. Die Butter in einem Schmortopf heiß werden lassen, das gut abgetropfte Kalbfleisch darin rundherum anbräunen. Dann die gewaschenen Stachelbeeren, den Wein und Zucker und Zimt zugeben. Alles auf milder Hitze noch einmal 45 Minuten schmoren. Wenn nötig, etwas von der Kalbsbrühe zugießen. Aber nicht zu oft umrühren, damit die Stachelbeeren nicht ganz zermusen. Die Sauce zum Schluß mit süßer Sahne verrühren und noch einmal abschmecken. Das Fleisch in Scheiben schneiden, mit etwas Sauce begießen. Die restliche Sauce getrennt servieren. Dazu außerdem Knödel und einen frischen Salat bereitstellen.

Zutaten für 4 Portionen:
1 kg Kalbsschulter, mager
Salz
50 g Butter
150 g Stachelbeeren, unreif
6 EL Weißwein
1 EL Zucker
Zimt
1/8 l süße Sahne

Rindfleisch auf Bettelmanns-Art

Das gekochte Rindfleisch von den Knochen lösen und das Fett abschneiden. Das Fleisch in mundgerechte Stücke schneiden und in der Bouillon warm halten, in der es eben gekocht wurde. Die Kräuter fein hacken, die Zwiebel klein würfeln. Alles in der Butter andünsten, dann mit 1/8 l von der Bouillon aufgießen. Das Fleisch aus der Bouillon nehmen, in den Sud legen und noch einmal 15 Minuten leise kochen lassen. Dann auf einer vorgewärmten Platte anrichten. Die Sauce mit Senf, Essig und dem Zucker verrühren. Kleingehackte Kapern und die feingewürfelte Gewürzgurke zugeben. Die Sauce zum Fleisch reichen. Dazu außerdem Kartoffelklöße servieren.

Zutaten für 4 Portionen:
1 kg Querrippe, frisch gekocht
1 TL Thymian, frisch
1 EL Basilikum, frisch
1 TL Estragon, frisch
1 Zwiebel
50 g Butter
1 EL Senf
1 EL Essig
1 TL Zucker
1 EL Kapern
1 Gewürzgurke

Thüringer Klöße

Zutaten
für 6 bis 8 Portionen:
3 kg rohe Kartoffeln,
möglichst große
Salz
4 Brötchen
Butter zum Rösten

2 kg Kartoffeln schälen, waschen, dann gut abgetropft auf einer Reibe fein reiben. Damit der Kartoffelteig schön weiß bleibt, reibt man die Kartoffeln direkt ins Wasser. Dann preßt man sie in einem Stück Stoff so trocken wie möglich aus. (Jeder Thüringer Haushalt hatte dafür einen festen Hanf- oder Leinensack und eine Kartoffelpresse, in der die Kartoffeln so trocken wie möglich ausgepreßt wurden.) Beim Auspressen den Kartoffelsaft auffangen, weil bei der Teigzubereitung die sich im Wasser absetzende Kartoffelstärke mitverwendet wird. Das restliche Kilo Kartoffeln auch schälen, waschen, dann aber würfeln, gut mit Wasser bedecken, gar kochen, dann mit der Flüssigkeit durch ein Sieb streichen. Den Kartoffelbrei noch einmal stark aufkochen lassen.

Die ausgepreßten Kartoffeln zwischen den Fingern auflokkern und zerreiben, dann leicht salzen. Die gewonnene Kartoffelstärke zugeben, den heißen Kartoffelbrei zugeben (Vorsicht: Kartoffelbrei kann sehr spritzen!). Die rohen und die gekochten Kartoffeln mit einem Holzlöffel gut miteinander mischen. Die rohen Kartoffeln müssen dabei von den heißen Kartoffeln gewärmt (gebrüht) werden. Eventuell noch etwas heißes Wasser zugeben. Wenn der Kloßteig richtig gelungen ist, sieht er ein bißchen grün aus.

Die Brötchen würfeln und in der Butter goldbraun rösten. Aus dem Kloßteig Klöße formen und die Brötchenwürfel hineinfüllen. In einem weiten Topf reichlich Salzwasser erhitzen. Die Klöße darin in 20 Minuten gar ziehen, aber nicht kochen lassen. Dann mit einer Schaumkelle herausheben und in eine Schüssel legen, in der auf dem Boden eine umgedrehte Untertasse liegt, damit die Klöße noch abtropfen können und dabei nicht zusammenkleben.

Von der rechten Beschaffenheit Thüringer Klöße:

Thüringer Klöße müssen konsistent sein, aber beileibe nicht fest. Es bekommt ihnen gut, wenn man etwas geröstetes Brot in den Kloßkern steckt. Sie dürfen nicht zu geschmeidig sein, und was ihre Farbe betrifft, so steht ihnen ein zartester Hauch Grün – aber der denkbar zarteste Hauch! – vorzüglich. Dieses kaum als Grün zu bezeichnende Grün schlägt gewissermaßen von innen nach außen durch – es verbürgt, daß die Klöße aus rohen Kartoffeln gemacht sind. Es unterspielt das Weißgrau des Gesamtballes. Und was den Geschmack betrifft, so steht für den Kenner fest, daß es unmöglich ist, sich an Thüringer Klößen nicht zu überessen, wenn es wirkliche Thüringer Klöße sind. Sie müssen zur Unmäßigkeit verführen. Man darf ihrem Reiz, ihrer Lockung nicht widerstehen können. Zur Herstellung Thüringer Klöße echter Art bedarf es einer gewissen Leidenschaft – es bedarf vor allem der leidenschaftlichen Köchin.
(Rudolf Hagelstange)

Schusterpastete

Die Pellkartoffeln pellen und in Scheiben schneiden. Dann mit dem gewürfelten Schinken und der gehackten Zwiebel in der Butter anrösten. Eine Auflaufform ausfetten. Zuerst eine Schicht Kartoffeln hineinlegen, darüber Braten- und Heringsstücke legen. Weiter schichten, bis alles eingefüllt ist. Die oberste Schicht müssen Kartoffeln sein. Die Sahne mit Ei und Mehl verquirlen, mit Salz und Pfeffer würzen, dann über die Kartoffeln gießen, und die restliche Butter in Flöckchen darauf setzen. Die Form in den vorgeheizten Backofen schieben. Die Pastete bei 200 Grad (Gas: Stufe 3) etwa 30 Minuten backen. Dann herausnehmen und in der Form servieren. Dazu einen frischen Salat reichen.

Zutaten für 4 Portionen:
500 g Pellkartoffeln
100 g roher Schinken
1 große Zwiebel
75 g Butter
Fett für die Form
250 g Bratenreste
2 Bismarckheringe
¼ l saure Sahne
1 Ei
1 EL Mehl
Salz
Pfeffer

Pfaffenstück

Zutaten für 4 Portionen:
100 g fetter Speck, in dünnen Scheiben
1 Zwiebel
1 kleine Möhre
1 Bund Petersilie
Basilikum
Thymian
Estragon
schwarze Pfefferkörner
1 Lorbeerblatt
einige Nelken
1 kg Rindfleisch (aus der Keule)
Salz

Einen gut schließenden Schmortopf, der die Größe des Fleischstückes haben sollte, mit der Hälfte der Speckscheiben auslegen. Die geschälte Zwiebel und die geputzte Möhre hacken, auf die Speckscheiben geben. Ebenso die grob gehackte Petersilie und die übrigen Kräuter und Gewürze. Das Fleisch salzen und in den Topf legen. Die restlichen Speckscheiben darauf legen und mit etwa ½ l Wasser begießen. Den Topf in den vorgeheizten Backofen stellen. Das Fleisch bei 180 bis 200 Grad (Gas: Stufe 2–3) im verschlossenen Topf in 4 bis 5 Stunden langsam weich schmoren lassen. Dann herausnehmen und im abgeschalteten Backofen warm stellen.
Die Sauce durch ein Sieb gießen und, wenn nötig, entfetten. Danach ein wenig einkochen lassen und getrennt zum Fleisch reichen, das erst bei Tisch aufgeschnitten wird.

Die lange Garzeit erklärt sich aus den Usancen des sonntäglichen Gottesdienstes, der ja, wenn der Pfarrer ein rechter ist, seine Zeit dauern kann. Des Pfarrers Haushälterin mußte also den Braten beizeiten in die Röhre schieben, wollte sie selbst am Gottesdienst teilnehmen und sollte der Herr Pfarrer, von den geistlichen Anstrengungen gehörig geschwächt, gleich danach tüchtig zugreifen können.
Das so zubereitete Rindfleisch wurde von den Herren der Geistlichkeit in der Gegend um Gera und in Gera selber auf das äußerste bevorzugt. Sie aßen es mit einer Schüssel voll von dampfenden Thüringer Klößen.

Thüringer Blutwurst mit sauren Linsen

Zutaten für 4 Portionen:
350 g Linsen
2 Stangen Porree
1 Petersilienwurzel
1 Stück Sellerie
2 Möhren, Salz
2–3 EL Essig
100 g durchwachsener Speck, 2 Zwiebeln
500 g frische Thüringer Blutwurst

Die Linsen am Vortag in Wasser einweichen.
Den Porree, die Petersilienwurzel, den Sellerie und die Möhren putzen, waschen, abgetropft in kleine Stücke schneiden und mit den Linsen im Einweichwasser auf milder Hitze 1 bis 1¼ Stunden garen. Anschließend mit Salz und Essig kräftig-pikant abschmecken.
Den Speck würfeln und in einer Pfanne auslassen. Die fein gewürfelten Zwiebeln darin kroß braten. Speck- und Zwiebelwürfel über die Linsen geben. Die Blutwurst im Speckfett anbraten. Dann mit den Linsen und Salzkartoffeln servieren. Bier und Korn bereitstellen.

Diebichen

Grundrezept: Aus Mehl, Milch, 1 Ei, 1 Prise Salz und Zucker nach Geschmack einen Kloßteig zubereiten.
Mit 2 nassen Löffeln Klöße daraus abstechen. Die Klöße in Salzwasser in 10 bis 15 Minuten gar ziehen, aber nicht kochen lassen.
Zutat im Frühjahr: Ganz junger Raps wird wie Spinat zubereitet und über den Diebichen angerichtet.
Zutat im Frühsommer: Unter den angerührten Kloßteig werden reichlich entkernte Süßkirschen gezogen.
Das Kochwasser wird mit Mehl und Milch zu einer Suppe gebunden, die mit Gewürzen süß abgeschmeckt wird.
Zutat im frühen Herbst: Erst werden die Diebichen in der Kloßbrühe und dann entkernte Birnenviertel darin gegart.
Zutat im Herbst: Die Diebichen werden mit geschmorten Zwetschgen angerichtet.
Zutat im November, zu Martini: Man bereitet sie zu Gänseklein, das in Gänseblut mit Rosinen sauer gekocht wird.
Zutat im Winter: Erst weicht man gemahlenen Mohn und Rosinen in Milch ein. Dann gibt man beides in den Kloßteig. Die Klöße können in Salzwasser, aber auch in süßer Milch gegart werden.

Warmbier in Tassen

Eine Flasche helles und eine Flasche dunkles Bier zum Kochen bringen. 3 Eier mit 1/4 Liter Milch verquirlen, zum Bier gießen, mit einem Gläschen Arrak verfeinern. 1 Teelöffelchen Butter reingeben und zum Schluß mit Zucker und Zimt abschmecken. Recht heiß aus Tassen trinken.

Hasensuppe

Zutaten für 4 Portionen:
750 g Hasenklein
100 g Butter
1 große Zwiebel
3 Wacholderbeeren
1 Lorbeerblatt
einige Nelken und Pfefferkörner
1 Möhre
1 Stück Sellerie
¼ l Rotwein
1 EL Fleischextrakt
30 g Mehl
⅛ l Madeira
2 Brötchen

Das Hasenklein in 50 g Butter anrösten, gewürfelte Zwiebel zugeben und mitrösten. Die zerdrückten Wacholderbeeren, das Lorbeerblatt, Nelken, Pfefferkörner, die gewürfelte Möhre und den gewürfelten Sellerie zugeben, gut durchschwitzen, dann mit dem Rotwein ablöschen, den Fleischextrakt und 1 l Wasser zugeben. Die Suppe etwa 2 Stunden auf kleiner Hitze leise kochen lassen.
In 30 g Butter das Mehl goldbraun anrösten, Wildbrühe durch ein Sieb zugießen, die Mehlschwitze damit ablöschen. Dabei das Wildfleisch und das Gemüse mit durch das Sieb drücken. Die Suppe mit Madeira verfeinern. In der restlichen Butter die gewürfelten Brötchen anrösten, aber erst beim Servieren mit in die Suppe geben.

Altenburger Braten

Zutaten für 6 bis 8 Portionen:
je 1 TL Basilikum, Thymian, Estragon, Bohnenkraut und Salz
1 kg Ochsenfleisch (am besten Stertstück)
50 g fetter Speck
1 große Zwiebel
½ Zitrone
¼ l Rotwein
1 TL Meerrettich
Prise Zucker

Am Vortag die Kräuter mit dem Salz mischen. Das Fleisch waschen, trockentupfen, dann mit der Kräuter-Salz-Mischung gründlich einreiben und über Nacht abgedeckt kühl stellen, damit das Aroma einziehen kann.
Am nächsten Tag den Speck in dünne Streifen, die geschälte Zwiebel in Ringe schneiden. Die Speckstreifen in einem Schmortopf auslassen, die Zwiebel darin glasig braten. Dann die Zitronenscheiben auf die Zwiebel legen, darauf das Fleisch setzen. 3 bis 4 EL Rotwein angießen, den Topf schließen und in den vorgeheizten Backofen auf die mittlere Einschubleiste setzen. Das Fleisch bei 200 Grad (Gas: Stufe 3) in etwa 2 Stunden langsam gar schmoren. Dabei öfter wenden und bei Bedarf etwas Rotwein angießen.
Nach der Garzeit das Fleisch herausnehmen und warm stellen. Die Sauce durch ein Sieb in einen Topf gießen. Den restlichen Rotwein zugießen und den Meerrettich zugeben. Die Sauce 10 Minuten kräftig kochen lassen, dann mit Zukker abschmecken. Das Fleisch in Scheiben schneiden, auf einer vorgewärmten Platte mit Kartoffelklößen anrichten. Die Sauce extra reichen. Außerdem Salat dazu servieren.

Altenburg ist übrigens „die" Spielkartenstadt Deutschlands. Das Schloß beherbergt ein wunderschönes Spielkartenmuseum.

Hüllchen oder Hüllerchen

Zutaten für 4 Portionen:
750 g Kartoffeln
Salz
3 EL Kartoffelmehl
100 g Butter
250 g durchwachsener Speck
500 g Zwiebeln

Die Kartoffeln schälen, waschen, dann in etwa ½ l Salzwasser gar kochen, abgießen, abdämpfen, dann mit dem Kartoffelstampfer zerdrücken oder durch die Kartoffelpresse drücken. Das Kartoffelmehl unter ständigem Rühren zugeben, bis sich der Teig leicht zieht.
Die Butter erhitzen, den gewürfelten Speck darin ausbraten. Jetzt im Fett die gewürfelten Zwiebeln glasig braten. Aus der Kartoffelmasse kleine Bällchen drehen. Die Bällchen in die Specksauce geben und unter ständigem Rütteln backen, bis sie glasig aussehen. Dann sind sie gar. Werden die Bällchen beim Backen nicht gerüttelt, bekommen sie kleine knusprige Bäckchen.

Die Hüllchen wurden in Thüringen in dem Tiegel, in dem sie gebacken wurden, auf den Tisch gestellt. Dazu gab es frisch aufgebrühten Kaffee.

Der schätzenswerthe Hof von Sachsen-Gotha hat es mir angethan. Hier sei noch eine merkwürdige Gepflogenheit festgehalten. Vor und nach der Tafel stellt sich der Hofmarschall dem Herzog und der Herzogin gegenüber auf, mit einem Pagen zur Seite. Auf ein Zeichen des Marschalls spricht der Page das Tischgebet. Ich finde das sehr artig, wenn sich nur die hohen Herrschaften dabei nicht unterhalten, sondern gebührendes Schweigen bewahren wollten! Die Tafel war mittags ausgezeichnet, abends eher bescheiden.
(James Boswell)

Karpfen auf Thüringer Art

Zutaten für 4 Portionen:
1 Karpfen, etwa 2 kg
Essig zum Begießen
Salz
1 Bund Suppengrün
2 Lorbeerblätter
Pfefferkörner
1 Zwiebel
1 Stückchen Ingwer, getrocknet oder frisch (besser ist frischer)
250 g Weintrauben
2 Äpfel (Cox orange)
4 EL Meerrettich, frisch gerieben
Zucker nach Geschmack

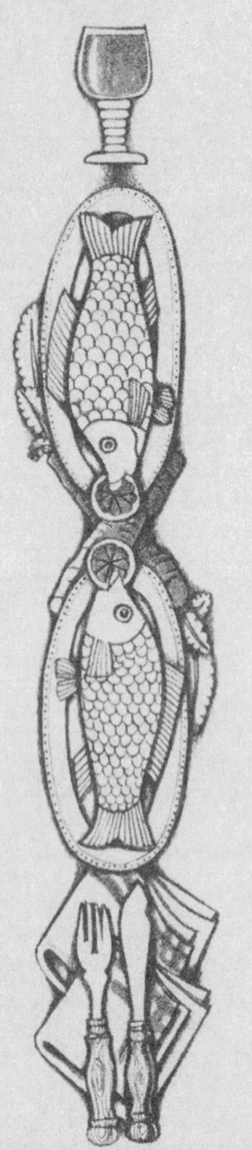

Karpfen vom Fischhändler säubern und in 4 Portionen schneiden lassen. Zu Hause vorsichtig waschen und mit heißem Essig übergießen. 3 l Salzwasser mit dem geputzten, grob zerkleinerten Suppengrün, den Lorbeerblättern, Pfefferkörnern, der geschälten Zwiebel und dem Ingwer zum Kochen bringen. Die Fischstücke hineingeben und etwa 30 Minuten leise ziehen lassen.
Inzwischen die Sauce zubereiten: Die gewaschenen Weintrauben durch ein Sieb streichen. Die Äpfel schälen, vierteln, entkernen und dann raspeln. Passierte Weintrauben mit den geraspelten Äpfeln mischen, zum Schluß den feingeriebenen Meerrettich zugeben, alles mit Salz und Zucker abschmecken.
Die Karpfenstücke aus dem Sud heben, auf einer vorgewärmten Platte anrichten. Die Sauce extra reichen. Außerdem Butterkartoffeln dazu servieren.

Die Dichterfürsten und die Zwiebel:

Der Ursprung des Weimeraner Zwiebelmarktes liegt im dunkeln. Ein offenes Geheimnis und überliefert ist dagegen, daß der Geheimrat Goethe zu der Zeit, als der Zwiebelmarkt vor seinem Haus am Frauenplan gehalten wurde, hier seinen Jahresbedarf an Zwiebeln deckte und die zu Zöpfen geflochtenen Früchte ganz patriotisch an seinen Fenstern aufhängen ließ. Heute findet der Weimeraner Zwiebelmarkt vor Schillers Wohnhaus in der Schillerstraße statt, und nach wie vor breiten hier die Händler ihre Zwiebeln und den Knoblauch, die Rettiche, den Sellerie, den Porree und alle anderen Küchenkräuter vor den Kunden aus.

Schleie auf Greizer Art

Schleie vom Fischhändler säubern und in 4 Portionen teilen lassen. Zu Hause waschen, mit Zitronensaft beträufeln und salzen. Dann gut durchziehen lassen.
Die Hälfte der Butter in einem gut schließenden Schmortopf schmelzen lassen. Die Schleiestücke, Sardellenfilets, Zwiebelscheiben und gehackte Petersilie im Wechsel einschichten. Die letzte Schicht sollten Schleiestücke sein. Mit Zitronenscheiben und der restlichen Butter in Flöckchen belegen. Den Topf in den vorgeheizten Backofen geben. Schleie bei 200 Grad (Gas: Stufe 3) etwa 45 Minuten schmoren. Die Fischstücke herausheben, warm halten. Die Sauce durch ein Sieb über die Schleie gießen und mit Petersilienkartoffeln und einem frischen Salat servieren.

Zutaten
für 4 Portionen:
2 kg Schleie
4 EL Zitronensaft
Salz
100 g Butter
4 Sardellenfilets
1 große Zwiebel
1 Bund Petersilie
1 Zitrone in Scheiben

Heringsleber

Den Salzhering filieren und in lauwarmem Wasser gut wässern. Die Kartoffeln schälen, waschen, in Scheiben schneiden. Die Leber putzen, waschen, trockentupfen und in Scheiben schneiden. Den Speck und die geschälten Zwiebeln in dünne Streifen schneiden. Den Hering trockentupfen und klein würfeln. Die Hälfte Speck in einen gut schließenden Schmortopf geben, darauf die Hälfte Hering legen. Darauf die Hälfte Kartoffeln schichten. Dann die ganze Portion Leber darauflegen und mit Majoran tüchtig würzen. Jetzt die Zwiebelstreifen hineingeben und darauf die restlichen Kartoffeln und Heringswürfel schichten. Den Rest Speckwürfel und die Semmelbrösel zum Schluß daraufstreuen. 4 EL Wasser darüberträufeln. Den Topf schließen und in den vorgeheizten Backofen stellen. Den Auflauf bei 200 Grad (Gas: Stufe 3) etwa 45 Minuten schmoren. Dabei auf keinen Fall umrühren. Deshalb soll die Heringsleber auch besser im Topf serviert werden.

Zutaten
für 4 Portionen:
1 Salzhering
500 g Kartoffeln
500 g Kalbs- oder Ochsenleber
225 g durchwachsener Speck
150 g Zwiebeln
Majoran
30 g Semmelbrösel

Topfbraten

Zutaten
für 4 bis 6 Portionen:
½ Schweinekopf
(etwa 2 kg)
2 Schweinenieren
(etwa 250 g)
1 Schweinezunge
(etwa 375 g)
1 Schweineherz
(etwa 375 g)
4 große Zwiebeln
1 Bund Suppengrün
Salz
1 Lorbeerblatt
einige Pfefferkörner
6 Nelken
⅛ l Weinessig
100 g braune Kuchen
1 EL Pflaumenmus
1 Zitrone

Den Schweinekopf gut waschen. Die Nieren waagerecht halbieren, die Harnstränge herausschneiden, dann waschen. Zunge und Herz auch gut waschen. Eine Zwiebel zusammen mit geputztem, grob zerkleinertem Suppengrün in etwa 3 l Salzwasser zum Kochen bringen. Das Fleisch hineingeben und etwa 2 Stunden auf kleiner Hitze leise kochen lassen. Inzwischen die restlichen Zwiebeln würfeln. Dann mit dem Lorbeerblatt, den Pfefferkörnern, Nelken, dem Weinessig und ⅛ l von der Fleischbrühe leise kochen lassen. Dann ½ l von der Fleischbrühe zugießen, aufkochen lassen, dann durch ein Sieb gießen. Die braunen Kuchen zerbröseln und mit dem Pflaumenmus in die Sauce geben und damit binden. Das Fleisch aus der Brühe nehmen, etwas abkühlen lassen, dann in Streifen schneiden. Vom Schweinekopf nur die mageren Teile verwenden. Die Zunge vorher häuten. Die Fleischstreifen in der Sauce noch einmal gut durchziehen lassen. Dabei einige Zitronenscheiben auf das Fleisch legen. Das Fleisch mit der Sauce in eine vorgewärmte Schüssel füllen und mit gekochten Kartoffelklößen servieren.

Den Topfbraten gab es in Thüringen am Tag nach dem Schlachtfest, sozusagen als leichte Folge nach den fetten Blut- und Leberwürsten, der Wellwurst, dem Gehackten, den Bratwürsten und der Metzelsuppe mit den typischen „Fodennudeln".

Sauerkrautsuppe

Zutaten
für 4 Portionen:
300 g Sauerkraut
1 Zwiebel
2 EL Schweineschmalz
1 l Fleischbrühe
1 Lorbeerblatt
2 Wacholderbeeren
½ TL Kümmel
1 Kartoffel
Salz
Pfeffer
3 EL saure Sahne

Das Sauerkraut etwas zerpflücken. Die Zwiebel pellen und fein würfeln. Das Schmalz erhitzen, die Zwiebel darin glasig braten. Dann das Sauerkraut mit ins Fett geben und die Brühe angießen. Lorbeerblatt, Wacholderbeeren und Kümmel zugeben. Die Suppe auf kleiner Hitze garen. Wenn das Kraut fast weich ist, die rohe Kartoffel in die Suppe reiben, dann mit Salz und Pfeffer abschmecken. Vor dem Servieren die saure Sahne unterziehen und mit erhitzen, aber nicht mehr kochen lassen. Vor dem Anrichten das Lorbeerblatt und die Wacholderbeeren entfernen. Zur Sauerkrautsuppe derbes Brot und Butter reichen.

Knäzchen

1/2 kg Schweinemett mit 1 gehackten Zwiebel, 1 sauren und Gewürzgurke in Würfeln, Senf und Pfeffer kräftig würzen. Eine Halbkugel draus formen und auf ein halbiertes Roggenbrötchen verteilen. Tüchtig Butter drunterstreichen.

Die Knäzchen sind die Leibspeise der Mansfelder Bergwerkskumpel. Sogar bei ihren großen Betriebsfesten wurden riesige Teller mit wahren Knäzchenbergen auf den Tisch gestellt. Dazu wurde natürlich der gute Nordhäuser Korn getrunken und Bier.

Thüringische Grützwurst

**Zutaten
für 4 Portionen:
500 g Gerstengrütze
(Graupen)
1 l Brühe
200 g frischer Speck,
ungesalzen
500 g Zwiebeln
1 TL Pfeffer
1 TL Nelken,
gemahlen
1 EL Majoran
1 EL Bohnenkraut
1 l Schweineblut
Salz nach Geschmack**

Die Gerstengrütze und die Brühe in einem Topf miteinander mischen. Zugedeckt auf den Rost im vorgeheizten Backofen stellen und bei 200 Grad (Gas: Stufe 3) in etwa 30 Minuten ausquellen lassen.
Inzwischen den Speck fein würfeln und auslassen. Die Zwiebeln pellen, fein würfeln und im Speckfett glasig braten. Dann mit der Grütze mischen und mit den Gewürzen abschmecken. Die Masse etwas abkühlen lassen, dann das Schweineblut unterrühren, noch einmal abschmecken, eventuell noch etwas salzen. Die Masse in eine feuerfeste Form füllen und im vorgeheizten Backofen bei 225 Grad (Gas: Stufe 4) etwa 30 Minuten backen. Dann aufschneiden und mit Sauerkraut oder Grünkohl essen.

„An der Saale hellem Strande ...“ liegt, wie wir alle wissen, Jena, dessen Existenz zum ersten Male im Jahre 881 erwähnt wird. Seit altersher pflanzten und handelten die Jenenser Wein, und ihre beschauliche Ruhe wurde erst gestört, als im Jahre 1558 die Universität gegründet wurde, was zu seltsamen Bräuchen führte. So betätigten sich die Herren Professoren unter anderem als Wirte. Einer von ihnen wies gar in einem hochwissenschaftlichen Gutachten nach, in Jena herrsche solch trockene Luft, daß man aus gesundheitlichen Gründen den geistigen Getränken reichlich zusprechen müsse, um Leib und Leben nur nicht in Gefahr zu bringen.

Feldkieker-Frühstück

Rindfleisch, Getreide, Tabak und Obst sind die landwirtschaftlichen Erzeugnisse der Bauern im Eichsfeld, dem katholischen Zipfel in Luthers protestantischem Thüringen. Die Eichsfelder sind wortkarg, zutiefst gläubig und die Erfinder einer hervorragenden Wurstspezialität: dem Feldkieker, der so heißt, weil sie ihn mit aufs Feld genommen haben zum Frühstück. Der Feldkieker wird beim Schlachtfest aus den ganz feinen Teilen vom Schwein gemacht, und zwar aus den Kotelettsträngen und den Filets. Das Fleisch wird gebrüht, gehackt, gewürzt (Eichsfelder Geheimnis!) und dann mit der Hand in Schweinsblasen gestopft. Worauf die kleinen Kugeln dann in Reih und Glied auf dem Boden aufgehängt werden und mindestens 12 Monate lufttrocknen müssen. Während dieser Reifezeit verlieren sie ungefähr die Hälfte ihrer Substanz, was den Feldkieker, wird er verkauft, sehr teuer macht. Heute gibt es diese Spezialität vor allem im Ruhrgebiet zu hohem Preis. Im Eichsfeld nahmen ihn die Bauern, wie gesagt, mit aufs Feld, wozu es dann beim Frühstück noch derbes Brot und kalte Buttermilch zum Trinken gab.

Sachsen und Erzgebirge

Das sächsische Blut ist das schönste in Deutschland,
es ist feurig, zärtlich und überaus verbuhlt.
Die Sachsen sind sinnreich, angenehm höflich und
schmeichlerisch, zugleich aber auch wankelmütig,
plauderhaft, weichlich und schwelgerisch.
(Johann Michael von Loen)

Ein Mensch namens Grube, den wir im Verdacht haben, selber ein Sachse gewesen zu sein, schrieb im letzten Drittel des vergangenen Jahrhunderts viel Schönes und Sinniges über das Sachsenvolk. Unter anderem auch dies: „Die Sachsen sind ein ruhiges, aber geistig sehr regsames, industriöses und dabei anspruchsloses und mäßiges Völkchen, das mit feinem und klarem Verstande begabt und (jetzt kommt's! Anmerkung des Herausgebers) mit viel Glück nach den leiblichen wie auch den geistigen Genüssen zu ringen weiß." Letzteres, die harmonische Vereinigung von intellektuellen und mehr körperlichen Freuden, schlägt sich am auffälligsten in der hochverfeinerten sächsischen Kaffee-und-Kuchen-Kultur nieder. Kaffee als Wetzstein des sächsischen Esprits, Kuchensüßigkeit als labendes Pflaster des sächsischen Gaumens: Welch ein Zweiklang! Und überhaupt wissen nur die Sachsen den Kaffee richtig zu würdigen: Er ist das sachsengemäße Getränk, auf das sie gewartet haben, solange es Sachsen gibt. Und als er dann im 18. Jahrhundert kam, da feierten sie ihn entsprechend: Ein gewisser Johann Sebastian Bach lernte die Noten eigens zu dem Zweck, eine Kaffeekantate zu komponieren. Und ein Mann, der Böttger hieß, erfand rasch das Porzellan, um Kaffeekannen daraus zu machen. „Und", sagt Herr Grube, „dem Sachsen gemäß ist der Caffee, weil der Sachse sich in der Nüchternheit und nicht wie andere Deutsche im Rausche gefällt!" (Recht hat Herr

Grube: Man denke nur daran, wie zum Beispiel die Friesen und Holsteiner, sobald sie merkten, daß man von Kaffee nüchtern wird, flink allerlei Alkoholisches hineinkippten!) Ob auch die sprichwörtliche Galanterie der Sachsen, die in August dem Starken einen einmaligen Höhepunkt erreichte, mit der Speisekarte dieses deutschen Stammes zu tun hat, wagte Autor Grube als Mensch des 19. Jahrhunderts nicht zu untersuchen. Wir für unseren Teil möchten meinen, die sächsische Erotik basiere auf dem reichlichen Gemüsegenuß, dem man dortzulande frönt. Denn daß Pflanzliches sinnlich macht, weiß man ja von den vegetarischen Indern, die aus Liebe eine Kunst gemacht haben.

Sol-Eier

Zutaten für 5 Portionen:
Schalen von 5 Zwiebeln
15 Eier
3 EL Salz

Reichlich Wasser mit den Zwiebelschalen aufsetzen und ungefähr 15 Minuten kochen lassen, bis das Wasser eine schöne braune Farbe angenommen hat. Die Zwiebelschalen mit einem Sieb oder einer Schaumkelle aus dem Wasser fischen und wegwerfen. Die Eier mit einem Eierstecher anpieken, damit sie nicht platzen. Dann in dem braunen Wasser gut 10 Minuten kochen, bis sie ganz hart sind. Anschließend aus dem Wasser nehmen, mit kaltem Wasser abschrecken und abkühlen lassen.
In dieser Zeit 1½ l Wasser mit dem Salz 5 Minuten kochen und anschließend abkühlen lassen. Die Eier etwas anschlagen, damit die Schale kleine Risse bekommt. Die Eier in ein hohes Glasgefäß geben und die kalte Salzlake darübergießen. Das Sol-Eier-Glas am besten in die Speisekammer oder an einen Platz in der Küche stellen, wo es am wenigsten stört. Nach 36 Stunden sind die Sol-Eier fertig.
Die Sol-Eier mit verschiedenen Sorten Senf, mit Mango-Chutney, Chilisauce, Worcestershiresauce, Mustardsauce, Sojasauce, Ketchup in verschiedenen Sorten, Mayonnaise, Estragon-, Pfeffer-, Knoblauch- und Kräuter-Essig auf einem großen Tablett servieren. Salz- und Pfefferstreuer nicht vergessen. Außerdem verschiedene Brotsorten, Salzgurken, Radieschen, Mixed Pickles und vielleicht einige Schinkenscheiben bereitstellen.
Zuerst die harten Eier quer durchschneiden. Das Eigelb vorsichtig aus den Eihälften auf den Teller drücken. Die leeren Eihälften auf Serviettenringe stellen, nach Geschmack füllen und zum Schluß das Eigelb wieder wie ein Hütchen darauf setzen und essen.
Klassische Würzkombination: Eigelb aus dem halbierten Ei nehmen, dann Essig, Öl, Pfeffer, Salz und Senf hineingeben. Die Eigelbhütchen darauf setzen und essen. Dann mit den übrigen Würzzutaten weiter kombinieren.

Die Sol-Eier stammen aus Halle. Dort haben die Mitglieder der Salzsieder-Zunft, die Halloren, ursprünglich die Eier in siedende Salzsohle gehängt, um mittags eine nahrhafte Unterlage für das Pausenbier zu haben.

Sächsisches Liebesmahl

Zutaten für 4 Portionen:
500 g Kalbsbries
Salz
1 Lorbeerblatt
1 Nelke
1 Bund Petersilie
250 g Spargel
Zucker
250 g Sellerie
1 Kalbsniere
75 g Butter
⅛ l süße Sahne
1 Handvoll Kerbel
6 Eier
4 Krebsschwänze
½ Bund Schnittlauch

Das Kalbsbries waschen und putzen. Dann kurz in kochendes Salzwasser legen, bis es etwas fest geworden ist. Jetzt die restliche Haut und die Äderchen entfernen. Das Bries in ¾ l Wasser zusammen mit dem Lorbeerblatt, Salz, der Nelke und den Petersilienstielen etwa 20 Minuten leise kochen und dann abkühlen lassen. Anschließend in Scheiben schneiden.
Den Spargel schälen, in Salzwasser mit 1 Prise Zucker 18 bis 20 Minuten kochen lassen, dann in 6 cm lange Stücke schneiden und warm halten. Den Sellerie waschen, in Scheiben schneiden, schälen und 12 Minuten in Salzwasser gar kochen, würfeln, warm halten.
Von der Kalbsniere das Fett abschneiden. Die Niere in Scheiben schneiden, in 40 g Butter kurz anbraten. Das Bries zugeben, 4 EL Sahne unterrühren. Den gehackten Kerbel darüberstreuen. Das Fleisch ebenfalls in der Sauce warm halten.
Die restliche Sahne mit den Eiern verquirlen, dann mit 10 g Butter in einer Pfanne stocken lassen, dabei große Schollen vom Rand zur Mitte schieben. Die Krebsschwänze aus der Schale brechen, in der restlichen Butter kurz erwärmen. Auf einer vorgewärmten Platte in der Mitte das Ei anrichten, mit gehacktem Schnittlauch und Petersilie bestreuen. Das Fleisch, die Spargelstückchen, die Selleriewürfel und die Krebsschwänze ringsherum anrichten.

Sehr viel hübscher und frischer sieht es aus (auch wenn es nicht ganz stilecht ist), wenn das Sächsische Liebesmahl in einem großen Bett aus taufrischen Salatblättern angerichtet wird.
Das sächsische Liebesmahl heißt übrigens so, weil es dem frisch vermählten Paar nach der Hochzeitsnacht im Ehebett zur Stärkung serviert wurde.

Sorbisches Hochzeitsessen

Aufgezeichnet von Fräulein Martha, der Haushälterin eines katholischen Pfarrers, der bei Bautzen eine sorbische Gemeinde betreut.

Einleitung: Gemüsesuppe mit Eierstich
Man nimmt Brühe von Rindfleisch und gibt als Einlage Erbsen, Blumenkohl, Spargel, Mohrrüben und den Eierstich hinzu.

Bereitung des Eierstichs:
Man rechnet für den Eierstich pro Person ein Ei. Die Eier werden in einen Topf gegeben und mit dem Schneebesen durchgeschlagen. Die Menge der hinzuzugebenden Milch muß der Flüssigkeit der Eier entsprechen. Diese Eierstichflüssigkeit muß man leicht salzen. Nun nimmt man am besten Einweckgläser, die man mit Butter ausstreicht, und füllt sie halbvoll mit dieser Eierstichflüssigkeit. Diese Gläser stellt man ins Wasserbad und läßt den Eierstich fest werden, aber nicht kochen. Ist der Eierstich fertig, wird er mit dem Ziermesser in größere Stückchen geschnitten.

Nudelsuppe mit Eierstich:
Man kann als eine zweite Möglichkeit in die obengenannte Brühe anstatt der Gemüseeinlage feine Nudeln mit kleingeschnittenen Mohrrüben geben. Auch in diese Nudelsuppe kommt Eierstich.

1. Gang: Gekochtes Rindfleisch mit Meerrettichsauce
In einen Topf gibt man etwas Butter, läßt sie zerlaufen und gibt Mehl dazu. Dieses wird hell angeröstet. Wenn das geschehen ist, löscht man mit so viel Rindfleischbrühe ab, daß es eine schöne, dicke Sauce gibt, in der ein Löffel stehen kann. Man kann diese Sauce mit Eigelb legieren.

Bereitung des Meerrettichs:
Die Meerrettichstangen werden geschält und dann mit einem feinen Reibeisen an frischer Luft gerieben.
Den geriebenen Meerrettich gibt man sofort in die oben erwähnte fertige Sauce, da er durch längeres Stehen unansehnlich wird. Diese mit dem Meerrettich vermischte Sauce darf nicht mehr gekocht werden.
Als Menge für den geriebenen Meerrettich sagt man hierzulande: Es muß so viel Meerrettich in der Sauce sein, daß einem beim Essen die Tränen kommen!
Zu dieser Meerrettichsauce und dem gekochten Rindfleisch gibt man als Beilage Brot in Scheiben.

2. Gang: Braten
Es kann Schweine-, Kalbs- oder Rinderbraten sein.
Zusätzlich kann man noch variieren: Schnitzel, Kalbsniere, Rouladen oder Sauerbraten. Der Jahreszeit entsprechend gibt man als Gemüse: Mohrrüben mit Erbsen, Rosenkohl, Schnittbohnen, Pilze, Blaukraut, Sauerkraut oder auch Blattsalat.
Zum Braten reicht man Salzkartoffeln, Kartoffelklöße oder böhmische Klöße.

Nachspeise:
Kompott und Eis mit Schlagsahne.

Zwickauer Klopse

Aus Rind-, Kalb- und Schweinefleisch, Eiern, Salz und Muskat einen Teig zubereiten. Aus dem Teig Klopse von ungefähr 8 cm Länge formen. Die Klopse in den Semmelbröseln wälzen. Die Butter in einer Pfanne erhitzen, die Klopse darin in etwa 30 Minuten langsam braun braten. Dabei ab und zu wenden. Dann herausnehmen und in einer vorgewärmten Schüssel warm halten. Die Sahne in die Pfanne gießen, gut durchrühren. Erhitzen, aber nicht mehr kochen lassen und eventuell mit Salz abschmecken. Die Sauce über die Klopse gießen und mit Pellkartoffeln servieren. Einen frischen Salat dazu reichen.

Zutaten für 4 Portionen:
250 g gehacktes Rindfleisch
250 g gehacktes Kalbfleisch
250 g gehacktes Schweinefleisch
3 Eier
Salz
Muskat
Semmelbrösel zum Wenden
50 g Butter
1/8 l süße Sahne

Königsschaum

man schlägt 250 bis 375 g Zucker mit 1 Flasche Wein, den Saft und etwas abgeriebener Schale der Zitrone mit 3/4 Liter Schlagsahne in einem Metalltopf, der in einem Bett aus Eiswürfeln steht, schaumig, füllt das Getränk kalt in Gläser und trinkt es gleich. Es muß wirklich alles sehr kalt sein, damit es gelingt!

Bambser

Zutaten
für 16 Fladen:
500 g Kartoffeln, gekocht
500 g mürbe Äpfel
4 Eier, 200 g Mehl
75 g Zucker
Salz
Butter zum Braten
Zimt und Zucker

Die gekochten Kartoffeln zerdrücken. Die ungeschälten Äpfel vierteln, entkernen, dann grob in eine Schüssel raspeln. Eier, Mehl, Zucker, Kartoffeln und 1 Prise Salz zugeben, alles gut mischen. Aus dem Teig etwa handtellergroße, 2 cm dicke Fladen formen und in reichlich Butter braunbacken. Dann etwas abtropfen lassen, gleich mit Zimt und Zucker bestreuen und ganz heiß essen.

Küsterpudding

Zutaten
für 4 Portionen:
6 Eiweiß
120 g Zucker
Butter für die Form
100 g zartbittere Schokolade
⅛ l süße Sahne
⅛ l Milch

Eiweiß zu steifem Schnee schlagen und den Zucker unterheben. Eine Springform dünn mit Butter ausstreichen. Die Eiweißmasse gleichmäßig hineinfüllen. Die Form in siedendes Wasser stellen. Den Pudding darin 45 Minuten ziehen lassen, die ersten 20 Minuten zugedeckt. Den Pudding auf eine Platte stürzen und kalt stellen.
Während der Pudding im Wasserbad steht, eine Schokoladensauce zubereiten. Die Schokolade in Stückchen brechen. Die süße Sahne mit der Milch mischen. Die Schokolade darin auf milder Hitze schmelzen lassen. Dann heiß zum Pudding reichen. Vorsichtig umrühren, damit sich beim Abkühlen keine Haut bildet.

Biberschwanz, auf sächsisch zubereitet:
Er wird in Stücke geschnitten, gut gesalzen und in Fleischbrühe gesotten, bis er mürbe ist, dann werden 2 Theile soviel Wein als Fleischbrühe ist, darauf gegossen, geriebene Semmel, Kapern, kleine Rosinen, die Kerne einer Citrone, Ingwer, Pfeffer, Muskatblumen und nach Belieben auch Zucker dazu gegeben und zusammen aufgekocht. Die Biberstücke gibt man sodann in diese Sauce, erhitzt sie und serviert sie alsbald.
(Recept aus dem Illustrierten Kochbuch von L. Kurth, 1864)

Leipziger Allerlei

Zutaten für 4 Portionen:
250 g grüne Bohnen
250 g feine junge Erbsen
250 g junge Karotten
250 g Stangenspargel
Salz
Pfeffer
½ EL Zucker
Muskat
1 kleiner Blumenkohl
60 g Butter
40 g Mehl
1 Eigelb
4 EL süße Sahne
500 g Kochmettwurst
1 Bund Petersilie

Bohnen, Erbsen, Karotten und Spargel putzen, waschen und jedes extra für sich in einem Topf in wenig Wasser mit Salz, Pfeffer, Zucker und Muskat gar ziehen lassen. Den geputzten Blumenkohl im ganzen in Salzwasser kochen. Die Gemüsesorten dann aus dem Topf heben und warm stellen. Die einzelnen Gemüsebrühen zusammengießen.
50 g Butter in einem Topf zerlassen, das Mehl zugeben und durchschwitzen lassen. Dann mit ½ l gemischter Gemüsebrühe ablöschen und rühren, so daß eine sämige Sauce entsteht. Die Sauce mit dem Schneebesen glatt rühren. Das Eigelb in die Sahne quirlen. Die Sauce damit legieren und vom Herd nehmen.
Die Mettwurst pellen, in fingerdicke Scheiben schneiden, auf beiden Seiten in der restlichen Butter braun braten. Den Blumenkohl in der Mitte einer ovalen großen Platte anrichten, das andere Gemüse ringsum anordnen. Die heiße Sauce darübergießen (oder gesondert reichen). Das Gemüse mit Petersiliensträußchen garnieren. Die gebratenen Mettwurstscheiben rund um das Gemüse anrichten. Dazu gibt es Schwenkkartoffeln.

Kostspieliger, aber auch entschieden edler ist die Verwendung von Krebsen (statt der derben Mettwurst) für das Leipziger Allerlei. Dazu gehören dann unbedingt auch Morcheln. Die Krebse werden in einem Salzwasser-Sud gegart und dann mit Dillästchen auf der Platte angeordnet. Die Morcheln werden sehr gut gewaschen und dann abgetropft kurz in wenig Butter gegart und anschließend unter die Erbsen gemischt.

Herrensuppe

Zutaten für 4 Portionen:
1 kg Querrippe
1 Bund Suppengrün
1 EL gekörnte Brühe
1 Lorbeerblatt
Salz
125 g Geflügelmägen
125 g Geflügelleber
4 Eier
2 Handvoll Kerbel

Die Querrippe mit dem geputzten Suppengrün, der gekörnten Brühe und Lorbeerblatt in kaltem, leicht gesalzenem Wasser aufsetzen, zum Kochen bringen und 1 Stunde im offenen Topf kochen lassen, dann die geputzten Mägen zugeben und 1 Stunde weiter kochen lassen. Dann die geputzte Geflügelleber zugeben und in etwa 5 Minuten darin fest werden lassen. Alles durch ein Sieb in einen anderen Topf gießen. Mägen, Rippenfleisch und Leber herausnehmen und kleinschneiden. Die Brühe kalt werden lassen. Die Eier verquirlt in die kalte Brühe rühren. Die Brühe auf milder Hitze oder im Wasserbad unter Rühren aufkochen lassen. Die Fleischstückchen zugeben und wieder heiß werden lassen. Die Suppe in eine vorgewärmte Terrine umfüllen, reichlich gehackten Kerbel hineingeben, kurz durchrühren und servieren. Außerdem Weißbrot dazu reichen.

Friedrich August (1):

Ein Gourmet war Friedrich August III., der letzte König Sachsens, zwar nicht. Er liebte die biedere sächsische Küche. Nichts anderes kam ihm auf den Tisch. Er war halt auch durch die Küche seinen Untertanen zutiefst verbunden. Was auf Gegenseitigkeit beruhte: Als er am 13. November 1918 Dresden verließ, um sich auf sein Schloß Sybillenstein zurückzuziehen, verabschiedeten ihn die Sachsen mit einer geradezu rührenden Ovation, was Friedrich August zu folgendem Kommentar veranlaßte: „Ihr seid mir scheene Rebublikaner."

Wendischer Kartoffelsalat

Zutaten für 4 Portionen:
1 kg Kartoffeln
3 EL Essig
3 EL Gänseschmalz
Salz
Pfeffer
3 EL Zucker
500 g Äpfel
1 große Zwiebel
2 saure Gurken
1 Bund Schnittlauch

Die Kartoffeln kochen, abgießen, heiß pellen, in Scheiben schneiden und warm halten. Den Essig erhitzen, das Gänseschmalz darin schmelzen, mit Salz, Pfeffer und Zucker abschmecken. Nicht kochen lassen. Gewaschene, geviertelte und entkernte Äpfel in kleine Würfel schneiden. Die Zwiebel fein hacken. Die Gurken auch würfeln. Äpfel, Zwiebel und Gurken unter die Kartoffeln mischen. Den heißen Essigsud darübergießen und gut durchheben. Den gewaschenen Schnittlauch in Röllchen schneiden, über den Kartoffelsalat streuen und warm servieren.

Der wendische Kartoffelsalat ist eine hervorragende Beilage für Zwickauer Klopse, Buletten, Bratwürste, Würstchen. Dazu muß man unbedingt einen Senftopf auf den Tisch stellen.

Sächsische Apfelpfanne

Zutaten für 4 bis 6 Portionen:
500 g Äpfel
100 g Zucker
1 Stück Zitronenschale
1 EL Rum
400–500 g Weißbrot (oder Brötchen)
100–150 g Butter
Vanillezucker zum Bestreuen

Die Äpfel schälen, vierteln, entkernen, in ¼ l Wasser, dem Zucker und der Zitronenschale garen, anschließend leicht zermusen. Dann den Rum unterrühren.
In der Zwischenzeit das Weißbrot in fingerdicke Scheiben schneiden. Die Butter zerlassen, die Brotscheiben in die heiße Butter tauchen. Dann mit der Hälfte der Scheiben den Boden einer Auflaufform auslegen. Darauf den Apfelbrei geben und dicht mit den restlichen Brotscheiben belegen. Die Speise im vorgeheizten Backofen bei 175 Grad (Gas: Stufe 1) 45 Minuten backen. Vor dem Servieren mit Vanillezucker bestreuen.

Ein Kandidat der Theologie sollte einstmals an der Universität zu Leipzig auf sein Wissen um die Dinge der Kirche geprüft werden. Er war des öfteren durch keckes und ungebührliches Verhalten aufgefallen, weshalb ihn die Professoren mit besonders schwierigen Fragen zu drangsalieren gedachten. Die eine Frage lautete: „Könnte man denn auch statt mit Wasser mit einer Suppe gültig taufen?" Worauf der Kandidat flugs zu Antwort gab:
„Ja, wenn Sie die Suppe aus der Mensa nehmen!"

Sächsische Fliederbeersuppe

Zutaten für 4 Portionen:
750 g frische Fliederbeeren (Holunderbeeren)
2 Stück Zitronenschale
50 g Zucker
1–2 reife Birnen
40 g Speisestärke
etwas Milch
etwas Zitronensaft
3 Eiweiß (oder 3 Butterkekse)

Die Fliederbeeren waschen und abzupfen oder abschneiden, mit der Zitronenschale in 1½ l Wasser 30 Minuten kochen. Durch ein Sieb abgießen, die Beeren durch das Sieb streichen. Den Zucker zugeben. Die geschälten, in Spalten geschnittenen Birnen kurz in der Suppe ziehen lassen. Die Speisestärke mit etwas Milch anrühren. Die Suppe damit binden, dann mit Zitronensaft abschmecken. Das Eiweiß steif schlagen, kleine Häufchen davon abstechen und auf der Suppe kurz ziehen lassen. (Oder die Butterkekse zerkrümeln und auf die angerichtete Suppe streuen.)

Quarkgevattern

Zutaten für 4 Portionen:
500 g Quark
¼ l Schlagsahne
4 EL starker Kaffee, kalt
50 g Zucker
1 Päckchen Vanillezucker

Den Quark mit 4 EL Schlagsahne sehr schaumig rühren. Den kalten Kaffee zugießen. Den Quark nach Geschmack mit Zucker würzen, dann in eine Schüssel geben und glattstreichen. Die restliche Sahne mit dem Vanillezucker abschmecken und sehr steif schlagen. Dann auf die Quarkmasse häufen und servieren.

Die Quarkgevattern durften früher auf keiner Bauernhochzeit fehlen, wo auch immer eine solche in Sachsen gefeiert wurde.

Dresdner Eierschecke

Zutaten für 1 halbes Backblech:
250 g Mehl
⅛ l lauwarme Milch
20 g Hefe
1 Ei
175 g Butter
200 g Zucker
Salz
Fett fürs Backblech
3 Eigelb
1 Paket Vanillezucker
50 g Mandeln, gehackt
100 g Sultaninen (oder große Rosinen ohne Kerne)

Aus Mehl, lauwarmer Milch, Hefe, Ei, 50 g Butter, 50 g Zucker und 1 Prise Salz einen Hefeteig zubereiten. Ein Backblech gut einfetten, den Hefeteig darauf ausrollen und noch einmal an einem warmen Platz gut aufgehen lassen.
Inzwischen die restliche Butter klären. Das Eigelb mit dem restlichen Zucker und dem Vanillezucker schaumig rühren, die geklärte Butter zugießen. Die Masse auf den Teig gießen. Darauf die gehackten Mandeln und die Sultaninen geben. Das Blech in den vorgeheizten Backofen auf die mittlere Schiene stellen. Die Eierschecke bei 200 Grad (Gas: Stufe 3) 20 bis 25 Minuten backen.

Von den Kaffeesachsen:

Es ist kein Wunder, daß im Kuchenparadies Sachsen (Bienenstich, Eierschecke und Dresdner Stollen sprechen für sich) natürlich auch ein anständiger Kaffee in die Kanne gehörte. Schließlich war es in Leipzig, wo bereits um 1700 die Lokalität „Zum arabischen Coffeebaum" eröffnet wurde. Und letztendlich war es der Leipziger Thomas-Kantor Johann Sebastian Bach, der mit seiner „Kaffeekantate" selbigem ein unsterbliches Denkmal setzte. Und so ist es nicht weiter verwunderlich, daß man gerade den Sachsen nachsagt, sie seien die stärksten Kaffeetrinker in Deutschland. (Stark bezieht sich in diesem Falle auf Qualität und Quantität des Kaffees.) Man konnte und kann einer sächsischen Kaffeeköchin keinen schlimmeren Tort antun, als ihr nachzusagen, ihr Kaffee sei „Bliemchengaffee". Bliemchengaffee ist das Gebräu, das sparsame Hausfrauen so zustande bringen, indem sie zu wenig Kaffee mit zuviel Wasser brühen, so daß man beim Trinken noch die Blümchen (Bliemchen) auf dem Tassengrund des kostbaren Meißner Porzellans (jedenfalls in Sachsen) durchschimmern sieht.

Gans deitlich sieht mersch wieder hier:
Där Heldenmud gommt nicht vom Bier!
(Das Lied vom braven Manne)

Hammeltopf

Zutaten für 4 Portionen:
500 g Hammelfleisch
2 Zwiebeln
2 Möhren
1 EL Kümmel
Salz
1 Weißkohlkopf (etwa 1½ kg)
250 g Kartoffeln
Pfeffer

Das Hammelfleisch mit den grob zerkleinerten Zwiebeln, den geputzten und auch zerkleinerten Möhren und dem Kümmel in 2 l Salzwasser kalt aufsetzen, dann auf kleiner Hitze kochen lassen.
Den Weißkohl putzen, den Strunk herausschneiden, den Kohl in grobe Stücke teilen und nach 30 Minuten zum kochenden Fleisch geben.
Die Kartoffeln schälen, waschen, dann grob würfeln und nach weiteren 40 Minuten in den Topf geben. Den Eintopf pfeffern, eventuell noch einmal salzen. Dann noch 20 Minuten weiterkochen. Das Fleisch herausnehmen, das Fett abschneiden. Das Fleisch in mundgerechte Stücke teilen, im Eintopf noch einmal erhitzen. Dann alles in eine heiße Schüssel umfüllen, servieren und von heißen Tellern essen.

Leinöl mit Pellkartoffeln und Quark

Zutaten für 4 Portionen:
1 kg neue Kartoffeln
1 TL Kümmel
Salz
500 g Sahnequark
1 Zwiebel
4 EL frische gehackte Kräuter
⅛ l Leinöl (Reformhaus)

Die Kartoffeln mit dem Kümmel in Salzwasser kochen, dann abgießen, abschrecken und pellen. Während die Kartoffeln garen, den Sahnequark mit der feingehackten Zwiebel, etwas Salz und reichlich frisch gehackten Kräutern würzen. Das Leinöl über die warmen, halbierten Kartoffeln träufeln. Den Quark dazu reichen.

Im Erzgebirge verging bei den weniger betuchten Menschen kein Sonnabend ohne Pellkartoffeln mit Leinöl. Raps wuchs hier reichlich, Ölmühlen gab es auch, Kartoffeln waren erschwinglich, und Küchenkräuter wurden frisch vom Beet im Küchengarten geschnitten.

Osterfladen

Aus Mehl, Butter, Zucker, Vanillezucker, Backpulver und dem Ei einen Mürbeteig zubereiten und kalt stellen. Dann ausrollen und eine Springform (26 cm ø) damit auslegen, dabei einen Rand mit hochziehen.
Den Quark in einem Sieb abtropfen lassen. 4 Eigelb mit dem Zucker schaumig rühren. Korinthen, Mandeln, zerlassene Butter, Zitronenschale, Arrak und die Sahne zugeben, dann den Quark unterrühren. Die Quarkmasse auf den vorbereiteten Mürbeteigboden geben. Das verquirlte Eigelb darübertropfen lassen. Den Kuchen auf der mittleren Schiene bei 175 Grad (Gas: Stufe 1) im vorgeheizten Backofen etwa 1 Stunde backen. Herausnehmen und noch heiß mit Zucker bestreuen.

Zutaten für 12 Stücke:
250 g Mehl
125 g Butter
75 g Zucker
1 Paket Vanillezucker
1 Msp. Backpulver
1 Ei
Belag:
500 g Sahnequark
5 Eigelb
100 g Zucker
100 g Korinthen
50 g Mandeln, gerieben
50 g Butter
abgeriebene Schale von 1 Zitrone
2 EL Arrak
⅛ l süße Sahne
Zucker zum Bestreuen

Strenge Sitten:
Es war im Jahre 1559, als Kurfürst August von Sachsen drohte, jeden Bäcker einen Kopf kürzer machen zu lassen, der zum Kuchen zu wenig Eier und zu schlechtes Mehl verwende. Leider ist nicht überliefert, ob und wie viele Bäcker diese schlimme Strafe auf sich nehmen mußten.

Röhrentetscher

Den Backofen auf 250 Grad (Gas: Stufe 5) aufheizen. Die gekochten heißen Kartoffeln durch die Kartoffelpresse drücken. Dann leicht salzen und mit dem Mehl mischen. Den Teig auf dem bemehlten Nudelbrett ausrollen, spielkartengroße Stücke daraus ausschneiden. Die Teigstücke auf ein leicht gefettetes Blech legen und im Backofen bei 200 Grad (Gas: Stufe 3) in etwa 20 Minuten goldgelb backen. Dann stapeln und mit Butter reichen.

Zutaten für 4 Portionen:
1 kg Kartoffeln, geschält
Salz
40 g Mehl
Fett fürs Backblech
80 g Butter

Die Röhrentetscher schmecken auch mit Sirup oder mit Apfelmus. Dann ißt man sie zum Kaffee. Sie sind allerdings auch als Beilage zu gebratenem Fleisch geeignet.

Pfaffenschnitzel

Zutaten für 4 Portionen:
1 kg Ochsenlende
1 EL feine Kräuter, frisch (Basilikum, Estragon, Thymian)
3 Sardellen
½ Zitrone
1 Zwiebel
Salz
Pfeffer
etwas Mehl
1 EL Öl
125 g Butter
1 Tasse Fleischbrühe
1 Glas Rotwein

Die Lende in 8 Scheiben schneiden. Kräuter, Sardellen, Zitronenschale und Zwiebel klein hacken, dann mit Salz, Pfeffer und Zitronensaft abschmecken. Das Fleisch rundherum damit bestreichen, dann einziehen lassen. Anschließend dünn mit Mehl bestäuben. Öl und Butter miteinander mischen. Das Fleisch darin braten, nach 2 Minuten die Scheiben jeweils wenden und mit Bratenfett beschöpfen. Nach zweimaligem Wenden die Fleischbrühe und den Rotwein zugießen und einmal aufkochen lassen. Die Pfaffenschnitzel in der Sauce mit Kartoffelbrei reichen.

Friedrich August (2):

Als Friedrich August III. noch Kronprinz war, brannte ihm seine Frau Louise von Toscana mit ihrem italienischen Klavierlehrer Enrico Toselli durch. Friedrich August konterte den schweren Schicksalsschlag: „Wenigstens hat se den Flieschel dagelassen.“ (Der Flieschel war ein Steinway.)

Weißkohlsuppe

Zutaten für 4 Portionen:
1 Weißkohlkopf (etwa 1½ kg)
1½–2 l Fleischbrühe
6 Bratwürste
Butter zum Braten
Salz
Pfeffer

Den Weißkohlkopf putzen, in 4 Teile schneiden, den Strunk entfernen, in einzelne Blätter zerlegen. Die Blätter mit kochendem Wasser übergießen, abtropfen lassen. Dann grob hacken und in sehr wenig Wasser auf sehr kleiner Hitze in 15 Minuten weich dämpfen. Dann die Fleischbrühe zugießen, den Kohl darin in 25 Minuten gar kochen. Inzwischen die Bratwürste in etwas Butter knusprig braten. Anschließend in Scheiben schneiden und zum Kohl geben. Die Suppe mit Salz und Pfeffer abschmecken und servieren. Dazu können eventuell noch Salzkartoffeln gereicht werden.

Sächsische Klöße

Den Speck, die gepellten Zwiebeln und 3 Brötchen würfeln. Die Speckwürfel in der Butter auslassen, die Zwiebeln und Brötchen darin goldbraun rösten, dann kalt werden lassen. Von den anderen 3 Brötchen die Rinde abschneiden. Die Brötchen in der Milch einweichen. Wenn sie sich richtig vollgesogen haben, wieder ausdrücken und etwas zerpflükken, dann mit den Eiern und dem Mehl verrühren. Den Brötchenteig mit Majoran und Salz würzen. Die angerösteten Zutaten mit einkneten. Aus dem Teig 8 bis 10 Klöße formen. In einem weiten Topf Salzwasser aufkochen, dann die Hitze herunterschalten. Die Klöße in dem siedenden Wasser in 20 Minuten gar ziehen, aber nicht kochen lassen. Die sächsischen Klöße werden am liebsten mit gekochtem Backobst gegessen.

**Zutaten
für 8 bis 10 Klöße:
200 g fetter Speck
3 Zwiebeln
6 Brötchen
20 g Butter
¼ l Milch
4 Eier
120 g Mehl
1 TL Majoran
Salz**

**Kaffee zu brennen:
Guten Kaffee kann man nur von frisch gebranntem Kaffee einer guten Sorte erzielen, es ist daher zu empfehlen, den Kaffee in kleinen Mengen zu brennen, damit er immer frisch ist.
Der Kaffee wird verlesen und dabei alle schwarzen, schlechten Bohnen entfernt, dann wäscht man ihn in lauwarmem Wasser, weil manche Kaffeesorten gefärbt in den Handel kommen, läßt sie abtropfen und auf einem Tuche trocknen. Dann gibt man die Bohnen in einen Kugelkaffeebrenner oder in eine Kaffeetrommel und brennt sie unter fleißigem Drehen des Kaffeebrenners über lebhaftem Feuer, am besten Holzfeuer, schön hellkastanienbraun, wobei man die Klappe von Zeit zu Zeit öffnet, damit der Dampf entweichen kann.
Danach schüttet man ihn auf eine flache Schüssel, läßt ihn unter österem Umrühren mit einem Holzlöffel abdampfen und bewahrt ihn nach dem Abkühlen in festschließenden Porzellan- oder Blechbüchsen an einem trockenen Orte auf.
(Aus Mary Hahns praktischem Kochbuch für die bürgerliche Küche)**

Wendische Dobsche

Zutaten für 4 Portionen:
500 g Zwiebeln
etwas Fett
750 g Schweinefleisch (Nacken)
Salz
500 g Kartoffeln, mehlig kochend
1 Bund Petersilie
250 g Sahnequark
1 Tasse Milch
1 TL Kümmel
1 TL Kartoffelmehl

Die gepellten Zwiebeln grob hacken, dann in einen gefetteten Schmortopf geben. Das Fleisch in fingerdicke Stücke schneiden, auf die Zwiebeln legen und salzen. Die Kartoffeln schälen, waschen, gut abtropfen lassen, in Scheiben schneiden und auf das Fleisch legen. Die gehackte Petersilie darüberstreuen. 1 Tasse Wasser zugießen, den Topf schließen. Das Gericht auf schwacher Hitze 1½ Stunden schmoren lassen. Dabei nicht umrühren.
In der Zwischenzeit den Quark mit der Milch, dem Kümmel und dem Kartoffelmehl verrühren. Die Masse auf die Kartoffeln im Schmortopf streichen. Den Topf in den vorgeheizten Backofen stellen. Die Dobsche bei 225 Grad (Gas: Stufe 4) 10 Minuten bräunen. Dann herausnehmen, in eine Schüssel umfüllen und servieren.

Die Dobsche können natürlich auch in einer Auflaufform zubereitet werden. Dann schichtet man die einzelnen Lagen in die ebenfalls gut gefettete Form und stellt diese gleich in den vorgeheizten Backofen, wo der Auflauf bei 190 Grad (Gas: Stufe 2–3) in 1 Stunde zugedeckt gegart wird. Er wird dann in der Form serviert.

Warmer wendischer Salat

Man nehme: Die Herzen von 3 bis 4 Salatköpfen, 50 g Räucherspeck, 1 Eßlöffel Essig, Salz, 2 Eßlöffel Sirup.
Der Salat muß gut gewaschen und abgetropft vorbereitet sein. Erst beim Anrichten kommt die Sauce darüber.
Er darf nicht lange stehen und muß sofort gegessen werden.
Der kleingewürfelte Speck wird hellgelb gebraten, mit Essig, Salz und Sirup vermischt und über den Salat gegossen, der dann gut durchgehoben wird.

Zwiebelfleisch

Zutaten
für 4 bis 6 Portionen:
1 Schweinshaxe,
etwa 1½ kg
Salz
5 Pfefferkörner
2 Nelken
1 Lorbeerblatt
1 Möhre
1 Petersilienwurzel
250 g Zwiebeln
60 g Schweineschmalz
1 TL gekörnte Brühe
40 g Semmelbrösel
schwarzer Pfeffer
1 TL Kümmel
1 TL Zucker

Die Schweinshaxe in 2½ l Salzwasser mit den Pfefferkörnern, den Nelken, dem Lorbeerblatt, der geputzten Möhre und der geputzten Petersilienwurzel auf schwacher Hitze 2½ Stunden leise kochen lassen. Die Schweinshaxe herausnehmen und zugedeckt warm stellen. Die Brühe durchsieben. ¼ l davon abnehmen und auch warm halten.
Inzwischen die Zwiebeln pellen und in Scheiben schneiden. Das Schmalz in einem Topf erhitzen, die Zwiebelscheiben darin glasig braten. Die warmgestellte Brühe zugießen, mit der gekörnten Brühe abschmecken. Die Zwiebeln darin 20 Minuten leise kochen lassen. Dann die Semmelbrösel einrühren. Die Sauce mit Salz, Pfeffer, Kümmel und Zucker abschmecken.
Die Knochen aus der Haxe schneiden. Das Fleisch portionieren, in der Sauce heiß werden lassen. Dann alles in eine vorgewärmte Schüssel umfüllen und mit Kartoffelklößen servieren.

Friedrich August (3):

Die Anekdoten über König Friedrich August III. von Sachsen sind nicht zu zählen. So konfrontierte er eines schönen Tages, ein Rotweinglas in der Hand, den bayerischen Gesandten, den Grafen Montgelas, folgendermaßen mit der sächsischen Sprache: „Gaiser Garl gonnde geene Gimmelgörner gaun." Der König wollte sich schier nicht fassen vor Lachen über den Bayern, der diese phonetische Delikatesse nicht „gabierte".

Ochsenzähne

1 ℔ weiße Bohnen über Nacht einweichen. Dann 1/2 Stunde kochen. In einer Form abwechselnd mit 1 ℔ Schweinenacken (Würfel) und 3 Möhren (Würfel) schichten. Pfeffern und salzen und 3 Eßlöffel braunen Rübensirup darübergießen. Dann im Backofen bei 180 Grad 1 Stunde hellbraun backen.

Wickelklöße

Zutaten
für 4 Portionen:
750 g Schweinerippen
Salz
1 Lorbeerblatt
5 Pfefferkörner
1 Bund Suppengrün
200 g durchwachsener Speck
100 g Semmelbrösel
1 kg Pellkartoffeln (am Tag vorher gekocht)
415 g Mehl
1 TL Backpulver
1 Ei
evtl. 4 EL Milch
40 g Butter
1 TL Fleischextrakt
weißer Pfeffer
1 Bund Petersilie

Die Schweinerippen in 2½ l Salzwasser mit dem Lorbeerblatt und den Pfefferkörnern leise kochen lassen. Nach 45 Minuten das geputzte, grob zerteilte Suppengrün zugeben. Alles weitere 30 Minuten garen.
Inzwischen für die Klöße den Speck würfeln, dann in einer Pfanne auf kleiner Hitze ausbraten. Die Grieben mit einer Schaumkelle herausnehmen. 2 EL vom Speckfett in einer anderen Pfanne erhitzen, die Semmelbrösel darin anrösten. Die Kartoffeln pellen und in eine Schüssel reiben. 375 g Mehl zugeben und mit Backpulver und Ei zu einem geschmeidigen Teig verarbeiten. Falls der Teig zu fest wird, Milch zugeben. Den Teig auf einer bemehlten Arbeitsfläche zu einer 1 cm dicken, rechteckigen Platte ausrollen. Die Speckwürfel darauf verteilen und die Semmelbrösel darüberstreuen. Die Platte von der langen Seite her aufrollen. Die Rolle in 6 cm lange Stücke teilen. Die Schnittkanten sehr fest zusammendrücken. Die Schweinerippchen aus der Brühe nehmen und zugedeckt warm halten. Die Brühe durch ein Sieb in einen Topf gießen, wieder aufkochen. Die Wickelklöße hineinlegen und auf kleiner Hitze darin in 20 Minuten gar ziehen, aber nicht kochen lassen. Dann herausheben, abtropfen lassen und zugedeckt warm stellen.
Die Butter in einem Topf erhitzen, das restliche Mehl zugeben und durchschwitzen, mit ½ l von der Rippenbrühe ablöschen. Mit dem Fleischextrakt und dem Pfeffer würzen. Die Sauce gut 5 Minuten leise kochen lassen. Dann noch einmal mit Salz abschmecken und die feingehackte Petersilie unterziehen.
Die Rippchen portionieren und dann auf einer Platte mit Klößen und Sauerkraut anrichten. Die Sauce extra reichen.

Ä Dichter hatte nischt zu beißen,
Un weil nu mal de Not bricht Eisen,
Mußtr zum Färdemarkt hinloofen
Und dort sein Begasus vergoofen!
(Begasus = Pegasus, das Pferd, ohne das ein Dichter nicht auskommt)

Pilzfleisch

Das Kalbfleisch in Würfel schneiden. 1 l Salzwasser mit den Pfefferkörnern, dem Basilikum, der ganzen geschälten Zwiebel zum Kochen bringen. Das Fleisch darin auf kleiner Hitze in etwa 30 Minuten gar ziehen lassen. Das Fleisch herausnehmen, die Brühe durch ein Sieb gießen und beiseite stellen.
Die Pilze putzen, möglichst nicht waschen, dann in Scheiben schneiden. Die Butter in einem Topf zerlassen. Die Pilze darin andünsten, mit Mehl bestäuben und mit der Kalbsbrühe zu einer sämigen Sauce auffüllen. Die Sauce mit Kümmel würzen. Das Kalbfleisch hineinlegen und in der Sauce heiß werden lassen. Die Sauce eventuell mit Salz nachwürzen. Das Fleisch herausnehmen, dann in Scheiben schneiden, auf einer tiefen, vorgewärmten Platte anrichten, mit der Sauce begießen und servieren.

Zutaten
für 4 Portionen:
1 kg Kalbfleisch (aus der Keule)
Salz
einige Pfefferkörner
etwas Basilikum
1 Zwiebel
500 g Steinpilze (ersatzweise eine mittelgroße Dose oder 1 Handvoll getrocknete Steinpilze)
125 g Butter
3 EL Mehl
etwas Kümmel

Es klingt etwas eigenartig, aber: zum Pilzfleisch wurden auch in Sachsen schwäbische Spätzle gereicht. Es können allerdings auch einfache Salzkartoffeln dazu gegessen werden.
Hinweis dafür, daß Pilze aus der Dose genommen werden: Man läßt sie abtropfen, würfelt sie dann klein und brät sie in der Butter nur kurz an. Sonst werden sie zu weich. Nimmt man getrocknete Steinpilze, so werden diese zerkleinert und dann in wenig Wasser eingeweicht. Sie werden dann mit dem Einweichwasser zusammen in die Sauce gegeben.

Schlesien

Wer denkt zuletzt: Es ist doch alles wurscht! Der Schlesier. Wem steigt der Wein am schnellsten zu Kopf, und wer hält doch am längsten beim Becher aus? Wieder der Schlesier. Wer verzückt sich am tiefsten in mystischer Gottseligkeit, und wer spricht am gleichgültigsten mit dem Teufel? Immer der Schlesier. Alles, was man auf Erden nur werden kann, wird der Schlesier mit Leichtigkeit.
(Gustav Freytag)

In Schlesien", behauptet ein schwäbischer Reisender der Goethezeit, der auch sonst zu Übertreibungen und wilden Verallgemeinerungen neigt, „produzieren sie hauptsächlich Mystiker, und zwar in solcher Fülle, daß man glauben möchte, sie wachsen auf den Bäumen. Im übrigen", fügt er hinzu, „wächst dortzulande jedoch nicht eben viel." Immerhin, so räumt er ein, gäbe es an Schlesiens Bäumen auch einiges Obst, das allerdings auch wiederum mit Mystik zu tun habe. „Man macht nämlich", schreibt er, „Backobst daraus, welches zusammen mit Klößen und Rauchfleisch zu einem mit höchster Andacht genossenen Gericht verarbeitet wird, das den frommen Namen ‚Schlesisches Himmelreich' trägt." Diesen respektlosen Notizen läßt der Mann aus Stuttgart, der vermutlich an Spätzle-Entzugserscheinungen litt, einige gereizt klingende Sätze über schlesische Klöße folgen. „Die Leidenschaft der Schlesier zu ihren Klößen", nörgelt er, „kennt keine Grenzen. Selbst Leute von Stand verlieren angesichts einer kloßgefüllten Schüssel alle Beherrschung und zeigen beim Verzehr dieser oftmals ungefügen Dinger ein Ungestüm, das den Landesfremden verwirrt." Bei einer Bauernmahlzeit gar könne man das Fürchten lernen, meint unser Schwabe:

„Denn kaum hat die Hausfrau die Klöße aufgetragen, zückt ein jeder sein Messer und schlägt es in einen dieser nahrhaften Klumpen, wobei zu verwundern ist, daß die guten Leute einander nicht verletzen.“ Wegen der Wildheit, mit der das schlesische Messer sich auf den Kloß stürze, heiße es „Klößehengst“ (Kließlahengst), was für die Phantasie und den Humor der Schlesier spreche. Zum Schluß seiner Auslassungen über die Schlesier und ihre Eßsitten sagt der Stuttgarter dann allerdings noch etwas sehr Schönes: „Bei alledem kenne ich kein Volk, das seine Nahrung so freudig verzehrt, daß selbst das Kauen und Schlucken zum Dankgebet an den göttlichen Geber dieser schlichten Herrlichkeiten wird.“

Einback

Zutaten
für 12 bis 16 Scheiben:
30 g Hefe
1/4 l Milch
500 g Mehl
75 g Butter
40 g Zucker
1 Ei
Salz
Butter und
Semmelbrösel
für die Form

Aus den ersten 7 Zutaten einen Hefeteig zubereiten (siehe Rezept Hefeklöße auf Seite 322). Eine Rehrücken- oder Kastenform erst mit Butter ausstreichen, dann mit Semmelbröseln ausstreuen. Jetzt den Teig einfüllen und noch einmal gehen lassen. Die Form auf die mittlere Schiene im vorgeheizten Backofen stellen. Den Teig bei 200 bis 225 Grad (Gas: Stufe 3–4) 15 bis 20 Minuten backen. Dann herausnehmen, etwas abkühlen lassen, mit einem spitzen Messer vom Rand der Form lösen und stürzen.

Der Einback ist ein Stipp-Gebäck: Er wird in Kaffee gestippt und durchgeweicht gegessen. Sollte sonntags gestippt werden, würde der Teig mit je 50 g Rosinen und Korinthen aufgehübscht.

Wellwurst

250 g Schwarten
1 kg Schweinebauch
Salz
500 g Schweineleber
125 g Zwiebeln
125 g Schweineschmalz
250 g Brötchen
(5 Stück)
1 EL Thymian
2 EL Majoran
Pfeffer aus der Mühle
Naturdärme
(Darmgeschäfte
in Schlachthofnähe)

Die Schwarten und den Schweinebauch in kochendes Salzwasser geben und etwa 1 Stunde leise kochen lassen. Die geputzte Leber und das gekochte Fleisch in Würfel, die gekochten Schwarten in Streifen schneiden. Die Brühe aufheben. Die Zwiebeln pellen, grob hacken und im Schweineschmalz langsam glasig braten (die Zwiebeln dürfen keine Farbe bekommen), dann in ein Sieb geben, und das Schmalz abtropfen lassen. Die Brötchen in heißer Brühe einweichen, dann ausdrücken. Alles durch den Fleischwolf drehen, mit Thymian, Majoran, frisch gemahlenem Pfeffer und eventuell mit Salz herzhaft würzen. Durch den Wursttrichter (Vorsatz vom Fleischwolf) in die Därme füllen und nicht zu fest zubinden. Die Würste in mild gesalzenes Wasser geben, einmal aufkochen lassen, dann auf milder Hitze 25 bis 30 Minuten ziehen lassen.

Wenn man keine Därme bekommt, kann man die Wurstmasse auch in Einweckgläser (Portionsgläser) füllen und dann im Wasserbad im Backofen bei 200 Grad (Gas: Stufe 3) in 10 bis 25 Minuten sterilisieren.

Rebhühner in Wirsing

Zutaten für 4 Portionen:
1 Kopf Wirsingkohl (750 g bis 1 kg)
Salz
2 ältere Rebhühner
30 g fetter Speck
50 g roher Schinken
100 g Butter

Den Wirsingkohl putzen, waschen, die Blätter ablösen und in Salzwasser 3 bis 5 Minuten kochen lassen. Dann herausnehmen, gut abtropfen lassen und die dicken Rippen entfernen. Die Rebhühner gut waschen, trocken tupfen und die Fettdrüse am Schwanzende entfernen. Die Hühner innen und außen leicht salzen. Den Speck kleinwürfeln und auslassen, den gewürfelten Schinken darin gut anbraten. Beides aus dem Topf nehmen und beiseite stellen. Die Butter im Speckfett schmelzen lassen. Die Rebhühner darin rundum anbraten, dann aus dem Topf nehmen, das Fett drinlassen. Den Schmortopf mit Kohlblättern auslegen (auch am Rand). Einige Schinkenwürfel daraufstreuen. Die Rebhühner hineinlegen und mit den restlichen Kohlblättern zudecken. Die restlichen Schinkenwürfel daraufgeben. 2 bis 3 Tassen kochendes Wasser am Rand in den Topf gießen. Den Topf gut verschließen. Die Rebhühner auf milder Hitze 1 bis 1¼ Stunde leise schmoren lassen. Dann aus dem Kohl nehmen und längs halbieren. Im Kohlbett anrichten und mit Klößen servieren.

Apfelklöße

Zutaten für 4 bis 6 Portionen:
500 g säuerliche Äpfel
300–350 g Mehl
1 Ei
20 g Butter
1 Messerspitze Backpulver
⅛ l Milch
Salz
Butter zum Bräunen
Zucker und Zimt zum Bestreuen

Die Äpfel schälen, vierteln, entkernen und dann grob würfeln. Aus Mehl, Ei und der zerlassenen Butter, dem Backpulver, den Äpfeln und der Milch einen nicht zu festen Teig zubereiten. Dann mit 2 nassen Eßlöffeln Klöße aus dem Teig abstechen. In einem weiten Topf Salzwasser erhitzen, die Klöße hineinlegen und 15 Minuten darin ziehen, aber nicht kochen lassen. Mit einer Schaumkelle herausnehmen und dann gut abgetropft mit brauner Butter begießen und mit Zucker und Zimt bestreuen.

Aus dem Teig dieser süßen Haupt- oder Nachspeise (je nachdem, wie groß oder klein der Hunger ist) können auch herzhafte Klöße gemacht werden: Dann werden statt der Äpfel 100 g kroß ausgebratene Speckwürfel hineingeknetet.

Geschlinge, oder auch Lungensuppe

Zutaten für 4 Portionen:
500 g Kalbslunge
Salz
1 Bund Suppengrün
60 g Reis
1 Bund Petersilie

Die Lunge beim Schlachter vorbestellen. Zu Hause gut waschen, in 1½ l Salzwasser zusammen mit dem geputzten Suppengrün etwa 2 Stunden kochen lassen. Dann die Lunge herausnehmen und die Brühe durch ein Sieb gießen. Jetzt den Reis in die Brühe geben und darin etwa 20 Minuten leise kochen lassen. Die Lunge in kleine Würfel schneiden, dabei alle Röhrchen entfernen. Die Lungenwürfel wieder in die Suppe geben und darin heiß werden lassen. Die Suppe in eine vorgewärmte Schüssel umfüllen und mit gehackter Petersilie bestreut servieren. Dazu werden Kartoffel- oder Hefeklöße gereicht.

Schlesischer Brautfuder:

Ein schlesischer Vater von fünf Töchtern hatte es, wenn er nicht gerade sehr betucht war, schwer, mußte er doch eine jede zur Hochzeit folgendermaßen ausstatten: Spinnrad und Spinnwerkzeuge. Sofa, Nähtisch, Kleiderschrank, Brotschrank, Glasschrank, Kommode, Wäschetruhe, Flachslade, Speisekasten mit allerlei Gegräupe. Salz- und Mehlmeste. Betten und Wiege. Eierbrett, Käsehaus, Backkübel, Knetscheit, Teigschüssel, Topfwaren, Kartoffelkörbe, Heurechen, Heugabeln, Rübenschneide, Butterfaß, Buttergelte, Butterformen, Buttersiebe, Milchkannen, Milchgelten, Sandschaff, eine Wanne zum Wäschewaschen und alles Geschirr, das ins Topfbrett gehört. Auf Vollständigkeit wurde peinlich geachtet. Das alles wurde samt Braut auf einen Leiterwagen gehoben und zum Bräutigam gefahren, der seinerseits nur für Tisch, Bettstellen, Tischbank und zwei Stühle zu sorgen hatte. Nach der Heirat hatte er dann ausgesorgt. Übrigens: Die Braut verteilte vom Brautfuder herunter riesige Mengen Streuselkuchen.

**Schläscher Kucha, Sträselkucha,
doas is Kucha, Sapperlot!
Wie's auf Hergotts weiter Arde
nernt nich su was Gudes hoot.
Wär was noch su leckerfetzig,
eim Geschmack ooch noch su schien:
Jeber schläschen Sträselkucha
tutt halt eemal nischt nich giehn!
(Hermann Bauch)**

Semmelklöße

Zutaten für 4 Portionen:
3 alte Brötchen
2 EL Mehl
Salz
50 g Semmelbrösel
60 g Butter
2–3 Eier

Die Brötchen in Wasser einweichen, dann ausdrücken und durch den Fleischwolf drehen. Mit Mehl, Salz und Semmelbröseln verrühren. Die Butter zerlassen und den Semmelteig darin auf milder Hitze unter Rühren zu einem Kloß abbrennen. In die heiße Masse sofort 1 Ei rühren, dann etwas abkühlen lassen und erst jetzt die restlichen Eier unterrühren. Den Teig etwas ausquellen lassen. Mit 2 Eßlöffeln, die immer wieder in heißes Wasser getaucht werden, längliche Klöße aus dem Teig abstechen. In einem breiten Topf Salzwasser erhitzen, die Klöße darin 10 bis 15 Minuten gar ziehen lassen. Mit einer Schaumkelle herausheben, abtropfen lassen, dann in einer flachen Schüssel stapeln und zu Birnen und Fleisch servieren.

Sollen die Semmelklöße zu Kompott oder anderem süßen Beiwerk gereicht werden, gibt man in den Teig zusätzlich noch 25 g Zucker und 25 g grob gehackte Mandeln und übergießt sie vielleicht noch mit brauner Butter.

Hefeklöße

Zutaten für 10 bis 12 Klöße:
30–40 g Hefe
¼ l lauwarme Milch
500 g Mehl
50 g Zucker
1 Päckchen Vanillezucker
50 g Butter
1 Ei
Salz

Die zerbröselte Hefe in 3 EL lauwarmer Milch auflösen. Aus Mehl, Zucker, Vanillezucker, zerlassener Butter, dem Ei und 1 Prise Salz zusammen mit der restlichen Milch und der aufgelösten Hefe einen Hefeteig zubereiten. Den Teig an einem warmen Platz 30 Minuten gehen lassen, dann wieder zusammenkneten. Jetzt aus dem Teig 10 bis 12 Klöße formen. Die Klöße auf ein mit Mehl gepudertes Brett legen, zudecken und noch einmal aufgehen lassen.
Einen breiten Topf zu zwei Dritteln mit kochendem Wasser füllen. Ein Tuch über die Topföffnung spannen und an den Henkeln festbinden. Die Hefeklöße auf das Tuch legen und mit einer Schüssel zudecken. Die Klöße 10 bis 15 Minuten im Dampf garen. (Achtung: Das Wasser darf nicht zu stark kochen!) Sofort nach dem Garen aus dem Tuch nehmen, mit einer Gabel leicht aufreißen, damit der Dampf aus den Klößen heraus kann und der Teig locker bleibt.
Die Hefeklöße in einer vorgewärmten Schüssel stapeln, mit brauner Butter begießen und mit Pflaumenmus oder gekochtem Backobst servieren. Die Klöße sind allerdings auch eine gute Beilage für den schlesischen Sonntagsbraten, den Schwärtelbraten (Rezept auf Seite 329).

Polnische Klößel

Zutaten für 12 Klöße:
1 ½ kg Kartoffeln
Salz

1 Brötchen
20 g Butter
etwas Mehl

1 kg Kartoffeln schälen und in kaltes Wasser reiben. Den Brei in einem Tuch sehr gut auspressen, dabei das Wasser auffangen, damit die sich absetzende Stärke mitverwendet werden kann. Die restlichen Kartoffeln schälen, waschen und in Salzwasser gar kochen. Inzwischen die ausgepreßte Kartoffelmasse etwas auflockern, die Kartoffelstärke, die Eier und das Salz zugeben. Dann die gekochten Kartoffeln abgießen, heiß durch die Kartoffelpresse direkt zum Kartoffelbrei geben. Alles gut miteinander vermischen. Das Brötchen würfeln, in der heißen Butter anrösten. Die gerösteten Brötchenwürfel mit in den Teig kneten. Aus dem Teig etwa 12 Klöße formen und in Mehl wälzen. In einem breiten Topf reichlich Salzwasser erhitzen. Die Klöße darin etwa 20 Minuten gar ziehen, aber nicht kochen lassen. Dann mit einer Schaumkelle herausnehmen, etwas abtropfen lassen und z. B. zu gebratenem Fisch servieren.

Großer Mehlkloß

¼ l Milch wird mit 2 Eßlöffeln Butter und ein wenig Salz aufgekocht, 2 bis 3 Eßlöffel Zucker und 150 g Mehl hineingerührt und die Masse gekocht, bis sie sich beim Rühren von der Kasserolle löst. Nach dem Erkalten rührt man 4 bis 6 Eidotter, eins nach dem andern, daran und zieht den steifen Schnee der Eiweiße darunter. Eine saubere Serviette hat man in Wasser gebrüht und ausgewrungen, breitet sie in einer Schüssel aus, bestreicht die Mitte mit Butter, legt den Kloßteig darauf, bindet die Serviette nicht ganz dicht über dem Teig zusammen, so daß noch Raum zum Aufgehen vorhanden ist, hängt ihn in kochendes, gesalzenes Wasser und läßt ihn 1 Stunde kochen; man gibt ihn mit Obstsauce zu Tisch.
(Nachsatz: Soll der Kloß eine salzige Beilage sein, nimmt man statt 2 bis 3 Eßlöffeln nur 1 Prise Zucker.)

Hasenbraten

Zutaten für 4 bis 6 Portionen:
1 Hasenrücken, etwa 600 g
2 Hasenkeulen, zusammen etwa 800 g
1 1/2 l Buttermilch
100 g fetter Speck
Salz
Pfeffer
Wacholderbeeren
50 g Butter
Thymian
Piment
Pfefferkörner
1 EL Mehl
1/8 l saure Sahne

Den Rücken und die Keulen 2 Tage in Buttermilch einlegen und zugedeckt kühl stellen.
Den Speck in dünne Streifen schneiden. Das Hasenfleisch aus der Buttermilch nehmen und trocken tupfen, wenn nötig häuten. Dann mit Salz, Pfeffer und zerdrückten Wacholderbeeren einreiben. Anschließend mit den Speckstreifen spicken. Die Butter in einem Schmortopf heiß werden lassen, Hasenteile darin rundherum anbraten. Den Rücken dann wieder herausnehmen. Die restlichen Gewürze zugeben. Die Keulen unter häufigem Begießen zugedeckt 1 Stunde schmoren, wenn nötig etwas Wasser zugießen. Nach dieser ersten Stunde auch den Rücken mit in den Schmortopf geben. Das Fleisch weitere 35 bis 40 Minuten schmoren, dann herausnehmen und warm stellen. Das Mehl in den Bratfond einrühren, gut durchschwitzen lassen, dann mit 1/4 l Wasser ablöschen und die saure Sahne zugießen. Die Sauce einmal kräftig aufkochen lassen, dann warm halten. Das Fleisch vom Rücken lösen und in schräge Scheiben schneiden. Die Keulen im Gelenk halbieren, dabei die Knochen entfernen. Das Fleisch auf einer vorgewärmten Platte anrichten. Die Sauce durch ein Sieb in eine Saucière gießen, extra zum Hasen reichen. Dazu gibt es Kartoffelklöße, Rotkraut, Apfelmus, Preiselbeerkompott oder einen Selleriesalat.

Mohn-Kließla

Zutaten für 4 Portionen:
250 g Mohn, gemahlen
1 l Milch
200 g Zucker
60 g Rosinen
60 g Mandeln
1 kleines Weißbrot, 500 g (oder altbackene Brötchen)

Den Mohn in 1/2 l Milch mit 100 g Zucker und den Rosinen aufkochen und dann 10 Minuten quellen lassen. In dieser Zeit die Mandeln brühen, abziehen, fein hacken und zum Mohn geben. Das Brot in dicke Scheiben schneiden. Die restliche Milch mit dem restlichen Zucker gut verrühren, die Brotscheiben damit tränken. Den gequollenen Mohn abwechselnd mit den Brotscheiben in eine Glasschüssel schichten, mindestens 2 Stunden gut durchkühlen lassen. Erst dann servieren und Glühwein dazu trinken.

Kließlalied:
Ohne Kucha, ohne Baba,
koan der Mensch ganz gutt bestiehn,
muuß a ohne Kließla laba,
do muuß a zugrunde giehn!
(Ernst Schenke)

Karpfen mit brauner Sauce, auch polnische Sauce genannt

Den Karpfen vom Fischhändler säubern, längs halbieren und in Portionen schneiden lassen. Das Karpfenblut mitnehmen und mit 2 EL Essig verrühren. Die Karpfenstücke waschen, trockentupfen, salzen. Das Suppengrün putzen und in Streifen schneiden. Die gepellte Zwiebel würfeln. Beides in 30 g Butter andünsten, dann mit dem Bier ablöschen. Das Lorbeerblatt, Piment- und Pfefferkörner zugeben, alles 10 bis 15 Minuten leise kochen lassen. Dann die Karpfenstücke hineinlegen. 50 g Butter in Flöckchen daraufsetzen. Den Fisch 20 Minuten auf milder Hitze zugedeckt ziehend garen.
Inzwischen den Pfefferkuchen reiben, im angerührten Essig ausquellen lassen. Die Karpfenstücke aus dem Sud nehmen und warm stellen. Den Pfefferkuchen mit der Flüssigkeit in die Sauce rühren. Die Sauce mit Zucker, Salz, Zitronensaft und eventuell etwas Rotwein abschmecken, dann durch ein Sieb in einen Topf gießen. Die restliche Butter einschwenken. Die Karpfenstücke in der Sauce etwas ziehen lassen und dann mit Kartoffelbrei oder mit Salzkartoffeln servieren. Dazu paßt ein milder Rotwein.

Zutaten für 4 Portionen:
1 Karpfen, etwa 2 kg
2 EL Essig
Salz
1 Bund Suppengrün
1 Zwiebel
125 g Butter
gut ½ l Bier, hell (oder halb Malz, halb hell)
1 Lorbeerblatt
2 Pimentkörner
2 Pfefferkörner
75 g Pfefferkuchen (oder Printen oder braune Kuchen)
Zucker
1–2 EL Zitronensaft
eventuell etwas Rotwein

Von schlesischen Kräutern:

Hedwig, Schutzpatronin Schlesiens, holte im frühen Mittelalter Zisterzienser ins Land, die das Roden und Kolonisieren erledigen sollten. Mit den Mönchen kamen die Kräuter. Und mit den Kräutern kamen dann später die sogenannten „Laboranten“, die bis ins 19. Jahrhundert als Kräutersammler Heil- und Zauberkräuter aus dem Wald holten, um sie zu destillieren und zu mischen. (Wunderheiler brachten es im extrem abergläubischen Schlesien zu hohen Ehren.) Der Schutzpatron der Krummhübler Laborantengesellschaft hieß Rübezahl. Anhänger dieser Laboranten, die außer mit Rübezahl mit dem Teufel und den Tiroler Holzfällern im Bunde waren, waren Ketzer, Protestanten, die bei katholischen Wallfahrten ihre größten Geschäfte machten. Das bekannteste Laborantengebräu ist (neben unzähligen anderen Likören und Schnäpsen aus Kräutern) der Stonsdorfer Kräuterlikör.

Häckerle

Zutaten
für 4 Portionen:
2 Salzheringe
2 Eier, hartgekocht
20 g Butter
½ kleine Zwiebel
(oder 1 Schalotte)

Die Heringe waschen und über Nacht wässern. Dann abziehen, entgräten, trockentupfen und fein hacken. Die Eier pellen und halbieren. Die Butter schaumig rühren. Die Eidotter durch ein Sieb direkt in die Butter streichen. Eiweiß und die gepellte Zwiebel ganz fein würfeln. Hering, Butter, Ei- und Zwiebelwürfelchen miteinander mischen. Das Häckerle vor dem Servieren noch etwas durchziehen lassen.

Das Heringshäckerle ist eines der berühmtesten schlesischen Gerichte. So, wie es oben beschrieben ist, wird es als Aufstrich auf derbem, dunklem, gebuttertem Brot gegessen. Soll es mit Pellkartoffeln eine Hauptmahlzeit sein, muß man die Menge verdoppeln.

„Der Salzhering ist für den Schlesier der Lieblingsschmaus, ein einziger Heringskopf reicht ihm für fünf Mahlzeiten aus!"
Spottlied auf schlesische Ernährungsgewohnheiten.

Blaubeer-Kaltschale

1/2 l Blaubeeren mischt man mit 100 g Zucker und läßt sie im eigenen Saft aufkochen. Dann streicht man sie durch ein Sieb. 3/4 Liter Milch wird mit Zitronenschale aufgekocht, dann mit 30 g Stärkemehl gebunden. Dann wird ein Eigelb drunter gerührt. Wenn die Milch kalt ist, werden die Blaubeeren untergezogen. Alles muß sehr kalt sein zum Essen.

Die Kräuter im Zauberglauben:

Engelsüß und Liebstöckel dienten als Schutz gegen Zauber und Hexenschaden. Der Saft des Beifußkrautes macht unüberwindlich, wenn man den Ellenbogen damit bestreicht. Die Wurzel dieses Krautes soll man gegen jedes Übel am Halse tragen. Die gleiche Kraft besitzt Betonia. Teufelsdreck oder die Pfingstrose helfen gegen Fallsucht. Gegen Hexenschuß (gezaubertes Geschoß) legt man Knoblauch mit Lehm und Essig auf. Eisenkraut und Widerthan begegnen als wirksamste Mittel gegen Hexen. Die Heilkräuter gehörten in Schlesien zu den Dingen des täglichen Gebrauchs, die in der Kirche feierlich geweiht wurden.

Schlesische Heringskartoffeln

Zutaten für 4 Portionen:
2 Matjesfilets
1 kg Kartoffeln
75 g Butter
40 g Mehl
½ l süße Sahne
Pfeffer
100 g gekochter Schinken
Butter zum Ausfetten
30 g Käse, frisch gerieben

Die Matjesfilets, wenn nötig, etwa 30 Minuten wässern, dann trockentupfen und in Würfel schneiden. Die Kartoffeln etwa 20 Minuten in der Schale kochen, abgießen, abschrecken, pellen und in Scheiben schneiden. 40 g Butter in einem Topf zerlassen, das Mehl darin anschwitzen, mit der Sahne und ¼ l Wasser ablöschen. Dann mit dem Pfeffer würzen. Den Schinken würfeln und in die Sauce geben. Die Kartoffeln und die Heringe abwechselnd in eine gebutterte Auflaufform schichten. Die Sauce darübergießen und mit dem geriebenen Käse bestreuen. Die restliche Butter in Flöckchen oben daraufsetzen. Die Form in den vorgeheizten Backofen auf die mittlere Einschubleiste stellen. Die Heringskartoffeln bei 200 bis 225 Grad (Gas: Stufe 3–4) etwa 30 Minuten backen. Dann in der Form servieren.

Gallert (Sülze)

Zutaten
für 6 bis 8 Portionen:
1 Schweineohr
1 Kalbsfuß
1 Zwiebel
3 Pfefferkörner
3 Gewürzkörner
Salz
gut ⅛ l Essig
750 g Schweinefleisch
1 Salzgurke (oder
2 Gewürzgurken)

Das Schweineohr und den Kalbsfuß mit der gepellten Zwiebel, den Gewürzen, dem Salz und dem Essig in 1½ l kaltem Wasser aufsetzen und 2 bis 3 Stunden auf kleiner Hitze leise kochen lassen. Danach das Schweinefleisch in die kochende Brühe geben und 1 Stunde darin kochen lassen. Dann das Fleisch herausnehmen und wie die Brühe kalt werden lassen. Das Fett abnehmen. Die Brühe durch ein Sieb in einen anderen Topf gießen, mit Salz und dem restlichen Essig abschmecken. Das Fleisch von den Knochen lösen und würfeln. Auch die Gurke in Würfel schneiden. Fleisch und Gurke in den Sud geben und kalt stellen. Dabei immer wieder einmal umrühren. Wenn der Sud zu gelieren beginnt, in eine ausgespülte Schüssel füllen und ganz fest werden lassen. Die Sülze vor dem Servieren stürzen. Sie wird bei Tisch mit Essig und Öl beträufelt und mit rohen Zwiebelringen und Bratkartoffeln serviert.

Kindelbier:
Wo auf den Dörfern ein großer Kegel heraushing über der Haustür, strömten die Trinklustigen zusammen. Denn da gab es „Kindelbier", Bier zur Geburt oder Taufe eines neuen Erdenbürgers: „Solange hier der Kegel hängt, wird Bier und Branntwein ausgeschänkt." (Umsunscht, wie der Schlesier sagt.)

Bierkaltschale

3 Eßl. Korinthen läßt man in 1/8 Liter Wasser quellen. Dann mischt man sie mit 3 Eßl. geriebenem Schwarzbrot (Zwieback geht auch!), 3 Eßl. Zucker, Saft von 1/2 Zitrone und 4 Zitronenscheiben. Das Gemisch gibt man in eine Schüssel und gießt 1 Liter Braunbier drüber, worauf man alles bis zum Gebrauch kühl stellt.

Schwärtelbraten mit Kruste

Zutaten für 6 bis 8 Portionen:
2 kg Schweinekeule mit Schwarte (vom oberen Teil der Keule)
Salz
Pfeffer
Kümmel
2 Zwiebeln
1 EL Speisestärke
¼ l saure Sahne

Das Fleisch mit Salz, Pfeffer und etwas zerstoßenem Kümmel kräftig einreiben. ¼ l Wasser in einem Schmortopf aufkochen. Das Fleisch mit der Schwarte nach oben hineinlegen. Den Topf zudecken und im vorgeheizten Backofen bei 200 bis 225 Grad (Gas: Stufe 3–4) etwa 45 Minuten schmoren. Danach das Fleisch herausnehmen. Die Schwarte und die darunterliegende Fettschicht kreuzweise einschneiden. Das Fleisch mit der Schwartenseite nach oben wieder in den Topf legen. Die in Scheiben geschnittenen Zwiebeln zugeben. Das Fleisch unter häufigem Beschöpfen im offenen Topf 1 ¼ bis 1 ½ Stunden weiterbraten. Dabei bei Bedarf immer etwas kochendes Wasser zugießen. In den letzten 15 bis 20 Minuten nicht mehr beschöpfen, damit die Schwarte schön knusprig wird. Das Fleisch herausnehmen, im ausgeschalteten Backofen warm stellen. Den Bratenfond mit Wasser loskochen, auf etwa ¾ l mit Wasser oder Brühe auffüllen, dann mit angerührter Speisestärke binden und die saure Sahne zugeben. Die Sauce noch einmal abschmecken. Die Schwarte vom Fleisch abnehmen, in Streifen oder Würfel geschnitten extra reichen. Das Fleisch in Scheiben schneiden und mit der Sauce servieren. Zum Schwärtelbraten werden Semmelklöße oder ein großer Mehlkloß (Rezept auf Seite 323) und Sauerkraut serviert.

Rindfleisch mit Brühkartoffeln

**Zutaten
für 4 bis 6 Portionen:
1 kg Rindfleisch
zum Kochen
2 Markknochen
Salz
1 Bund Suppengrün
1 kg Kartoffeln
1 Zwiebel
20 g Butter
1 Bund Petersilie
Pfeffer**

Das Rindfleisch zusammen mit den Markknochen in kaltes Salzwasser geben und etwa 1 Stunde leise kochen lassen. Dann die Knochen herausnehmen und das grob gewürfelte Suppengrün zugeben. Die Kartoffeln schälen, waschen und in dicke Scheiben schneiden. Auch in den Topf geben. Die Suppe weitere 30 Minuten leise kochen lassen. Inzwischen die gepellte Zwiebel würfeln und in der heißen Butter glasig braten. Dann mit der gehackten Petersilie in die Suppe geben, noch einmal mit Salz und Pfeffer würzen.

Schlesisches Himmelreich

**Zutaten
für 4 Portionen:
375 g Backobst
375 g Schweinebauch,
geräuchert
1 Stange Zimt
Schale von 1 Zitrone,
dünn abgeschält
30 g Butter
30 g Mehl
Salz
Zucker
eventuell Saft von
½ Zitrone**

Das Backobst über Nacht in ¾ l kaltem Wasser einweichen. Den Schweinebauch in ¾ bis 1 l Wasser aufsetzen und etwa 30 Minuten auf kleiner Hitze leise kochen lassen. Jetzt das Backobst mit dem Einweichwasser, Zimt und Zitronenschale zum Fleisch geben und weitere 30 Minuten kochen lassen. Danach herausnehmen, in einem Sieb abtropfen lassen und beiseite stellen. Die Butter schmelzen lassen und das Mehl darin goldgelb anschwitzen. Dann mit ½ l von der Kochbrühe ablöschen. Die Sauce mit Salz, Zucker und eventuell mit Zitronensaft abschmecken. Den Schweinebauch in Scheiben schneiden und zusammen mit dem abgetropften Backobst in der Sauce noch einmal heiß werden lassen. Das Schlesische Himmelreich mit Semmelklößen (Rezept auf Seite 322) servieren.

„Do kann man sich de Zähne wetza, denn do tutt's was gehierges setza!" Schlesisches Sprichwort, eine hemmungslose Schlemmerei versprechend, wie es früher so Brauch war, zum Beispiel bei der „Hutt", bei der Hochzeit, zu der das ganze Dorf eingeladen war und riesige Mengen Streuselkuchen gebacken wurden.

Birnen mit Fleisch

Zutaten für 4 Portionen:
500 g Schweinefleisch (oder Kasseler)
Salz
750 g Birnen
20 g Butter
20 g Mehl
Zucker
Zitronensaft

Das Fleisch in etwa 1 l kaltes Salzwasser geben und dann darin 45 bis 60 Minuten leise kochen lassen. Inzwischen die Birnen schälen, halbieren, das Kernhaus herausschneiden, zum Fleisch geben und weich kochen. Dann das Fleisch und die Birnen aus der Brühe nehmen. Das Fleisch in Scheiben schneiden. Von der Brühe ½ l abnehmen, den Rest weggießen.
Aus Butter und Mehl eine helle Mehlschwitze herstellen, mit der Brühe ablöschen. Die Sauce mit Salz, Zucker und Zitronensaft pikant abschmecken. Das Fleisch und die Birnen in die Sauce geben und auf kleiner Hitze noch 10 bis 15 Minuten leise kochen lassen. Das Fleisch und die Birnen in der Sauce servieren. Semmelklöße dazu reichen.

Schlesische Kartoffelsuppe

Zutaten für 4 Portionen:
500 g Kartoffeln
1 Bund Suppengrün
30 g Butter
50 g Speck, durchwachsen
1 Zwiebel
Salz
1 Bund Petersilie

Die Kartoffeln schälen, waschen und gut abgetropft in Scheiben schneiden. Das Suppengrün putzen, waschen und grob würfeln. Dann zusammen mit den Kartoffeln in der Butter andünsten. 1 l Wasser zugießen. Die Suppe etwa 40 Minuten auf kleiner Hitze leise kochen lassen. Hinterher durch ein Sieb streichen. Den Speck würfeln und ausbraten. Die gewürfelte Zwiebel darin rösten, mit dem Fett in die Suppe geben und mit Salz abschmecken. Die Kartoffelsuppe in einer vorgewärmten Schüssel mit gehackter Petersilie bestreut servieren. Für Menschen mit großem Appetit eventuell noch Würstchen dazu servieren und Brot mit auf den Tisch stellen.

Taubenbrühe

Zutaten für 4 Portionen:
1 Taube, küchenfertig
Salz
1 Bund Suppengrün
1 Bund Petersilie

Die ausgenommene Taube gut waschen, in 1½ l leicht gesalzenem, kaltem Wasser zusammen mit dem geputzten, nicht zerteilten Suppengrün aufsetzen, langsam erhitzen und auf milder Hitze im offenen Topf leise kochen lassen. Nach etwa 30 Minuten das Suppengrün herausnehmen, kalt werden lassen, dann kleinschneiden.
Die Taube etwa 1 Stunde weiter kochen lassen, bis sie gar ist. Dann herausnehmen, etwas abkühlen lassen. Jetzt das Fleisch von Haut und Knochen lösen, in kleine Würfel schneiden und zusammen mit dem zerkleinerten Suppengrün in die Brühe geben und heiß werden lassen. Eventuell noch einmal mit Salz abschmecken. Mit gehackter Petersilie bestreut servieren.

Wer aus der Taubenbrühe, die so als einleitende Suppe für ein großes Essen gedacht ist, eine sättigende Suppe machen möchte, gibt extra gekochte Graupen, Reis oder Nudeln mit hinein.

„Suppe macht Wompe, und Wompe macht Ansehn, und Ansehn gitt Kredit!"
(Schlesische Lebensweisheit)

Vom Schöps:

„Ein Kranker geneust, wenn er Schöps hat!" Schöps ist das schlesische Wort für Bier. Und die Schlesier brauen seit alters her ein gutes Bier. Es ist kräftig und dunkel, und sein Ruhm reicht weit. Für seine Güte spricht auch folgende Geschichte, die nur eine ist unter tausend schlesischen Schöps-Geschichten: Conrad, genannt der Bucklige, Herzog von Sagan und Steinau, wurde zum Bischof von Salzburg gewählt, worauf er sich flugs auf die weite Reise begab. Auf seiner Fahrt gelangte er allerdings nur bis nach Wien. Dort wurde ihm nämlich zugetragen, daß man in Salzburg nur Wein trinke, nicht aber Bier. Diese Nachricht fuhr dem guten Conrad wie ein Blitzstrahl in die Seele und bewog ihn, auf der Stelle umzukehren und das Bistum Salzburg einem andern zu überlassen.

Rosinensauce

Die Rosinen waschen und in 1/4 l Wasser auf schwacher Hitze ausquellen lassen. Dann auf einem Sieb abtropfen lassen, die Flüssigkeit auffangen. Die Mandeln brühen, abschrecken, häuten und dann in Stifte schneiden. Das Pflanzenfett erhitzen, das Mehl darin gut anschwitzen. Dann mit der Brühe und dem Rosinenwasser ablöschen. Die Sauce auf milder Hitze 25 bis 30 Minuten leise kochen lassen. Anschließend mit Zitronensaft oder Essig, Salz und Zucker herzhaft abschmecken. Die Rosinen und die Mandeln in die Sauce geben und darin heiß werden lassen. Die Sauce wird zu gekochtem Rindfleisch oder zu Zunge, eventuell auch zu gebratenen Blutwurstscheiben und Kartoffelbrei gereicht.

Zutaten für 4 Portionen:
30 g Rosinen
15–20 Mandeln
40 g Pflanzenfett
50 g Mehl
1/2 l Fleischbrühe
Zitronensaft oder Essig
Salz
Zucker

Kümmelsauce

Den Kümmel in 1/4 l Brühe in etwa 20 Minuten langsam auskochen. Die Butter schmelzen, die gewürfelte Zwiebel darin glasig braten. Das Mehl darüberstäuben und etwas durchschwitzen lassen. Dann mit der restlichen Fleischbrühe und der Kümmelbrühe ablöschen und aufkochen lassen. Die Sauce mit Salz abschmecken. Sie wird in Schlesien zu gekochtem Hammel oder zu Schweinefleisch gereicht.

Zutaten für 4 Portionen:
2 EL Kümmel
3/4 l Fleischbrühe
40 g Butter
1 Zwiebel, gewürfelt
40 g Mehl
Salz

Hirse

Hirse hat einen bitteren Geschmack, deshalb setzt man sie in kaltem Wasser auf, kocht sie auf und gießt das Wasser dann ab. Sodann brüht man sie unter Rühren 2-3 mal mit kochendem Wasser. Dann muß sie 2 Stunden quellen, was in einer Hammel- oder Schweinebrühe passieren kann.

Berlin und Mark Brandenburg

Bevor er ißt, trinkt, schläft und andere Dinge tut, liest der Berliner. Aber er ißt und trinkt oft nur, um zu lesen, darauf basiert das ausgebildete Konditoreileben, ja, größtenteils sogar das Bier- und Weinhaustreiben der Residenz.
(Adolf Glasbrenner)

Zum Feinsinnigsten, was je über Berliner und Brandenburger gesagt worden ist, gehört die Tischrede, die der Hamburger Kaufmann Roggenbuhk 1874 anläßlich der Verehelichung seiner Schwester Wilhelma mit dem Charlottenburger Großschlachter Grabow hielt. „Der Berliner", so führte Roggenbuhk unter lebhaftem Beifall der Anwesenden aus, „der als schroff und kaltschnäuzig gilt, ist in Wahrheit ein sehr sensibles Wesen, so dünnhäutig wie die ausgezeichneten Würstchen meines verehrten Herrn Schwagers. Diese dünne berlinische Haut, meine Damen und Herren, ist vor allem eine sehr ehrliche Haut, allem Prätentiösen und jeder Pose abgeneigt und im Gegensatz zu den geschätzten Würstchen meines Herrn Schwagers ganz und gar nicht abgebrüht. Sein feines Gefühl für das Echte macht den Berliner zum erbarmungslosen Feind des Unechten, ein Charakterzug, der sich im Großen wie im Kleinen bewährt. Auch, und damit komme ich wieder auf die Branche meines Herrn Schwagers zurück, auf dem Gebiete der Ernährung! Kunst, nicht Künstelei ist die Devise der Berlinerin am Herd. Und mit dieser Devise bleibt sie der großen Tradition der französischen Küche treu, die mit den Hugenotten nach Brandenburg kam, von den Berlinerinnen des 18. Jahrhunderts begeistert begrüßt. Aber, meine Damen und Herren, rühmt sich die Berlinerin von heute ihres französischen Küchenadels? Ja, ist sie sich seiner überhaupt bewußt? Mitnichten! Sogar das ganze französische kulinarische Vokabular, das ihr allzu ‚fein' und wichtigtuerisch erschien, hat sie über Bord geworfen. Oder verstümmelt. Und nur noch von ferne klingt in dem Wort ‚Bulette' die französische Herkunft dieser völlig eingebürgerten Fleischspeise nach! Meine Herren, erheben wir das Glas auf den Schisslaweng, mit dem unsere Berlinerinnen die französische Kochkunst so verberlinert haben, daß man sie nicht mehr wiedererkennt!" (Großer, lang anhaltender Beifall.)

Bouillon

Zutaten
für 2 l Brühe:
etwa 300 g Knochen („krause“ Knochen, eventuell Markknochen)
500 g Suppenfleisch (Querrippe, Brust und/ oder Ochsenwade)
Salz
1 Zwiebel
1 Lorbeerblatt
1 Nelke (nach Belieben)
8 Pfefferkörner
1 großes Bund Suppengrün

Die Knochen und das Fleisch kurz unter kaltem Wasser abspülen. Dann in einem großen Topf mit 2½ l kaltem Wasser aufsetzen. (Es empfiehlt sich nicht, die Brühe später mit Wasser aufzufüllen, das beeinträchtigt den Geschmack und macht sie trübe.) Das Wasser einmal kräftig aufkochen lassen, den sich bildenden Schaum abschöpfen. Die Hitze drosseln. Mit Salz (sparsam!), der ganzen, ungeschälten Zwiebel (die Schale gibt schöne Farbe), die mit dem Lorbeerblatt und der Nelke gespickt ist, und den Pfefferkörnern würzen. Die Bouillon auf ganz milder Hitze mindestens 2 Stunden leise sieden lassen. Das Wasser darf niemals kräftig wallen, das macht die Brühe trübe! Das Suppengrün putzen und etwa 45 Minuten vor Ende der Garzeit ganz oder in große Stücke geschnitten in die Suppe geben. Das Fleisch herausnehmen, wenn es gut weich ist. Die Brühe durch ein Sieb in einen Topf gießen. Das Fleisch wieder in die Brühe zurücklegen und darin kalt werden lassen, wenn es nicht gleich verwendet werden soll. Das Suppengrün, wenn es nicht zu sehr ausgekocht ist, extra aufbewahren. Es kann als Einlage in der Bouillon oder für Bouillonkartoffeln verwendet werden.
Es empfiehlt sich, die Bouillon am Vortag zuzubereiten: Das erstarrte Fett kann dann leicht von der Oberfläche abgenommen und der Fettgehalt dadurch nach Belieben reguliert werden. Das Fett eignet sich gut zum Andünsten von Gemüse, für Kartoffelsuppe oder Bouillonkartoffeln.

Das Suppenfleisch wird mit Mostrich- oder Meerrettichsauce zu Salzkartoffeln oder kalt mit gehackten Zwiebeln und Senfgurke zur Butterstulle gegessen. Oder man dreht es durch den Wolf und macht dann mit frischem Hack Buletten daraus.

Bouillon mit Mark und Ei

Die Markknochen aus der siedenden Brühe nehmen, wenn sich das Mark herausschieben läßt (nach etwa 15 Minuten). Das Mark kalt werden lassen, dann mit einem heißen Messer in Scheiben schneiden. Zum Servieren in jede angewärmte Suppentasse einige Markscheiben und ein frisches Eigelb geben. Die kochendheiße Bouillon darübergießen und mit frisch gehackter Petersilie bestreuen.

Bulljongkartoffeln mit Rinderbrust

Eine Bouillon (wie im Rezept auf S. 338 angegeben, aber nur mit Knochen) etwa 1 Stunde kochen, dann die Rinderbrust im Stück hineinlegen und auf kleiner Hitze in etwa 1½ bis 2 Stunden gar ziehen lassen. Bei Pökelrinderbrust zunächst kein Salz in die Brühe geben, sondern zum Schluß vorsichtig abschmecken!
Die Kartoffeln schälen, waschen, in Würfel oder dicke Scheiben schneiden, in einem Extra-Topf mit kaltem Wasser aufsetzen, einmal aufkochen, das Wasser abgießen und sofort durch heiße Bouillon ersetzen. Die Kartoffeln nicht ganz mit Bouillon bedecken und darin in 25 bis 30 Minuten gut gar kochen. Zum Schluß Möhre und Sellerie vom Suppengrün aus der Bouillon in kleine Würfel schneiden und zu den Kartoffeln geben. Mit Salz, Pfeffer, Majoran abschmecken. Vor dem Servieren reichlich gehackte Petersilie (wenn vorhanden, auch Selleriegrün) darüber streuen.
Die Rinderbrust in Scheiben schneiden und mit grob geraspeltem Meerrettich zu den Kartoffeln reichen. Außerdem werden in Berlin dazu noch Salzgurken oder selbsteingelegte Senfgurken, rote Bete oder Kürbiskompott und Mostrich bereitgestellt.

Zutaten für 4 Portionen:
Knochen und Gewürze wie für Bouillon (Rezept Seite 338)
750 g Rinderbrust, nach Belieben frisch oder gepökelt (anstelle von Suppenfleisch aus der Bouillon)
Salz
1 kg Kartoffeln
Pfeffer
1 Prise Majoran
1 Bund Petersilie
½ Stange Meerrettich

Meerrettichsauce

Statt des grob geraspelten Meerrettichs kann zum Rindfleisch auch eine Meerrettichsauce gereicht werden: Mehl in heißer Butter durchschwitzen, mit Brühe oder Sahne auffüllen, grob geraspelten Meerrettich unterrühren, dann mit 1 Prise Zucker und einigen Tropfen Zitronensaft pikant abschmecken.

Märkisches Käsebrot

Eine Scheibe Roggenbrot mit Butter bestreichen, mit Scheiben von heißen Pellkartoffeln belegen und mit Salz würzen. Schmeckt prima!

Kartoffelsuppe à la Kaiser Wilhelm

Zutaten für 4 Portionen:
1 Bund Suppengrün
1 Zwiebel
1 EL Butter oder Margarine
750 g Kartoffeln
1 l Brühe (entweder gute Fleischbrühe oder von Schinkenknochen, -abfällen und -schwarten gekocht)
Pfeffer aus der Mühle
Majoran
Salz
Petersilie
nach Belieben: 1 Schuß Sahne oder 1 Stück Butter
Einlage:
gekochte Pökelrinderbrust in Streifen oder Würstchen (Bockwurst) oder geröstete Speckwürfel

Das Suppengrün putzen und in kleine Stücke schneiden. Die Zwiebel pellen, würfeln, dann mit dem Suppengrün im Fett anrösten. Die Kartoffeln schälen, waschen, in große Stücke schneiden und zum Gemüse geben, kurz mitdünsten, dann mit der heißen Brühe auffüllen und gut weich kochen. Die Suppe anschließend durch ein feines Sieb rühren, wieder in den Topf geben und noch einmal aufkochen. Dann mit Pfeffer, etwas Majoran und, wenn nötig, auch noch mit Salz abschmecken. Die gehackte Petersilie unterrühren. Nach Belieben noch einen Schuß Sahne oder ein Stückchen Butter in die sämige Suppe geben. Sie wird dann mit oder ohne eine der Beilagen serviert.

Kaiser Wilhelm II. liebte diese Kartoffelsuppe, wenn sie auf Schinkenknochen gekocht und mit einer Einlage aus feingeschnittener gekochter Rinderbrust serviert wurde. In den normalen Berliner Haushalten gab es statt dessen Würstchen oder Bockwurst dazu und hinterher einen „Eierkuchen" – das war dann das Standardgericht für den Sonnabend.

Saure Eier

Zwibel und durchwachsenen Speck würfeln, in der Pfanne mit etwas Butter braun rösten. Dann Mehl zugeben und eine Schwitze draus machen. Mit Zucker, Salz, Pfeffer und Essig abschmecken. Pro Person 2 Eier aufschlagen und in der Sauce fest werden lassen (wie verlorene Eier). Man kann's auch mit Mostrichsauce machen.

Bollenfleisch

Die Zwiebeln schälen und im ganzen zusammen mit dem Fleisch in einen großen Topf geben. Soviel Wasser zugießen, daß das Fleisch und die Zwiebeln knapp bedeckt sind. Kräftig salzen und pfeffern. Kümmel, Lorbeerblätter und geschälte ganze oder durchgedrückte Knoblauchzehen zugeben. Einmal kurz aufkochen lassen, dann herunterschalten und auf kleiner Hitze in 1 bis 1½ Stunden gar kochen. Das Fleisch herausnehmen, vom Knochen lösen und kleinschneiden. Wieder in die Brühe geben und noch einmal erhitzen. Die Lorbeerblätter herausnehmen. Das Bollenfleisch noch einmal abschmecken und vor dem Servieren in eine vorgewärmte Terrine umfüllen. Dazu gibt es:

Zutaten für 4 Portionen:
1,2 kg Zwiebeln
1,2 kg Lamm- oder Hammelfleisch (vom Blatt, am Knochen – Keule ist zu schade)
Salz
Pfeffer
1–2 EL Kümmel
1–2 Lorbeerblätter
1–2 Knoblauchzehen

Quetschkartoffeln

Die Kartoffeln schälen, waschen und 20 Minuten, bevor das Fleisch gar ist, in Salzwasser weich kochen und anschließend abgießen. Dann ein wenig von der Bollenbrühe abnehmen und über die Kartoffeln gießen. Die Kartoffeln grob stampfen und in einer Schüssel servieren.

Zutaten für 4 Portionen:
500 g Kartoffeln, mehlig kochend
Salz

Bei Tisch häuft sich dann jeder Esser aus den Quetschkartoffeln ein „Nest" auf den Teller. In die Mitte wird das Bollenfleisch gegeben. Reiche Menschen leisten sich als zusätzliche Beilage eine saure Gurke (die in Norddeutschland unter dem Namen „Salzgurke" verkauft wird). Getrunken werden Bier und Korn.

„Wat denn, wat denn, saure Jurke is och Kompott!"
Ausspruch eines Berliner Gastwirts.

Schnitzel à la Holstein

Wie es dem Geheimrat Fritz von Holstein, der Grauen Eminenz Bismarcks, im Restaurant von Borchardt in der Französischen Straße zu Berlin serviert wurde: Ein ausgesuchtes Kalbsschnitzel wurde gebraten und dann mit einem Setzei und Sardellen angereichert, wozu noch grüne Bohnen und feine Champignons getan wurden. Dreieckige Weißbrotscheiben wurden hinzugefügt. Hummer, Lachs und Kaviar veredelten diese. Vom Borchardtschen Küchenmeister ist allerdings noch eine andere Rezeptversion überliefert: Weil der Geheimrat eines Tages seine Vorspeise gleichzeitig mit dem Hauptgericht serviert haben wollte, brachte man ihm ein Naturschnitzel, belegt mit einem Spiegelei und mit Kapern bestreut. Dazu geröstete Croutons, belegt mit Kaviar, Räucherlachs, Sardinen und Sardellenfilets. Außerdem wurde die Platte noch mit roten Rüben garniert.

Man ißt Fisch, „erstlich aus reiner Gourmandise, dann aber aus Forschertrieb oder Fortschrittsbedürfnis ...“ (Fontane/Stechlin)

Berlin: austern- und kaviarsüchtig

Kurfürst Joachim II. (1535–1571), als freßlustig bekannt, sorgte für ersten regelmäßigen Austerntransport im Eiswagen zwischen Hamburg und Berlin. Rahel von Varnhagen, in deren Berliner Salon sich die geistige Elite traf, schwelgte: „In Austern kann man sich tiefsinnig essen.“ Und ein austernbegeisterter Küchenchef schließlich gab Tatar auf heißen Toast, setzte eine entbartete Auster darauf, umlegte sie mit einem Kranz aus Kaviar und widmete seine Création als „Lucca-Auge“ der Sängerin Pauline Lucca, der zu jener Zeit das Berliner Publikum zu Füßen lag. Daß der Berliner „helle“ ist, führt er, der Berliner, im übrigen darauf zurück, daß Fisch ganz oben auf seinem Ernährungsfahrplan steht. Fisch hat Phosphor, und Phosphor macht „helle“.

Löffelerbsen mit Speck à la Aschinger

Die Erbsen in kaltem Wasser am Vorabend einweichen. Am anderen Tag mit dem Einweichwasser und den Speckschwarten (oder anderem Geräuchertem oder Frischem vom Schwein) aufsetzen und auf milder Hitze langsam weich kochen. Das Suppengrün putzen, 1 Zwiebel schälen. Alles in Würfel schneiden und nach 1 Stunde Kochzeit zu den Erbsen geben. In 2 bis 2½ Stunden müssen die Erbsen gut weich und schon etwas zerkocht sein. Die Hülsen, die oben schwimmen, zum Teil mit der Schaumkelle abschöpfen. Jetzt erst salzen. Unmittelbar vor dem Servieren den feingewürfelten Rauchspeck in einer Pfanne auslassen und die restlichen gewürfelten Zwiebeln darin goldbraun rösten. Den Pfanneninhalt noch brutzelnd über die Suppe gießen, mit frisch zerriebenem Majoran und frisch gemahlenem Pfeffer würzen.
Achtung: Diese Suppe brennt leicht an. Dieses „Gewürz" nennt der Berliner dann „das Gewürz der Seligen"!

Zutaten für 4 Portionen:
250 g Erbsen, ungeschält
einige Speckschwarten, geräuchert oder frisch (oder Schinkenknochen und -abfälle, Schweinsohren/Spitzbein)
1 Bund Suppengrün
4 Zwiebeln
Salz
150 g durchwachsener Speck, geräuchert
Majoran
Pfeffer

Bei Aschinger kostete ein Teller dieser Erbsensuppe 35 Pfennige, und man konnte sich dazu mit Brötchen „à la Discretion" (d. h. umsonst) bedienen. Zu Hause entstand diese Suppe gelegentlich aus den Resten des Erbspürees (vom Eisbein mit Sauerkraut), und dann gab es dazu auch noch kleine Weißbrotwürfelchen, die im Speckfett mitgeröstet wurden. Im 19. Jahrhundert konnte man schon am frühen Morgen in den Berliner Destillen Erbsensuppe mit Speck löffeln.

Weiße Bohnen mit Teltower Rübchen und gepökeltem Gänsefleisch

**Zutaten
für 4 bis 6 Portionen:
250 g weiße Bohnen, getrocknet
600 g gepökeltes Gänsefleisch (1 Keule oder Gänseklein, siehe Mecklenburger Küche)
500 g Teltower Rübchen
(oder Kohlrübe)
1 große Zwiebel
300 g Kartoffeln
Streuwürze
Pfeffer
Majoran**

Die Bohnen am Vorabend mit kaltem Wasser gut bedeckt einweichen. Am anderen Tag zusammen mit dem gepökelten Gänsefleisch aufsetzen (3 Finger hoch mit Wasser bedeckt) und auf milder Hitze in etwa 2 bis 2½ Stunden langsam gar kochen. Nach 1 Stunde die geputzten Rübchen (kleine unzerschnitten, größere der Länge nach halbiert) und die geschälte Zwiebel zugeben. Nach weiteren 30 Minuten auch die geschälten, gewürfelten Kartoffeln zugeben. Alles zugedeckt weiter garen. Bei Bedarf etwas heißes Wasser zugießen, der Eintopf soll dickflüssig sein. Kurz vor dem Servieren das Gänsefleisch aus der Suppe nehmen, von den Knochen lösen und würfeln, wieder in die Suppe geben und alles mit Streuwürze, Pfeffer und einer kleinen Prise Majoran kräftig abschmecken.

Das Land Gosen

Oft hör ich, daß unsere gute Stadt,
augenscheinlich eine Verheißung hat.
Der Himmel, der uns so hegt und pflegt,
hat uns alles vor die Tür gelegt:
Im Grunewald Schwarzwild, Hirsch und Reh,
Spargel in Masse bei Halensee,
Dill, Morcheln und Teltower Rüben,
Oderkrebse hüben und drüben,
auf dem hohen Barnim Fetthammelherden,
werden noch nächstens Southdowner werden.
Königshorster Butter, in Spremberg Salz,
im Warthebruch Gerste, Graupen und Malz,
in Kienbaum Honig, im Havelland Milch,
in Luckenwalde Tuch und Drill'ch,
bei Werder Kirschen und Aprikosen,
und bei Potsdam ganze Felder von Rosen,
nichts entlehnt und nichts geborgt,
für großes und kleines ist ringsum gesorgt.
(Theodor Fontane)

Berliner Buletten

Das Hackfleisch mit dem zerpflückten Brötchen, dem Ei, der Zwiebel und den Gewürzen gut mischen und daraus 8 gleichgroße Kugeln formen. Die Kugeln etwas flachdrücken und dann in heißem Butterschmalz auf beiden Seiten langsam auf mittlerer Hitze braun und knusprig braten.

Wenn sie heiß zu Salzkartoffeln und Gemüse serviert werden, läßt man im Bratfett noch Ringe von 1 bis 2 Zwiebeln goldbraun werden. Kalt ißt man sie mit Brötchen („Knüppel") und Mostrich. Durch die Verwendung von magerem (schierem) Rindfleisch und fettem Schweinefleisch („Pastetenmischung" aus Frankreich, von den Hugenotten mitgebracht!) bleiben die Buletten besonders saftig, auch wenn sie kalt sind.

Zutaten für 8 Stück:
250 g Rinderhackfleisch, mager (Beefsteakhack, Tatar)
250 g Schweinemett
1 Brötchen, in Wasser eingeweicht, gut ausgedrückt (ersatzweise 50 g altbackenes Weißbrot)
1 Ei
1 große Zwiebel, gewürfelt (in Butter leicht angedünstet)
Salz
Pfeffer
Butterschmalz zum Braten (oder Schweineschmalz oder Öl)

Aal grün mit Gurkensalat

Zutaten für 4 Portionen:
1 kg Aal (nicht zu dick, ausgenommen, aber nicht gehäutet)
1 Petersilienwurzel
2 Schalotten (oder junge Zwiebeln)
1 Lorbeerblatt (oder 3 frische Salbeiblätter)
Estragon
1–2 Bund Dill
8 Pfefferkörner
Salz
1 Glas Weißwein
2 EL Butter
1 EL Mehl
1 Eigelb
100 ccm süße Sahne
Zitronensaft
Zucker
Pfeffer aus der Mühle
1 Bund Petersilie

Den Aal sorgfältig waschen, in fingerlange Stücke teilen, und den Kopf abschneiden. Die kleingewürfelte Petersilienwurzel, die Schalotten, das Lorbeerblatt, gehackten Estragon, 1 Bund gehackten Dill und Pfefferkörner 10 Minuten in leicht gesalzenem Wasser kochen lassen. Dann den Wein zugießen und noch einmal aufkochen lassen. Die Aalstücke in den Sud geben und auf ganz milder Hitze 15 Minuten darin gar ziehen lassen. Dann mit einer Schaumkelle herausheben, abtropfen lassen und warm stellen.
Aus Butter und Mehl eine helle Schwitze bereiten, mit etwas durchgesiebter Aalbrühe auffüllen, bis eine sämige Sauce entsteht. Das Eigelb mit der Sahne verquirlen. Die Sauce damit abziehen, mit Zitronensaft, Zucker, frisch gemahlenem Pfeffer und eventuell noch Salz pikant abschmecken. In letzter Minute vor dem Auftragen den restlichen frisch gehackten Dill und die gehackte Petersilie unterziehen. Die Sauce über die Aalstücke gießen.
Dazu gibt es Gurkensalat, der mit Salz, frisch gemahlenem Pfeffer, 1 Prise Zucker, wenig Essig, gehacktem Dill, Petersilie und einem Schuß süßer Sahne angemacht wird. Und neue Kartoffeln, als Pellkartoffeln gekocht und anschließend in Butter und Petersilie geschwenkt.

Aal in Gelee, auch Jeisterspucke genannt

Dafür wird der Aal wie für „Aal grün“ gegart. Der Sud wird durchgegossen, mit Weinessig kräftig abgeschmeckt und mit Gelatine nach Gebrauchsanweisung (6 Blatt auf 1/2 l Flüssigkeit) versehen. Die Aalstücke gibt man dann in Portionsförmchen, begießt sie mit dem Sud und läßt das Gelee im Kühlschrank in etwa 6 Stunden erstarren. Dazu gibt's dann Bratkartoffeln.

„Immer in Richtung Aal Jrün – sonst tret ick dir ins Jemüt!“ So bestimmte Vatern sonntags das Ausflugsziel.

Teltower Rübchen

Die Rübchen sorgfältig schaben, kleine, etwa daumengroße, ganz lassen, größere längs halbieren. In einem gut schließenden Topf mit festem Boden zunächst den Zucker karamelisieren lassen. In dem Augenblick, wo sich der Zucker bräunt, den Topf vom Feuer nehmen, die Butter darin zerlaufen lassen und die vom Waschen noch tropfnassen Rübchen hineingeben. Unter öfterem Schwenken die Rübchen auf der Feuerstelle im geschlossenen Topf in etwa 5 Minuten von allen Seiten bräunen, dann das Mehl darüberstäuben und die Brühe zugießen. Den Topf wieder schließen. Die Rübchen auf milder Hitze in 30 bis 40 Minuten weich schmoren. Eventuell vor dem Servieren noch mit Salz und Pfeffer abschmecken. Darauf achten, daß die Brühe ganz kurz eingekocht (reduziert) ist!

**Zutaten
für 4 Portionen:
1 kg Teltower Rübchen
2 EL Zucker
3 EL Butter
1 EL Mehl
¼ l Fleischbrühe
Salz
Pfeffer**

In Berlin und der Mark Brandenburg ißt man diese Rübchen gern als Beilage zu Entenbraten, Kasseler Rippenspeer und Schweinebraten. Es dürfen aber auch die geliebten Buletten oder der aus dem gleichen Teig bereitete „Falsche Hase" (Hackbraten) sein.

Schmorgurken

Die Gurken schälen, längs halbieren, die Kerne mit einem Löffel herauskratzen. Das Gurkenfleisch in große Würfel oder dicke Scheiben (etwa 2 cm breit) schneiden. Die Butter in einem Schmortopf zerlassen, den gewürfelten Speck darin erst glasig, dann zusammen mit den ebenfalls gewürfelten Zwiebeln leicht braun anbraten. Den Zucker zugeben und kurz rösten, bevor die Gurkenstücke in den Topf kommen. Mit 1 bis 2 EL Essig (je nach Schärfe) ablöschen. Mit Salz, Pfeffer, den gehackten Kräutern (auch anderen nach Belieben) würzen. Die Gurken im geschlossenen Topf in etwa 40 Minuten weichdünsten. Bei Bedarf etwas heißes Wasser zugeben. Zum Schluß mit der in wenig Wasser angerührten Speisestärke binden. Mit Fleischextrakt, Pfeffer, Essig und Zucker pikant abschmecken.

**Zutaten
für 4 Portionen:
1 kg dicke, fast reife Gurken
1 EL Butter
75 g durchwachsener Speck
2 Zwiebeln
1 EL Zucker
2 EL Essig
Salz
Pfeffer
Estragon
Dillblüten
1–2 TL Speisestärke
etwas Fleischextrakt**

Nach Belieben können die Gurken mit ein paar Löffeln Sahne oder mit etwas Tomatenmark zubereitet werden. Oder man gibt zum Schluß frisch gehackte Kräuter (Dill, Petersilie) dazu. Schmorgurken schmecken zu Schweinebraten oder zu Buletten. An „Spartagen" ißt man sie ohne Fleischbeilage, vielleicht mit etwas ausgebratenem Speck, zu neuen Kartoffeln.

Berliner Fleischer und Budiker:

Es war ein Berliner Fleischermeister, der das berühmte Kasseler erfand, nämlich der Schlachter Cassel aus der Potsdamer Straße, der eines Tages ein Stück Schweinerücken erst pökelte und anschließend räucherte.
Es war ein Fleischer in der Nähe vom Görlitzer Bahnhof, der das berühmte Eisbein in seiner Berliner Form erfunden haben soll.
Es war ein unbekannter Fleischermeister aus Berlin, der die Bulette in den „Falschen Hasen“ weiterentwickelte.
Es war der Kneipier Eduard Martin, der 1903 seine Gäste in der Landsberger Straße mit Hackepeter überraschte: Ein Drittel fettes und zwei Drittel mageres Schweinefleisch werden durchgedreht und gemischt und mit Salz, Pfeffer und Zwiebeln herzhaft gewürzt.
Und es war am Ende des 18. Jahrhunderts der Budiker Friebel am Molkenmarkt, der jeden Freitag ein Schwein schlachtete. Danach wechselte er seine blutige Schürze gegen eine blütenweiße, trat dermaßen herausgeputzt vor die Ladentür, um frische Luft zu schnappen – leibhaftige Aufforderung an seine Kunden, auf der Stelle frische Wurst, Wellfleisch und Wurstsuppe zu kaufen. Als er dahingeschieden war, hängte nunmehr seine Witwe die blütenweiße Schürze über einen Stuhl vor der Tür. Seitdem ist die weiße Schürze für alle Fleischer in Berlin das Symbol für den Schlachttag.
Und schließlich holte der Gastwirt Richard Scholz im Bockbiertrubel beim Fleischermeister Löwenthal in der Friedrichstraße eine bis dahin namenlose Fleischwurst für seine hungrigen Gäste. Diese Fleischwurst ist seitdem als Bockwurst bekannt.

Eisbein mit Sauerkraut und Erbspüree

Die geschälten gelben Erbsen am Vorabend mit Wasser bedeckt einweichen. Das Eisbein am anderen Morgen in reichlich kaltem Wasser aufsetzen, aufkochen und abschäumen. Dann mit 1 Zwiebel, geputztem, nicht zerkleinertem Suppengrün, 1 Lorbeerblatt, den Gewürz- und Pfefferkörnern in etwa 2 ½ Stunden langsam weich kochen. 1 Stunde vor Ende der Garzeit die Erbsen mit dem Einweichwasser aufsetzen und auf ganz milder Hitze langsam ausquellen lassen. Dabei nach Bedarf ab und zu etwas durchgesiebte Eisbeinbrühe zugießen. Der Erbsbrei darf nicht zu flüssig werden, aber auch nicht anbrennen!
Zur gleichen Zeit das Sauerkraut zubereiten: Die zweite Zwiebel würfeln, im Schmalz anbraten. Das Sauerkraut etwas auseinanderzupfen, dann mit dem zweiten Lorbeerblatt, den Wacholderbeeren und 1 Prise Zucker im Schmalz schmoren. Bei Bedarf ebenfalls etwas durchgesiebte Eisbeinbrühe angießen. Das Sauerkraut zum Schluß mit der roh geriebenen Kartoffel binden und noch einmal 5 Minuten durchkochen lassen.
Den Erbsbrei pürieren, eventuell noch mit Fleischextrakt abschmecken. Den Speck und die restliche Zwiebel würfeln, in der Pfanne ausbraten, über das angerichtete Erbspüree gießen oder extra dazu reichen. Auch das Sauerkraut vor dem Servieren noch einmal abschmecken.

Zutaten für 4 Portionen:
250 g Erbsen, möglichst gelbe (geschält)
4 Portionen Eisbein (zusammen etwa 1 kg)
3 Zwiebeln
1 Bund Suppengrün
2 Lorbeerblätter
3 Gewürzkörner
8 Pfefferkörner
750 g Sauerkraut
50 g Schmalz
5 Wacholderbeeren
1 Prise Zucker
1 Kartoffel
evtl. etwas Fleischextrakt
75 g durchwachsener Speck

Lungenhaschee

Die Lunge und das Herz waschen, in große Stücke schneiden und mit Wasser bedeckt aufsetzen. Aufkochen, abschäumen und dann mit dem geputzten Suppengrün und den Gewürzen in etwa 1½ Stunden langsam weich kochen. Das Fleisch herausnehmen und etwas abkühlen lassen. Dann durch den Fleischwolf drehen oder grob hacken. Die gewürfelte Zwiebel in der Butter andünsten, mit Mehl durchrösten und mit etwa ½ Liter durchgesiebter Lungenbrühe zu einer sämigen Sauce verkochen. Das Fleisch darin heiß werden lassen. Das Haschee mit Zucker, Pfeffer, Essig und Fleischextrakt kräftig abschmecken.

Zum Lungenhaschee gibt's in Berlin Pellkartoffeln, „saure Jurke" (Salzgurke) und, wenn Muttern spendabel ist, für jeden ein Setzei. Die restliche Lungenbrühe ergibt mit Graupen oder Grieß und dem Suppengrün als Einlage am nächsten Tag eine Vorsuppe.

Zutaten für 4 Portionen:
1 Kalbsgeschlinge („Gekröse", d. h. Lunge und Herz, zusammen etwa 1 kg)
1 Bund Suppengrün
Gewürz- und Pfefferkörner
Salz
1 Lorbeerblatt
1 Zwiebel
2 EL Butter
2 EL Mehl
1 Prise Zucker
Pfeffer
Essig
Fleischextrakt

Hühnerfrikassee auf Berliner Art

Dieses feine Gericht, das nach Belieben mehr oder weniger aufwendig gestaltet werden kann, zeigt vielleicht den französischen Einfluß auf die Berliner (und die märkische) Küche am deutlichsten. Das Hühnerfrikassee gehört heute noch zu den Lieblingsspeisen an Fest- und Feiertagen.

Und so wird es (für 6 bis 8 Portionen) gemacht:

1 Suppenhuhn (etwa 2 kg) oder 2 Poularden in reichlich Wasser mit Zwiebel, Lorbeerblatt, Pfefferkörnern und Suppengrün in etwa 1½ Stunden langsam gar kochen.

1 Kalbszunge und 1 Kalbsbries (nach Belieben) zusammen mit dem Huhn kochen; Garzeit für die Zunge 1 Stunde, für das Bries 20 Minuten.

250 bis 500 g Spargel knapp gar kochen.

250 g Champignons in Butter und Zitronensaft dünsten.

125 g frische Morcheln (oder 20 g getrocknete) ebenfalls in Butter dünsten.

Pro Person 1 bis 2 Krebse: die Schwänze auslösen, die Nasen mit einer Grießklößchen-Masse füllen, die mit Krebsbutter und dem ausgelösten Scherenfleisch zubereitet wird.

Pro Person 2 bis 3 Blätterteig-Halbmonde.

Für die Sauce aus 50 g Butter und 40 g Mehl eine helle Schwitze machen. Diese mit Hühnerbrühe, Spargelwasser und etwas Weißwein auffüllen. Dann den Spargel und die Pilze zugeben. Die Sauce mit Zitronensaft und -schale, etwas Worcestershiresauce, 1 Prise Zucker, Salz und frisch gemahlenem Pfeffer würzen. Zum Schluß 2 Eigelb mit 100 ccm Sahne verquirlen. Die Sauce damit abziehen. Das Hühnerfleisch (Brustfilets und Keulen, gründlich gehäutet und in Streifen geschnitten), die Zunge (in Scheiben) und das Kalbsbries (in Würfeln) in der Sauce heiß werden, aber nicht mehr kochen lassen!

Das Frikassee in einer flachen Schüssel anrichten, mit den Krebsschwänzen, den gefüllten Krebsnasen, den aufgebackenen Blätterteig-Halbmonden, etwas gehackter Petersilie und einigen Kapern garnieren. Dazu gibt es körnig gekochten Reis.

Sparsam, wie die Berliner Hausfrauen sind, machen sie am nächsten Tag aus der restlichen Hühnerbrühe, dem abgelösten Fleisch von Rücken, Hals und Flügeln, der Hühnerleber, dem Magen und dem Herz einen Suppentopf, der mit Grießklößchen und jungem Gartengemüse magenfüllend wird. Vor allem, wenn es zum Nachtisch für jeden einen „Eierkuchen" (wie die Berliner die Pfannkuchen nennen) mit Kompott gibt.

Italienischer Salat

Zutaten für 4 Portionen:
350 g Mayonnaise
1 Glas Gewürzgurken (300 g)
2 Äpfel
1 Gläschen Kapern
3 Appetitsild-Filets
Worcestershiresauce
1 kleine Zwiebel
Salz
Pfeffer
Prise Zucker
150 g Geflügelfleisch, gebraten
150 g Schweinebraten-aufschnitt und
150 g Kalbsbraten-aufschnitt (beides etwas dicker geschnitten)
3 Eier, hartgekocht

Die Mayonnaise mit den kleingewürfelten Gewürzgurken, Äpfeln, gehackten Kapern (Flüssigkeit mitverwenden), Appetitsild, 8 EL Gurkenessig und Worcestershiresauce verrühren. Die sehr fein gehackte Zwiebel zugeben. Mit Salz, Pfeffer aus der Mühle und einer Prise Zucker pikant abschmecken. Geflügelfleisch, Schweinebraten und Kalbsbraten in feine Streifen schneiden (etwas zum Garnieren zurückbehalten), unter die Salatsauce heben. 2 Eier würfeln und untermischen, gut durchziehen lassen, nochmals abschmecken. Anrichten und mit dem zurückbehaltenen Fleisch und den Eischeiben oder -achteln garnieren.

Wie die Berliner zu den Pfannkuchen kamen:

Überall heißen die faustgroßen, mit Marmelade oder Apfelmus gefüllten und in heißem Schmalz ausgebackenen Kugeln aus Hefeteig „Berliner", nur in Berlin nennt man sie schlicht „Pfannkuchen". Es heißt, daß sie von einem Bäckergesellen erfunden wurden, der im 18. Jahrhundert zwar zur Artillerie eingezogen, aber – da nicht felddiensttauglich – zum Regimentsbäcker ernannt wurde. Aus Dankbarkeit verwöhnte er sein Regiment (vermutlich nur die Offiziere) mit einem Gebäck in Form von kleinen Kanonenkugeln. Am besten schmecken die Berliner, wenn sie mit Pflaumenmus gefüllt sind, und es muß mit eingebacken sein (und nicht nachträglich mit der Musspritze eingefüllt!).

Kartoffelsalat

Zutaten für 4 Portionen:
1 kg Kartoffeln, möglichst kleine (neue oder Salatkartoffeln)
1 Zwiebel
Salz
Pfeffer
1 TL Zucker
2–3 EL Essig
¼ l kräftige Brühe
1 EL Butter
50 g Speck, durchwachsen
1 Bund Petersilie

Die Kartoffeln als Pellkartoffeln kochen. In der Zwischenzeit die geschälte Zwiebel fein würfeln, mit den Gewürzen und dem Essig in die Salatschüssel geben. Die Brühe aufkochen und kochend über die Zwiebeln schütten. Die Kartoffeln abgießen, kurz mit kaltem Wasser abschrecken, pellen und sofort warm in die Salatschüssel schneiden. Den Salat durchschwenken (vorsichtig, damit die Kartoffelscheiben nicht zerfallen!). Die Butter auslassen und den feingewürfelten Speck darin anrösten. Alles über den warmen Salat geben, durchmischen und ziehen lassen. Kurz vor dem Servieren nach Belieben gehackte Petersilie darüberstreuen.

Der Salat wird lauwarm oder kalt zu Würstchen, Bockwurst, Bratwurst, paniertem „Kottlett" (Berlin schreibt's mit 4 T!) oder Buletten gegessen. Er ist samt allen Beilagen beliebter Proviant beim Sonntagsausflug „ins Jrüne".

Sülzkotelett

Aus Kalbsknochen, Kalb- und Schweinefüßen, einigen frischen Schweineschwarten und Zwiebeln, Lorbeerblättern, Gewürz- und Pfefferkörnern und Suppengrün eine kräftige Brühe kochen, durchsieben und kalt werden lassen, um sie zu entfetten und um zu sehen, ob sie genügend geliert. Andernfalls muß man mit Gelatine nachhelfen. (Man kann auch einfach Rindsbouillon nehmen, dann rechnet man auf ½ l Flüssigkeit 6 Blatt Gelatine.) Jetzt Koteletts ohne Fettrand (etwa 1½ cm dick geschnitten) in der wieder erhitzten Brühe gar ziehen lassen. Die Koteletts zum Abkühlen auf eine Platte legen. Die Brühe kräftig mit gutem Weinessig, 1 Prise Zucker und etwas Salz abschmecken. Nach Bedarf die Gelatine (in kaltem Wasser eingeweicht und ausgedrückt) darin auflösen. Mit der Brühe in gekühlte Sülzkotelettformen (oder tiefe Suppenteller) einen Gelee-Spiegel gießen und erstarren lassen. Dann eine Garnitur aus dünnen Scheiben von Salzgurke, hartgekochtem Ei und Möhren (vom Suppengrün) darauf anordnen. Die Koteletts einzeln auf die Garnitur legen. Jetzt die restliche Brühe darübergießen. Die Koteletts müssen ganz von Gelee umschlossen sein. Die Sülzkoteletts im Kühlschrank erstarren lassen. Zum Servieren werden sie aus den Formen gestürzt. Dazu gibt es dann Bratkartoffeln oder Butterstulle.

Senfgurken

Die dicken, fast reifen Gurken schälen, dann einmal längs und einmal quer halbieren. Die Kerne mit einem Löffel herausschaben. Die Gurkenstücke in gleichmäßige, etwa 2 cm breite Stücke schneiden und in eine große Schüssel legen, mit dem Salz bestreuen und dann zugedeckt etwa 12 Stunden stehen lassen. Danach den Saft abgießen. Die Gurken gut abgetropft wieder in die Schüssel legen, mit dem kochenden Essig begießen und zugedeckt weitere 24 Stunden stehen lassen. Dann wieder gut abtropfen lassen.
Inzwischen die Schalotten (oder Perlzwiebeln) schälen. Den gründlich gereinigten Steintopf mit den Kirschblättern auslegen. Die Gurkenstücke, die Schalotten, die Pfefferkörner, Dill, Estragon, Basilikum und den geschälten, in dünne Scheiben geschnittenen Meerrettich hineinschichten. Die Senfkörner darüberstreuen.
Den Weinessig mit ½ l Wasser und dem Zucker aufkochen und abgekühlt über die Gurken gießen. Die Gurken mit Pergamentpapier bedecken und zubinden. Falls der Saft nicht über den Gurken steht, muß man noch einmal halb Essig, halb Wasser aufkochen und damit auffüllen. Die Gurken sind nach etwa 3 bis 4 Wochen fertig. Sie halten sich an einem kühlen Platz (zum Beispiel im nicht übermäßig geheizten Keller) bis zum nächsten Sommer.

Zutaten für 1 Steintopf mit 5 l Inhalt:
4 kg große gelbe Schälgurken (gibt's im September)
100 g Salz
¼ l Essig, einfach
200 g Schalotten (oder Perlzwiebeln)
Kirschblätter
20 Pfefferkörner
Dillblüten
Estragon
Basilikum
½ Stange Meerrettich
125 g Senfkörner
¾ l Weinessig
300 g Zucker

„Wenn ick nischt sage, schmeckts!"
Aussage eines Berliner Ehemannes.

Baumblüte in Werder:

„Tante Klara ist schon um 1 Uhr mittags besinnungslos betrunken. Ihr Satinkleid ist geplatzt. Sie sitzt im märkischen Sand und schluchzt. Der Johannisbeerwein hat's in sich. Alles jubelt und juchzt. Und schwankt wie auf der Havel die weißen Dschunken." So hat's der Dichter Klabund gesehen.

Essig-Pflaumen

Zutaten für 1 Steintopf mit 5 l Inhalt:
2,5 kg Pflaumen
Essig
1 ¼ kg Zucker
10 g Zimt
6 Nelken

Die Pflaumen ungewaschen, sondern nur gut abgerieben mit einem spitzen Hölzchen mehrmals einstechen und dann in einen Steintopf legen. Den Essig mit dem Zucker aufkochen, kalt werden lassen und dann über die Pflaumen gießen. Den Zimt und die Nelken unterrühren. Nach 2 Tagen den entstandenen Saft in einen Topf gießen, nochmals aufkochen und die Pflaumen wieder zugeben. So lange kochen, bis die Pflaumen anfangen, Risse zu bekommen. Die Früchte mit der Schaumkelle in den Steintopf zurücklegen. Den Saft dick einkochen lassen und kalt über die Früchte gießen. Den Topf mit Pergamentpapier abdecken, dann zubinden. Die Essig-Pflaumen sind nach einigen Tagen fertig.

Auf die gleiche Art kann man auch Sauerkirschen einmachen. In diesem Fall gibt man als Gewürz einige aufgeschlagene Kirschkerne dazu.

Großmutters Kürbis in Apfelwein

Einen Kürbis in Streifen schneiden, schälen, das weiche Innere mit den Kernen herauskratzen. Das Kürbisfleisch in gleichmäßige Stücke schneiden, abwiegen. Dann in einer tiefen Schüssel mit Essig beträufeln, über Nacht stehen lassen (für 2 kg Kürbisfleisch wird etwa ¼ l Essig gerechnet). Am anderen Tag 1 kg Zucker mit ½ Flasche Apfelwein aufkochen. Den gut abgetropften Kürbis portionsweise in dieser Zuckerlösung kochen, bis die Stückchen glasig aussehen (nicht zu weich kochen!). Zum Schluß 2 Zitronen mit unbehandelter Schale in Scheiben schneiden, mit 1 Stück Ingwerknolle in Scheiben, 1 Stange Zimt und 18 Nelken in die Flüssigkeit geben. Alle Kürbisstücke noch einmal zusammen darin aufkochen und heiß in einen sauberen Steintopf füllen. Nach dem Kaltwerden mit Pergamentpapier verschließen. Nach einigen Tagen kontrollieren und den Saft, falls er flüssig geworden ist, abgießen, dick einkochen und wieder über den Kürbis geben. Eventuell muß man den Kürbissaft mit etwas Apfelwein und der entsprechenden Menge Zucker ergänzen. Der Kürbis hält sich den ganzen Winter!

Dreimus

Das Obst schälen, in Stücke schneiden und entkernen. Dann zusammen mit dem Zucker in einem entsprechend großen, am besten emaillierten Topf auf sehr kleiner Hitze langsam zum Kochen bringen, bis sich zunächst Saft zieht. Wenn die Birnen knapp weich sind, den Essig zugeben. Jetzt noch einmal alles kräftig durchkochen lassen. Danach das Kompott noch heiß in einen sauberen Steintopf füllen und abkühlen lassen. Ein passend großes Stück Pergamentpapier durch den Rum ziehen und auf das Obst legen. Auf das Papier etwas Einmachhilfe streuen. Den Topf mit einem Stück trockenen Pergamentpapier abdecken und mit Bindfaden fest zubinden.

Zutaten
für 1 Steintopf
mit 5 l Inhalt:
1 kg Birnen
1 kg Äpfel
1 ½ kg Pflaumen
1 kg Zucker
¼ l Essig
etwas Rum
etwas Einmachhilfe

„Übrigens sind Se. Majestät höchstselbst in Deren Jugend mit Biersuppe erzogen, mithin können die Leute dorten eben so gut mit Biersuppe erzogen werden. Das ist weit gesunder wie der Caffee." Schlußsätze eines Briefes, den Friedrich der Große anno 1779 dem Magistrat von Halberstadt zugehen ließ.

Leber auf Berliner Art

Für jeden zuerst eine dicke Scheibe Apfel (Boskop ist am besten!) in Butter braten, rausnehmen, dann Zwiebelringe drin braten, rausnehmen und mit dem Apfel warm stellen. Zum Schluß die Leber, durch Mehl gezogen, im Fett schnell von beiden Seiten braten. Reichlich Fett nehmen, sonst brennt's an! Mit Kartoffelbrei essen.

Mecklenburg und Pommern

Die Menschen dieses köstlichen Landes sind nicht so einfach zu ergründen. Ihr Gelächter ist hörbar, aber ihr Schweigen auch: „Ich höre doch viel lieber jemand ordentlich kunstgerecht das Maul halten, als sinnlos schwatzen.“
(Heinrich Seidel)

Pommern und Mecklenburger haben es schwer mit sich: Es drängt sie gewaltig, ihrer Zärtlichkeit und Liebe Ausdruck zu geben, aber es will nie recht klappen. Denn die verliebten Worte, die bei allen anderen deutschen Völkerschaften im Schwange sind, gelten dem Pommern und dem Mecklenburger als läppisches Süßholzgeraspel, und Küssen und Kosen sind als „affiges Getue" streng verpönt. Daß sich trotzdem Männlein und Weiblein zusammenfinden und die Erhaltung der Art sicherstellen, liegt daran, daß man in Mecklenburg und Pommern im Laufe der Jahrhunderte ganz eigenständige Wege zum Du entwickelt hat, bei denen man sich nie ganz preisgibt. Das Liebeswerben funktioniert (bzw. funktionierte) dortzulande so, daß der männliche Partner sprachliche, der weibliche Teil dagegen kulinarische Signale aussendet, die auf Landesfremde befremdlich wirken. So würde man höchstens noch in Schleswig-Holstein oder Hamburg, keinesfalls aber in irgendeinem anderen Teil Deutschlands hinter dem spröden männlichen Anruf „mein kleiner Schietbüdel" tiefe Leidenschaft ahnen (schon gar nicht, wenn man den Ausdruck übersetzt, was sich aus Schicklichkeitsgründen verbietet). Und kein Mannsbild aus dem deutschen Süden oder Westen würde begreifen, daß der pommersch-mecklenburgische Schweinebraten oder die Blutwurst nur darum so stark gesüßt sind, weil die in Wort und Gestik keusche Frau von der Ostseeküste ihre Gefühle stets nur mit der Zuckertüte signalisiert. Übrigens: Daß gerade diese süßen Gerichte zu pommersch-mecklenburgischen Nationalspeisen wurden, beweist zur Genüge, daß die Frauen dortzulande sehr verliebter Natur sind (was aber eben nur die Eingeweihten wissen). Daß auch die Männer in Liebesdingen stürmisch sein können, wird durch eine altpommersche Sitte bezeugt: Wenn während der Ernte Knechte und Mägde auf dem Felde schliefen, war es notwendig, daß man die Mädchen in Säcke steckte, die vom Bauern in Achselhöhe sorgfältig verschnürt wurden.

Spickhecht mit Sahnesauce

Zutaten für 4 Portionen:
1 Hecht, etwa 1–1 ½ kg
2 EL Zitronensaft
Salz
125 g fetter Speck
100 g Butter
1 große Zwiebel
1 Möhre
¼ l saure Sahne
1 EL Mehl
Wein (oder Zitronensaft)

Den Hecht schuppen, ausnehmen und gründlich waschen. Dann trockentupfen und innen und außen mit Zitronensaft und Salz würzen. Den Speck in etwa 10 cm lange, ½ cm breite Streifen schneiden. Den Hecht an jeder Seite quer zum Rücken mit Speckstreifen spicken. Eine feuerfeste Platte mit hochgezogenem Rand mit 20 g flüssiger Butter ausstreichen. Den vorbereiteten Hecht auf die Platte setzen. (Damit er Halt hat, kann man ihn auf eine umgedrehte Tasse setzen. Man kann ihn auch auf zwei große geschälte und unten glattgeschnittene Kartoffeln setzen.) Die restliche Butter erhitzen und über den Hecht gießen. Die gepellte und in Viertel geschnittene Zwiebel und die geputzte, in Scheiben geschnittene Möhre neben den Hecht legen. Die Platte in den vorgeheizten Backofen auf die mittlere Schiene stellen. Den Hecht bei 225 Grad (Gas: Stufe 4) etwa 50 Minuten braten. Zwischendurch immer wieder mit dem sich bildenden Bratensaft beschöpfen.
⅛ l saure Sahne mit dem Mehl verquirlen, gegen Ende der Bratzeit über den Hecht streichen und mitbräunen lassen. Wenn der Hecht gar ist, die Sauce mit einem Löffel abschöpfen, mit der restlichen sauren Sahne verrühren und mit einem Schuß Wein oder Zitronensaft abschmecken.
Der Spickhecht wird auf der Platte serviert. Die Sauce wird extra gereicht. Außerdem gibt es Salzkartoffeln und Salat.

Die Gewässer in Mecklenburg und Pommern waren reich an Süßwasserfischen aller Art. Deshalb zählte Hecht, heute meist eine Rarität, damals durchaus zu den alltäglicheren Speisen, die man sich ohne weiteres auch in der Woche leisten konnte.
Tip: Heute würde man den Hecht nicht mehr spicken, sondern mit Speckscheiben belegen, damit er saftiger bleibt. Aber früher, in Mecklenburg, hat man ihn eben gespickt.

Pommerscher Pflückhecht

Dafür wird ein ganzer Hecht in einem Sud mit Gewürzen und Suppengrün gegart. Anschließend löst man das Hechtfleisch von den Gräten und zerpflückt es. Aus Butter, Mehl und dem durchgesiebten Fischsud wird eine Mehlschwitze bereitet, die mit saurer Sahne, Zitronensaft, Kapern, feingehackten Sardellen, einem Hauch Muskatnuß und einer Prise Zucker abgeschmeckt wird. In dieser Sauce wird der Pflückhecht noch einmal erwärmt und auch serviert.

Gebackener Spickaal

Den Spickaal häuten, die Filets von der Mittelgräte lösen und je nach Dicke in 10 bis 15 cm lange Stücke schneiden. Die Filetstückchen in Mehl wälzen, durch das verrührte Ei ziehen und in Semmelbröseln wenden. In einer Pfanne die Butter erhitzen, die panierten Aalstückchen sofort hineingeben und rundherum braun braten. Aus der Pfanne heben und auf einer vorgewärmten Platte mit Zitronenachteln anrichten. Dazu Salzkartoffeln reichen, die mit Dill bestreut sind. Oder einen Kartoffelsalat mit Gurken.

Zutaten für 4 Portionen:
750 g Spickaal, geräuchert
2–3 EL Mehl
1 Ei
2–3 EL Semmelbrösel
Butter zum Braten
1 Zitrone

Mecklenburgisches Schilda!

Die Vorfahren der heutigen Menschen in Teterow hatten einst einen dicken Hecht gefangen, mit dem sie aber just in dem Momente nichts rechtes anzufangen wußten. So banden sie ihm eine Glocke um den Hals und ließen ihn wieder in die Wogen des Teterower Sees gleiten, wohl meinend, das Glockengeläute würde es möglich machen, ihn zur rechten Zeit und Gelegenheit ohne großes Suchen wieder aus dem Wasser holen zu können. Die Teterower von heute setzten dem Hecht ein Denkmal in Gestalt eines Brunnens: Ein kleiner, stämmiger Nackedei trägt den Glockenhecht auf den Schultern.

Pommerscher Gänsebraten

Zutaten
für 8 Portionen:
1 junge Gans
(etwa 3 kg)
Salz
6–8 Äpfel, säuerlich
(z. B. Boskop)
3–4 EL Schwarzbrot, gerieben
2 EL Rosinen
2 EL Zucker
1/8 l Fleischbrühe
1–2 EL Mehl
Pfeffer

Die Gans ausnehmen, waschen und trockentupfen, dann innen und außen mit Salz einreiben. Die Äpfel schälen, in Achtel schneiden und das Kernhaus entfernen. Das geriebene Schwarzbrot, die Rosinen, etwas Salz und den Zucker mit den Apfelspalten mischen. Die Bauchhöhle der Gans locker damit füllen, die Öffnungen mit Holzspießen verschließen. Die Flügel verschränken, die Keulen am Körper mit Küchengarn festbinden.
1/2 l Wasser in die Bratenpfanne vom Backofen gießen. Die Bratenpfanne in den vorgeheizten Backofen auf die untere Schiene setzen. Die Gans mit der Brust nach unten auf den Rost legen. Den Rost auf die Bratenpfanne setzen. Die Gans bei 200 Grad (Gas: Stufe 3) braten, nach 1 Stunde Bratzeit umdrehen. Dann noch rund 1 1/2 bis 2 Stunden weiterbraten, je nach Gewicht. Zwischendurch die Haut anstechen, damit das Fett ausbrät. Zuletzt etwas Salzwasser über die Brust streichen und die Hitze verstärken, damit die Haut schön kroß wird. Die Gans auf einer Bratenplatte im abgeschalteten Backofen warm halten.
Den Bratenfond in einen Topf schütten, etwas Brühe in die Pfanne gießen und den Bratensatz lösen. Das Angebratene vom Pfannenrand mit einem Pinsel lösen, ebenfalls in den Topf gießen. Das Fett so weit wie möglich abschöpfen, die Sauce mit etwas angerührtem Mehl binden und mit Salz und Pfeffer abschmecken. Zur Gans werden Salzkartoffeln und Apfelrotkohl gereicht.

In Mecklenburg wird die Gans mit Apfelspalten und eingeweichten und entsteinten Backpflaumen gefüllt.

„Ein Pommer sagt, was er denkt, steht, wo er steht, schlägt, wo zugeschlagen werden muß, und ist eben immer, was er ist: ein Pommer."
(Hans Werner Richter)

Pommerscher Kaviar

Zutaten für 4 Portionen:
Bauchfett von 1 Gans
1 Bund Suppengrün
2 mittelgroße Zwiebeln
1 TL Majoran
½ TL Thymian
Salz

Das Fett von den Gänsedärmen ablösen und 1 Tag lang mit dem geputzten, grob zerschnittenen Suppengrün und 1 geviertelten Zwiebel mit Wasser bedeckt stehen lassen. Das Wasser zwischendurch immer wieder abgießen und neues darübergeben.
Am nächsten Tag die restliche Zwiebel pellen und reiben. Das Fett in einem Sieb gut abtropfen lassen. Stück für Stück von dem Fett auf ein Brettchen legen. Mit der linken Hand ein Stückchen von der feinen Haut fassen, die das Fett zusammenhält. Das Fett mit einem flach gehaltenen Küchenmesser abschaben. Danach das geschabte Fett fein hacken oder durch ein grobes Sieb rühren. Anschließend mit einem Schneebesen verrühren und dabei die fein geriebene Zwiebel, den Majoran, den Thymian und ein wenig Salz zugeben. Die fertige Mischung in kleine Gläser verteilen und kühl aufbewahren.

Diese Masse wird auf geröstetes Roggenbrot gestrichen und schmeckt so gut, daß selbst den wortkargen Pommern ein Superlativ wie „Kaviar" nicht zu hoch ist.

Kohlrübeneintopf mit gepökelter Gänsekeule

Zutaten für 4 Portionen:
1 Steckrübe (etwa 500 g)
50 g Gänseschmalz
etwa 375 g Gänsekeulen, gepökelt
1–2 Zwiebeln
1 EL Mehl
½ l Fleischbrühe
250 g Kartoffeln
Salz
weißer Pfeffer
1 Bund Petersilie

Die Steckrübe (sie darf nicht holzig sein) schälen und in fingerdicke Streifen schneiden. Das Gänseschmalz erhitzen und die zerteilten Gänsekeulen darin anbraten. Die gewürfelten Zwiebeln zugeben und kurz mitbraten. Dann das Mehl über das Gänsefleisch und die Zwiebeln streuen, unter Rühren kurz anschwitzen. Mit Fleischbrühe ablöschen. Die vorbereitete Steckrübe zugeben und zugedeckt rund 20 Minuten kochen lassen. Dann die geschälten und gewürfelten Kartoffeln zugeben und weitere 20 Minuten mitdünsten. Den Eintopf vor dem Servieren mit Salz und Pfeffer abschmecken und mit reichlich gehackter Petersilie bestreuen.

Anmerkung: Man kann für dieses Gericht auch die oberen Teile der Flügel oder das zerhackte Gerippe der Gänse pökeln und mitkochen. Falls man Gänsekeulen nimmt, dürfen diese auch schon geräuchert sein, dadurch bekommt der Eintopf einen noch würzigeren Geschmack.

Gänseweißsauer

**Zutaten
für 4 Portionen:
1 ½ kg Gänsefleisch
(Keulen, Flügel)
2 Kalbsfüße (oder
1 ½ kg Kalbsknochen)
1 EL Salz
2 mittelgroße Zwiebeln
2 Lorbeerblätter
8 Pimentkörner
etwa ¼ l Essig**

Die Gänsekeulen im Gelenk in Portionsstücke trennen. Von den Flügeln nur die oberen, fleischigen Enden nehmen. In einen großen Topf die Kalbsfüße, das Salz, die gepellten Zwiebeln und das Gänsefleisch geben. Alles mit Wasser bedecken und langsam zum Kochen bringen. Die Brühe abschäumen, dann die Lorbeerblätter und Pimentkörner zugeben. Das Fleisch weiter auf mäßiger Hitze sieden lassen, nach 1 ¼ Stunden das Gänsefleisch herausnehmen, etwas abkühlen lassen und die Haut abziehen. Die Brühe mit den Kalbsfüßen noch 1 Stunde weiterkochen lassen. Dann durch ein feines Sieb gießen, genau 1 l davon abmessen, mit Essig mischen, kräftig abschmecken und über die Gänsekeulen gießen. Das Gänseweißsauer an einem kühlen Platz erstarren lassen. Es wird mit Bratkartoffeln oder kleinen runden Röstkartoffeln serviert. Dazu gibt's außerdem (je nach Jahreszeit) eingelegte Gurken oder einen Feldsalat.

*Beim großen Gänseeinschlachten wurden eigentlich immer nur die Gänsekeulen für das Gänseweißsauer verwendet. Man kann jedoch auch eine ganze Gans zerteilen, sie wie oben beschrieben kochen, von den Knochen ablösen und eine Sülze daraus zubereiten.
Und dann gibt es noch eine ganz andere Möglichkeit: Man bereitet das Gänseweißsauer zu, läßt das Gelee von den Keulen ablaufen, wälzt sie in Zucker und brät sie anschließend in Gänseschmalz braun. Zu den warmen Keulen gibt es eine Sauce aus dem Bratfett, das mit etwas Mehl gebunden und dem abgelaufenen Gelee verfeinert wird.*

Im Großherzogtum Mecklenburg ist die Luft wegen der vielen Gewässer feucht, die Witterung veränderlich, aber Landwirtschaft, Hornvieh und Schafzucht blühen, noch besser steht es um die Schweinezucht. Schweine und Gänse sieht man überall, und auch ziemlich Wild. Die Pferde sind kleiner als die Holsteiner, aber stärker und lebhafter, daher treffliche Reitpferde, die für Deutschlands Klima am besten passen.
(Beobachtungen von Karl Julius Weber, die selbstverständlich auch auf Pommern zutreffen)

Gänseeinschlachten zum Martinstag:

Die pommerschen und mecklenburgischen Gänse sind wegen ihrer Qualität berühmt. Im Herbst, wenn die Felder abgeerntet waren, wurden die Gänse früher zur Mast auf die Stoppeln getrieben (deshalb heißen sie auch Stoppelgänse). Dort blieben sie bis zum Martinstag im November und waren fett und rund. Auf den Gütern wurden indes die Tagelöhnerfrauen bestellt, und dann ging's an das große Gänseeinschlachten, was von den Knechten übernommen wurde. Die Frauen rupften die Vögel anschließend. Hinterher wurden sie abgesengt, und in der Küche wurden sie ausgenommen und zerteilt. Zum Braten für den Martinstag wurden höchstens ein oder zwei Gänse zurückgelegt. Die anderen wurden „eingeschlachtet", das heißt, sie wurden durch Pökeln und Räuchern (kalt!) haltbar gemacht. Wobei zu bemerken ist, daß die Spickbrust das Beste an der Gans ist. Dafür löst man die Brust mit der Haut von den Knochen. Dann wird sie eine Woche lang mild gepökelt, worauf man die beiden Filets übereinanderklappt und die Haut am Rand zusammennäht. So kommt die Spickbrust in die Räucherkammer, wo sie eine Weile im kalten Rauch hängen bleibt. Man ißt sie meist als Aufschnitt, sie ist aber auch zu Röstkartoffeln eine feine Beilage.

Hasenleberpastete

Zutaten für 6 bis 8 Portionen:
Hasenklein von 3 Hasen (etwa 750 g)
Salz
1 große Zwiebel
3 Hasenlebern
250 g Schweineleber
300 g fetter Speck
Pfeffer
einige Kapern

Das Hasenklein (Vorderläufe, Hals, Bauchlappen) in kochendes Salzwasser legen und etwa 45 Minuten kochen, in den letzten 20 Minuten die gepellte Zwiebel im ganzen mitgaren. Das Hasenklein aus der Brühe nehmen, abkühlen lassen. Jetzt das Fleisch von den Knochen lösen. Anschließend mit der Zwiebel, den Hasenlebern, der Schweineleber und 250 g in Streifen geschnittenem Speck erst einmal durch die grobe und dann noch einmal durch die feine Scheibe vom Fleischwolf drehen. Die Masse gut verrühren und mit Salz, Pfeffer und einigen Kapern abschmecken. Den restlichen Speck in dünne Scheiben schneiden und eine Kasten- oder Tonform damit auslegen. Die Pastetenmasse hineinfüllen und glattstreichen. Die Pastete im Wasserbad im vorgeheizten Backofen bei etwa 175 Grad (Gas: Stufe 2) 1 Stunde garen lassen. Noch heiß stürzen, abkühlen lassen und anschließend mit Toast als Vorspeise reichen.

Has up, Has up!

Niederwild, also Hasen und Kaninchen, gab es in Mecklenburg und Pommern reichlich. Im Winter lud man sich gegenseitig zu den großen Treibjagden ein. Die Treiber kamen aus dem Dorf, und auch die großen Kinder durften mitmachen. Mit einem Stock bewaffnet zog man in einer Reihe, immer auf Sichtweite mit dem Nebenmann, durch kleine Wälder und Brüche, klopfte gegen jeden Busch und jeden Strauch und rief laut „Has, Has" oder – wenn der Hase endlich aufsprang – „Has up, Has up". Mittags gab es in der Scheune zum Aufwärmen eine Erbsensuppe aus der Milchkanne. Und dann ging es weiter, bis schließlich das Büchsenlicht nicht mehr ausreichte.

Lungwurst

Das Stichfleisch, weiche Teile der Lungen und etwas Mett ein- bis zweimal durchdrehen. Dann mit Salz, Pfeffer und Senfkörnern verkneten und locker in gesäuberte Kranzdärme füllen. Dann 8 Tage trocknen und 10 bis 14 Tage räuchern lassen. Gut für Grünkohl!

Pommersche Tollaschten

Erst die trockenen Zutaten mischen, dann das weiche Schmalz und das Schweineblut unterrühren. Zuletzt mit den Händen einen Teig daraus kneten. Aus dem Teig Klöße formen, die etwa so groß sind wie eine Kinderfaust. Die Klöße in der heißen Brühe in etwa 20 Minuten garziehen lassen. Dann herausnehmen und in eine vorgewärmte Schüssel schichten.

Die Tollaschten können heiß gegessen werden. Man kann sie aber auch abkühlen lassen, in Scheiben schneiden, in Schmalz braten und mit gebratenen Apfelscheiben servieren. Sie gehören zu einem typischen pommerschen Schlachteessen. Und es gibt natürlich so viele Variationen, wie es pommersche Hausfrauen gibt.

Zutaten für 4 Portionen:
250 g Mehl
100 g Zucker
75 g Semmelbrösel
1 TL Salz
75 g Rosinen
abgeriebene Schale von ½ Zitrone
1 Prise Anis
1 Prise Kardamom
1 Prise Zimt
Thymian
50 g weiches Griebenschmalz
gut ⅛ l Schweineblut (beim Fleischer bestellen)
2 l Fleischbrühe

Speckstippe

Den Speck in Würfel schneiden und in einem Topf goldbraun auslassen. Die Zwiebel würfeln, zugeben und im Speckfett glasig braten. Dann das Mehl darüberstreuen und unter Rühren durchschwitzen. Unter ständigem Rühren ½ l Wasser zugeben, und aus allem eine sämige Sauce kochen. Die Sauce mit Salz, Essig und etwas Zucker süß-sauer abschmecken und am Abend mit Pellkartoffeln essen.

Zutaten für 4 Portionen:
60 g durchwachsener Speck
1 große Zwiebel
40 g Mehl
Salz
Essig nach Geschmack
1 Prise Zucker

Grieben-Plätzchen

Die krossen Grieben durch den Fleischwolf drehen und mit den übrigen Zutaten zu einem Mürbeteig verarbeiten. Den Teig 30 Minuten kühl stellen, dann auf bemehlter Fläche dünn ausrollen und Sterne oder Kreise daraus ausstechen. Die Plätzchen auf ein Backblech legen und im vorgeheizten Backofen in etwa 15 bis 20 Minuten bei 200 Grad (Gas: Stufe 3) hellbraun backen.

Zutaten für 30 bis 40 Plätzchen:
200 g Grieben von Flomenfett
150 g Zucker
200 g Mehl
1 TL Zimt
1 TL Nelken
1 EL Rum
abgeriebene Schale von ½ Zitrone
1 Prise Salz
1–2 Eier

„Warnemünde ist gar nicht so übel!" (Theodor Fontane)

Saure Rippchen

Zutaten für 4 Portionen:
1 kg Schweinerippchen zum Schmoren (das sind die dünnen mit wenig Fleisch)
2 Schweinefüße (etwa 1 kg)
1 Bund Suppengrün
Salz
¼ l Essig

Die Schweinerippchen vom Fleischer erst in 12 cm breite Streifen hacken lassen. Die Streifen dann in 2rippige Stücke schneiden. Die Schweinefüße (auch Spitzbeine genannt) mit kaltem Wasser aufsetzen und auf kleiner Hitze etwa 1½ Stunden kochen. Dann die Schweinerippchen, das geputzte Suppengrün und das Salz zugeben. Alles zum Kochen bringen und dann 45 Minuten sieden lassen. Anschließend die Rippchen herausnehmen und nebeneinander in eine flache Schüssel legen. Die Brühe durch ein Sieb gießen und 1 l abmessen. Die Brühe mit dem Essig mischen (säuerlich abschmecken) und über die Rippchen gießen. Die sauren Rippchen mit Bratkartoffeln und eingelegtem Kürbis oder grünem Salat zum Abendessen reichen.

Die sauren Rippchen waren in Mecklenburg und Pommern auf dem Land ein beliebtes Abendessen. Sie wurden auf Vorrat gekocht (sie halten sich an einem kühlen Platz gut eine Woche) oder in Gläsern eingekocht.

„Güstrow ist ein Ort, wo man immer leben kann, trotz Italien ...“
Ernst Barlachs Liebeserklärung an eine kleine Stadt in Mecklenburg.

Mecklenburger Rippenbraten

Zutaten
für 4 bis 6 Portionen:
250 g Backpflaumen
2 kg Schmorrippe vom Schwein, im Stück
Salz
3–4 Äpfel
2 EL Semmelbrösel
1 EL Zucker
Pfeffer
50 g Schmalz
½ l Fleischbrühe
1 EL Mehl

Am Vortag die Backpflaumen in etwas Wasser einweichen. Beim Fleischer 1 Schmorrippe im Stück bestellen und in einer dreiprozentigen Salzlake leicht pökeln. Die Rippen in der Mitte dann so weit ansägen oder durchschlagen, daß das ganze Stück zusammengeklappt werden kann.
Das Rippenstück waschen und trockentupfen. Die Äpfel schälen, achteln, die Kerngehäuse entfernen. Die eingeweichten Backpflaumen entsteinen. Die Apfelstücke mit den Backpflaumen mischen. Die eine Hälfte des Rippenstücks mit der Obstmischung belegen, die Semmelbrösel und den Zucker darüberstreuen. Die zweite Hälfte vom Rippenstück über die Füllung klappen. Das ganze mit einem kräftigen Faden zusammenbinden. Den Rippenbraten außen mit etwas Salz und Pfeffer bestreuen. Das Schmalz in einem großen ovalen Schmortopf zerlassen, den Rippenbraten darin von allen Seiten kräftig anbraten, dann etwas Brühe zugießen. Den Schmortopf in den vorgeheizten Backofen schieben. Das Fleisch zugedeckt bei 225 Grad (Gas: Stufe 4) etwa 2 Stunden schmoren lassen. Den Braten anschließend herausnehmen und im ausgeschalteten Backofen warm stellen. Den Bratensaft mit der restlichen Brühe loskochen und in eine Kasserolle gießen. Das Fett soweit wie möglich abschöpfen. Das Mehl mit etwas Wasser verrühren. Den Bratensaft damit binden. Die Sauce noch einmal abschmecken. Den Rippenbraten bei Tisch aufschneiden und mit Salzkartoffeln und Sauce servieren.

Den Mecklenburger Rippenbraten, nicht gerade ein üppiges Fleischstück, gab es sonntags. Man verstand es halt, auch aus den bescheideneren Teilen vom Fleisch ein schmackhaftes Gericht zuzubereiten. Und das zwischen den Rippen sitzende Fleisch ist besonders schmackhaft, wobei noch anzumerken ist, daß der Zucker, der vor dem Schmoren auf die Obstfüllung gestreut wird, auch weggelassen werden kann. Die Mecklenburger jedenfalls mochten es süß – wie alle norddeutschen Küstenmenschen, was man auch aus den Rezepten der Kapitel Schleswig-Holstein, Hamburg, Bremen und Ostpreußen ersehen kann.

Dicke Bohnen mit Schweinebacke

Zutaten für 4 Portionen:
1–1 ½ kg dicke Bohnen
¼ l Fleischbrühe
einige Stengel Bohnenkraut
500 g Schweinebacke, geräuchert
40 g Butter
40 g Mehl
¼ l Milch
Salz
Pfeffer
1 Bund Petersilie

Die Bohnen aus den Hülsen lösen und mit der Fleischbrühe in einen Topf geben, das Bohnenkraut obendrauf legen. Im zugedeckten Topf auf milder Hitze etwa 25 Minuten garen. Während die Bohnen garen, die Schweinebacke in einem zweiten Topf in etwas Wasser kochen.
Die Butter erhitzen, das Mehl hineinschütten und goldgelb schwitzen. Unter Rühren die Kochbrühe von den Bohnen und dann auch die Milch zugießen. Die Sauce gut durchkochen lassen, anschließend mit Salz und Pfeffer abschmekken. Die Sauce mit den Bohnen mischen und reichlich gehackte Petersilie darüberstreuen. Die Schweinebacke aus der Brühe nehmen, aufschneiden und mit Bohnen und Salzkartoffeln auf einer vorgewärmten Platte anrichten.

Arme Ritter

Zutaten für 4 Portionen:
8 Scheiben Weißbrot, altbacken
etwa ⅓ l Milch
2 Eier
1 Prise Salz
1 EL Zucker
Semmelbrösel
Fett zum Backen
Zimt-Zucker
Himbeersaft

Die Weißbrotscheiben auf eine flache Platte legen. Die Milch mit den Eiern, dem Salz und dem Zucker verquirlen. Diese Mischung über die Weißbrotscheiben gießen und einziehen lassen. Die Brotscheiben dann vorsichtig herausnehmen, in den Semmelbröseln wälzen und in heißem Fett von beiden Seiten braun braten. Dann warm als Nachtisch reichen. Bei Tisch mit Zimt-Zucker bestreuen und etwas Himbeersaft darübergießen.

In den mecklenburgischen Wäldern wuchsen unendlich viele Himbeersträucher. Auf Leiterwagen fuhren die Frauen und Kinder der Tagelöhner zur Ernte in den Wald. Bei sich hatten sie große leere Milchkannen, in die die Beeren gesammelt wurden. Übrigens mit Stumpf und Stiel und Maden, denn man machte ja Saft daraus. Und der Saft war – Maden hin, Maden her – unvergleichlich aromatisch.

Hefeplinsen

Die Hefe in eine Schüssel bröckeln, mit etwas lauwarmer Milch flüssig rühren. Dann die übrige Milch, das Mehl, die Eier, den Zucker, das Salz und die flüssige Butter zugeben. Alles gründlich verschlagen, bis der Teig Blasen wirft und zähflüssig ist. Den Teig zugedeckt an einen warmen Platz stellen und rund 20 Minuten gehen lassen. Jetzt das Schmalz in einer Pfanne erhitzen. So viel Teig hineingeben, daß handtellergroße Plinsen entstehen. Die Plinsen auf beiden Seiten hellbraun backen. Dann warm stellen, bis der ganze Teig verbraucht ist. Die Plinsen mit Zimt-Zucker oder Pflaumenmus oder Marmelade servieren.

Zutaten für 4 Portionen:
25 g Hefe
½ l Milch
knapp 250 g Mehl
2 Eier
50 g Zucker
1 Prise Salz
1 EL Butter, flüssig
Schmalz zum Braten (oder Margarine)
Zimt-Zucker (oder Pflaumenmus)

Die Hefeplinsen sind sowohl in Mecklenburg als auch in Pommern ein beliebter Nachtisch, der gern nach einem deftigen Eintopf serviert wird.

Süße Blutwurst

Das Weißbrot kleinschneiden, mit der heißen Wurstbrühe begießen und durchziehen lassen. Das gekochte Wellfleisch würfeln, dann mit den gedünsteten Zwiebeln durch die grobe Scheibe vom Fleischwolf drehen. Werden Schwarten verwendet, werden diese auch durchgedreht. Das durchgedrehte Fleisch zum eingeweichten Weißbrot geben und damit mischen. Die Masse mit Salz, Thymian, Zucker und Nelkenpfeffer würzen. Dann die Rosinen und das Schweineblut untermischen.
Das Schmalz in einer Pfanne erhitzen, die Masse hineingeben, unter Rühren erhitzen. Das Mehl in etwas Wasser anrühren, dann unter die Masse mischen. Die Blutwurst so lange braten, bis sie gar und schwärzlich braun ist. Die süße Blutwurst wird mit Bratkartoffeln oder Kartoffelbrei serviert.

Zutaten für 4 Portionen:
250 g altes Weißbrot (oder alte Brötchen)
¼ l fette Wurstbrühe
250 g Wellfleisch, gekocht (oder 125 g Wellfleisch, gekocht und 125 g Schwarten, gekocht)
2 Zwiebeln, gedünstet
1 TL Salz
1 TL Thymian
2 EL Zucker
Nelkenpfeffer
4 EL Rosinen
⅜ l Schweineblut (beim Fleischer bestellen)
1–2 EL Schmalz
2 EL Mehl (in etwas Wasser angerührt)

Mecklenburger Punsch
2 Flaschen Thee, 4 Flaschen Rothwein, 1 Flasche Cognac, 1 Flasche Portwein, 1/2 Flasche Madeira, 2 Pfd. Zucker, den man vorher in dem kochend heißen Thee schmelzen läßt, und 1/2 Stange Vanille, die man in etwas kochendem Wasser ausgezogen hat. (Illustriertes Kochbuch für bürgerliche Haushaltungen von L. Kurth, Berlin 1864)

Kliebensuppe

Zutaten für 4 Portionen:
1 l Milch
1 Stück Zitronenschale (oder Zimt)
Salz
80–100 g Mehl
1 großes Ei
1 EL Zucker

Die Milch mit der Zitronenschale (oder Zimt) und 1 Prise Salz zum Kochen bringen. Inzwischen aus dem Mehl, knapp ³/₈ l Wasser, dem Ei, 1 Prise Salz und dem Zucker einen dickflüssigen Teig rühren. Sobald die Milch kocht, den Teig über einen Quirl, der dabei ständig gedreht wird, in die Suppe laufen lassen. Die Suppe leise weiterkochen lassen, bis die Teigklümpchen (Klieben) oben schwimmen.

Klieben oder Klackerklieben heißen die Mehlklümpchen in dieser Suppe in Pommern und Mecklenburg, in Schleswig-Holstein nennt man sie Klüten. Serviert wurde diese warme Milchsuppe früher zum ersten Frühstück. Das allerdings erst, nachdem schon ein Stück Arbeit im Stall oder im Haus getan war. Besonders im Winter war diese warme Suppe dann eine Wohltat. Anschließend aß man Roggenbrot mit Schmalz und Rübensirup. Aber: Weil die Suppe am Morgen so gutgetan hatte, wurde sie auch noch zum Abendessen, vor den Bratkartoffeln, auf den Tisch gestellt.
Übrigens ist das obenstehende Rezept bereits eine Verfeinerung. Meist wurde die Kliebensuppe ohne Gewürze wie Zimt oder Zitronenschale gekocht. Und der Teig für die Klieben wurde ohne Ei und manchmal aus Roggenmehl zubereitet.

Pommersche Grützwurst

Von der Wurstbrühe etwas abnehmen und Gerstengrütze darin ausquellen lassen. Dazu Fleisch- und Wurstreste und durchgedrehte Schwarten geben. Aufkochen, dann mit Nelken, Piment, Zwiebeln, Salz, Majoran, und Thymian pikant abschmecken. Wird mit eingelegten roten Rüben gegessen, schmeckt prima!

Rindfleisch un Plummen

Am Vortag die Backpflaumen in etwas Wasser einweichen. Etwa 2 l Wasser mit Salz zum Kochen bringen, das Rindfleisch und eventuell auch ein Stück Speck hineinlegen und langsam zum Kochen bringen. Abschäumen, 1 Zwiebel, Lorbeerblatt und Gewürzkörner zugeben. Die Brühe etwa 1 Stunde auf kleiner Hitze sieden lassen. Jetzt das geputzte Suppengrün im Ganzen zugeben, ½ Stunde mitsieden lassen, anschließend herausnehmen und jetzt erst kleinschneiden, dann beiseite stellen. ½ l von der Rindfleischbrühe abfüllen. Nun die eingeweichten Pflaumen mit der Einweichflüssigkeit zum Fleisch geben und noch weitere 20 Minuten mitkochen lassen.
Inzwischen die Margarine zerlassen, die restlichen feingewürfelten Zwiebeln darin glasig braten. Das Mehl darüberstäuben und unter Rühren gut durchschwitzen. Unter weiterem Rühren die heiße Brühe zugießen. Die Sauce mindestens 10 Minuten kochen lassen, dann mit Salz und Pfeffer abschmecken. Das Rindfleisch aus der Brühe nehmen, aufschneiden und auf einer Platte anrichten. Mit den Pflaumen umlegen. Mit der Zwiebelsauce und Salzkartoffeln servieren. Davor gibt es die restliche Fleischbrühe, in der das Suppengemüse erhitzt worden ist.

**Zutaten
für 4 Portionen:
300 g Backpflaumen
Salz
1 kg Rindfleisch,
durchwachsen,
aber nicht zu fett
125 g Speck
(nach Belieben)
3 Zwiebeln
1 Lorbeerblatt
3 Gewürzkörner
1 Bund Suppengrün
40 g Margarine
30 g Mehl
Pfeffer**

*Rindfleisch un Plummen ist ein Essen, das in Mecklenburg Tradition hat. Fritz Reuter, der mecklenburgische Heimatdichter, hat es in einem Gedicht gebührend gewürdigt. Es geht darin darum, daß sich ein Lehrling beim Bürgermeister über das schlechte Essen bei seinem Lehrherren beklagt. Der aber meint:
„Ick holl min Lüd' so slicht?
Antwurten S' blot up dese Frag':
Rindfleisch un Plummen? Is't en slicht Gericht?"
Das Gedicht endet mit Lehrling Jochen Brümmers entwaffnender Antwort:
„Rindfleisch un Plummen is en schön Gericht,
Doch, mine Herrn, ick krig't man nicht."*

„Du büst so dumm wie ein Badegast!" (Pommerscher Kindermund)

Stampfkartoffeln mit Buttermilch

Zutaten für 4 Portionen:
1 kg Kartoffeln
Salz
¼ – ⅜ l Milch
100 g Butter
4 kleine Zwiebeln
etwa ½ l Buttermilch

Die Kartoffeln schälen, in Stücke schneiden und in Salzwasser kochen, dann abgießen. Die Kartoffeln gründlich zerstampfen. Nach und nach die erhitzte Milch und 50 g Butter unterrühren. Den Kartoffelbrei mit dem Schneebesen schaumig rühren. Die Zwiebeln pellen, in Scheiben schneiden und in der restlichen Butter braun braten. Die Zwiebeln über den angerichteten Kartoffelbrei geben. Für dieses Essen werden tiefe Teller aufgedeckt. Jeder nimmt sich von dem Kartoffelbrei und gießt die kalte Buttermilch darüber.

Dieses Gericht stammt aus einer Zeit, in der man noch selbst butterte. Die hausgemachte Buttermilch war mild säuerlich, es schwammen kleine Butterklümpchen darin. Heute nimmt man für dieses Gericht gewöhnliche Buttermilch oder Schwedenmilch.
Natürlich gibt es auch für die Stampfkartoffeln verschiedene Rezepte. So kann die Buttermilch mit etwas Mehl und 1 bis 2 Eiern verquirlt und statt der Milch unter die zerstampften Salzkartoffeln gerührt werden. Dann gibt man außerdem auch noch ausgelassene Speckwürfel und darin geröstete Zwiebeln darüber.

Die pommersche Kartoffel:

Die pommersche Kartoffel übertrifft jede andere Kartoffel, wo sie auch immer angebaut wird. Es ist zumindest keine bayrische Kartoffel. Die bayrische Kartoffel ist naß, matschig und zäh, gelb-grün, die pommersche Kartoffel aber ist weiß, mehlig und zergeht auf der Zunge. Sie ist von einer trocknen, herben Süße. Als Salzkartoffel hergestellt, kann sie einen Mann sein ganzes Leben lang ernähren, ohne daß dieser jemals die Lust auf sie oder den Geschmack an ihr verliert. *(H. W. Richter)*

„Rostock, die alte, schöne Hansestadt, deren Silhouette eine der schönsten ist, die ich auf meinen nicht unbeträchtlichen Reisen gesehen habe." (Sven Hedin)

Hefekartoffeln

Die Kartoffeln in der Schale kochen, abgießen, mit kaltem Wasser abschrecken und noch warm pellen, dann in Scheiben schneiden. Die Margarine zerlassen und die gewürfelten Zwiebeln darin glasig braten. Jetzt die zerbröckelte Hefe zugeben und unter Rühren flüssig werden lassen. Das Mehl darüberstäuben und unter Rühren hell anbräunen. Mit der heißen Fleischbrühe ablöschen und 10 Minuten durchkochen lassen. Die Sauce mit Salz abschmecken und den gehackten Schnittlauch unterrühren.
In eine flache Auflaufform abwechselnd Kartoffelscheiben und Sauce einfüllen. Auf die letzte Schicht Butterflöckchen setzen. Die Form in den vorgeheizten Backofen schieben. Die Hefekartoffeln bei 200 Grad (Gas: Stufe 3) etwa 45 Minuten backen. Dann in der Form servieren. Dazu außerdem grünen Salat reichen.

Zutaten für 4 Portionen:
750 g Kartoffeln, fest kochend
60 g Margarine
4–6 Zwiebeln (oder 2 Stangen Porree)
1 Päckchen Hefe
40 g Mehl
½ l Fleischbrühe
Salz
1 Bund Schnittlauch
Butterflöckchen

Dieses Gericht war in Pommern wie in Mecklenburg als Abendessen beliebt. Es schmeckt durch die Hefe herzhaft und ist, wie wir heute wissen, durch den Eiweiß- und Vitamin-B-Gehalt der Hefe auch besonders gesund.

Schmantkartoffeln

Die Kartoffeln in der Schale kochen, abgießen, kurz mit kaltem Wasser abschrecken, noch heiß pellen. Den Speck würfeln und in einem Topf ausbraten. Die gewürfelten Zwiebeln in dem Speckfett glasig braten. Das Mehl darüberstäuben und kurz durchschwitzen. Dann unter Rühren die Brühe zugießen. Die Sauce durchkochen lassen und mit Salz, Pfeffer und Majoran abschmecken. Die saure Sahne unterrühren. Die Kartoffeln in die Sauce schneiden, auf milder Hitze darin erhitzen und durchziehen lassen.
Die Schmantkartoffeln werden mit Rügenwalder Teewurst und Salzgurken gegessen.

Zutaten für 4 Portionen:
1 kg Salatkartoffeln, festkochend
100 g durchwachsener Speck, geräuchert
3 Zwiebeln
30 g Mehl
½ l Fleischbrühe
Salz
Pfeffer
2 TL Majoran, gerebbelt
5 EL saure Sahne

Ostpreußen

Den Ostpreußen fehlt die Grazie. Sie gewinnen nicht bei ihrem Erscheinen. Aber auf ihrem soliden Wesen läßt sich sicher bauen. Der Ostpreuße ist die reinste und beste Prosa-Natur Deutschlands.
(Ferdinand Gregorovius, ein Ostpreuße)

Die anheimelnde Weichheit der ostpreußischen Aussprache", schreibt 1836 nach fast vierzigjähriger Amtszeit ein Insterburger Pfarrer, „steht in einem unversöhnlichen Gegensatz zur Härte des ostpreußischen Schädels." Überhaupt, so sinniert der Gottesmann und Ostpreußenkenner weiter, sei viel Widersprüchliches in seinen Landsleuten. Zum Beispiel ihre einmalige Art, die nüchternen preußischen Tugenden mit allerlei dunklen Trieben zu vermischen. Preußisch sei an ihnen ihre klare Verständigkeit und ihre praktische Tüchtigkeit, ganz und gar unpreußisch dagegen ihre dämonische Lust am Saufen, Raufen und Rauchen. Diese Nachtseite seiner lieben Pfarrkinder hatte dem wohlmeinenden Geistlichen offensichtlich so schwer zu schaffen gemacht, daß er am Ende einer langen Seelsorgepraxis zu Schlüssen kam, die vielleicht etwas befremdlich klingen, in diesem Buch aber nicht unterschlagen werden dürfen. Pfarrer Lange glaubte nämlich an das Weiterleben böswilliger altslawischer Götter, die das gut-christliche Volk der Ostpreußen immer mal wieder zu den Exzessen heidnischer Opfermahlzeiten verführten: „Diese Satane geben uns die Gier auf fette Kost ein, auf Speck und Schmant (Rahm) und Aale", so lautet die Langesche Hypothese, „Fett aber verlangt nach Schnaps, und Schnaps wiederum will Fett. Und also führen uns diese heidnischen Teufel in einem wahren Teufelskreis herum und machen uns reizbar und anfällig für Tabak- und Sinnenlust." Dafür lobt unser Theologe um so mehr den Königsberger Klops: „Dieser ist ein vernunftgemäßes und für Christenmenschen unbedenkliches Essen. Und es hat die Stadt Königsberg mit dieser ihrer Erfindung viel für die Tugend getan und darf auf den Klops nicht weniger stolz sein als auf ihren großen Sohn Immanuel Kant, der mit seiner Lehre vom unbedingten Gehorsam gegenüber dem Pflichtgebot die preußische Monarchie erhoben, groß und mächtig gemacht hat!"

Gefüllter Kalkuhnenbraten (Truthahn)

Zutaten für 6 Portionen:
1 mittelgroßer Truthahn, etwa 3 kg (küchenfertig vorbereitet)
Salz
750 g Kastanien (ersatzweise 500 g Kastanienpüree aus der Dose)
250 g Butter
1 Brötchen, eingeweicht
2 Eier
1 TL Zucker
knapp 1 l Fleischbrühe
2 TL Mehl
3 EL süße Sahne

Den ausgenommenen Truthahn waschen, trockentupfen, dann innen und außen mit Salz einreiben. Die Spitzen der Kastanien etwas abschneiden. Die Kastanien in Wasser weichkochen. Herausnehmen und schälen, solange sie noch heiß sind. Die geschälten Kastanien durch die Mandelmühle oder durch den Fleischwolf treiben. Die Hälfte der Butter schmelzen lassen. Dann mit dem gut ausgedrückten Brötchen, den Eiern, dem Zucker und 1 Prise Salz zum Kastanienpüree geben. Alles gut durchkneten. Das Kastanienpüree in den Truthahn füllen. Die Öffnungen mit Küchengarn zunähen.
Den Truthahn mit Küchengarn dressieren und mit der Brust nach unten in die Saftpfanne vom Backofen legen. Die Pfanne auf die mittlere Einschubleiste im vorgeheizten Backofen (E: 200 Grad; Gas: Stufe 3) stellen. Die restliche Butter stark erhitzen und über den Truthahn gießen. Sobald sich ein brauner Ansatz in der Pfanne bildet, etwas heiße Fleischbrühe nachgießen.
Den Truthahn unter häufigem Begießen in 2½ bis 3 Stunden braten. Nach der Hälfte der Bratzeit wenden. Wird das Fleisch zu schnell braun, das Tier mit gefettetem Papier abdecken.
Nach der Bratzeit den Truthahn auf einer vorgewärmten Platte im ausgeschalteten Backofen warm stellen. Den Bratensatz mit etwas Brühe loskochen. Dann durch ein Sieb in einen Topf gießen. Das Mehl mit der Sahne verquirlen, die Sauce damit binden. Den Truthahn tranchieren, vorher die Fäden entfernen. Das Kastanienpüree und die Sauce extra servieren.

Schustersauce (Schmunzelsauce)

Zutaten für 6 Portionen:
150 g durchwachsener Speck, geräuchert
5 Zwiebeln
1 EL Mehl
1 Tasse Milch
1 Tasse Fleischbrühe
6 EL süße Sahne
3 EL saure Sahne
1 EL Zitronensaft
1 TL Zucker
Pfeffer
Salz

Den Speck würfeln und ausbraten. Die gewürfelten Zwiebeln zugeben und bräunen. Dann das Mehl zugeben und mit anrösten. Anschließend mit Milch und der Brühe ablöschen. Die Sauce gut durchkochen lassen, jetzt mit der Sahne verfeinern. Mit Zitronensaft, Zucker, Pfeffer und Salz pikant abschmecken.

Die Schustersauce wird in Ostpreußen besonders gern zu Kartoffelkeilchen (Kartoffelklößen) gegessen. Sie paßt natürlich auch zu einfachen Salz- oder Pellkartoffeln.

Kartoffelkeilchen mit Spirkel

Zutaten für 4 bis 6 Portionen:
2 kg Kartoffeln, roh und geschält
600 g Kartoffeln, ungeschält gekocht
70 g Mehl
1 Ei
Salz
125 g Speck
3 Zwiebeln, mittelgroß
40 g Butter

Die rohen Kartoffeln schnell in Wasser in eine Schüssel reiben. Dann in einem Küchentuch gut ausdrücken, so daß eine etwas bröckelige Masse entsteht. Die am Tag zuvor gekochten Kartoffeln pellen, durch die Kartoffelpresse drücken und mit der geriebenen Kartoffelmasse mischen. Das Mehl, das Ei und etwas Salz zugeben. Alles zu einem festen Teig verarbeiten. Den Teig 30 Minuten ruhen lassen.
Inzwischen in einem Topf Salzwasser zum Kochen bringen, anschließend die Hitze herunterschalten. Aus dem Teig einen Probekloß abstechen und in dem siedenden Wasser 10 Minuten ziehen, aber nicht kochen lassen. Ist der Kloß zu fest, etwas Wasser an den Teig geben. Ist er zu locker, mehr Mehl unter den Teig kneten.
Aus dem Teig längliche (Keilchen) oder kleine runde Klößchen formen und in dem Salzwasser garen. Wenn sie an die Oberfläche kommen, müssen sie noch weitere 15 Minuten ziehen. Jetzt herausnehmen, abtropfen lassen und auf einer vorgewärmten Platte nicht zu dicht nebeneinander anrichten, damit sie nicht zusammenkleben.
Während die Keilchen garen, in einer Pfanne den gewürfelten Speck und die gehackten Zwiebeln kroß ausbraten. Die Speck-Zwiebel-Stippe („Spirkel“ auf ostpreußisch) über die Keilchen gießen und dann servieren.

Klunkermus

Zutaten für 4 bis 6 Portionen:
1 l Milch
Salz
40 g Zucker
1 Päckchen Vanillezucker
1 Ei
100 g Mehl
2–3 EL Butter

Die Milch mit etwas Salz, Zucker und Vanillezucker zum Kochen bringen. Inzwischen das Ei mit dem Mehl verrühren, etwas Wasser in die Masse tropfen lassen, so daß sich Klümpchen (Klunker) bilden. Diese unter Rühren in die kochende Milch geben, die Hitze herunterschalten. Die Klunker in etwa 5 bis 10 Minuten unter Rühren garen.
Vor dem Servieren die Butter in der Suppe zergehen lassen.

Wenn ich gesund bin, eß ich zwölf Keilchen, wenn ich krank bin, nur elf. Aber das letzte muß besonders groß sein.
(Ostpreußische Devise)

Brotsuppe

Zutaten für 4 Portionen:
200 g trockene Brotreste (auch Kanten)
150 g Sultaninen
5 Nelken
½ Stange Zimt
3 EL Zucker
Salz
¼ l saure Sahne
3 EL süße Sahne
Saft von ½ Zitrone
1 EL Butter

Die Brotreste würfeln und in 1 l kaltem Wasser 2 Stunden einweichen. Die Sultaninen auch einweichen. Die eingeweichten Brotreste mit den Nelken und dem Zimt gut durchkochen lassen und anschließend durch ein Sieb streichen. Die Suppe mit den eingeweichten Sultaninen, Zucker und 1 Prise Salz unter Rühren noch einmal zum Kochen bringen, aufpassen, daß die Suppe dabei nicht anbrennt! Zum Schluß die Sahne unterrühren und mit Zitronensaft abschmecken. Vor dem Servieren Butter in die Suppe geben.

Gut und reichlich, fett und herzhaft!
(Ostpreußische Devise)

Schmant mit Glumse (Sahnequark)

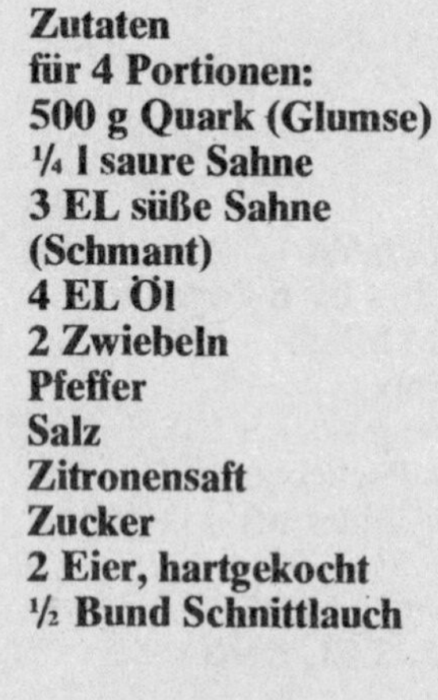
Zutaten für 4 Portionen:
500 g Quark (Glumse)
¼ l saure Sahne
3 EL süße Sahne (Schmant)
4 EL Öl
2 Zwiebeln
Pfeffer
Salz
Zitronensaft
Zucker
2 Eier, hartgekocht
½ Bund Schnittlauch

Den Quark durch ein Sieb streichen. Dann mit der Sahne, dem Öl, den kleingehackten Zwiebeln, Pfeffer und Salz gut durcharbeiten, so daß eine glatte Creme entsteht. Mit Zitronensaft und 1 Prise Zucker abschmecken. Zum Schluß die kleingeschnittenen harten Eier und den gehackten Schnittlauch unterrühren. Gut durchziehen lassen und anschließend zu Pellkartoffeln oder als Brotaufstrich servieren.

Königsberger Klopse

Das Hack mit den eingeweichten und ausgedrückten Brötchen, dem Ei, Salz, Pfeffer, der kleingehackten Petersilie, etwas Zitronenschale und den in der Butter glasig gebratenen Zwiebeln herzhaft abschmecken und mit nassen Händen durchkneten, bis eine geschmeidige Masse entsteht. Aus dem Teig etwa 16 mittelgroße Kugeln formen.
Aus 1 l Wasser, dem Markknochen, dem Bouillonwürfel, Salz, der Zwiebel und den Gewürzen einen herzhaften Sud kochen, anschließend durchsieben und leise weiterkochen lassen. Die Klopse in den leise kochenden Sud legen und in etwa 10 Minuten garen, danach herausnehmen.
Aus Butter und Mehl eine helle Schwitze bereiten und mit 3/8 l Klopssud ablöschen. Dann die Kapern mit der Flüssigkeit hineingeben. Mit Zitronensaft, Sahne, Weißwein, Zukker, Pfeffer und Salz süß-sauer abschmecken. Die Sauce mit dem Eigelb legieren. Zum Schluß die Klopse hineinlegen und noch etwa 10 Minuten in der Sauce durchziehen, aber nicht mehr kochen lassen.

Die Königsberger Klopse werden mit mehligen Salzkartoffeln und einem Salat aus roter Bete gereicht. Wer's mag, kann den Fleischteig zusätzlich mit kleingeschnittenen Sardellenfilets würzen.

**Zutaten
für 16 Klopse:
250 g Schweinehack
250 g Beefsteakhack
(oder durchgedrehtes
Kalbfleisch)
2 Brötchen
1 Ei, Salz
Pfeffer
1/2 Bund Petersilie
etwas abgeriebene
Zitronenschale
1 EL Butter
2 Zwiebeln, gehackt
Sud:
1 Markknochen
1 Bouillonwürfel
Salz, 1 Zwiebel
1 Lorbeerblatt
5 Pfefferkörner
3 Gewürzkörner
Sauce:
3 EL Butter
2 EL Mehl, schwach
gehäuft
1 Röhrchen Kapern
(60 g Einwaage)
etwas Zitronensaft
1/8 l saure Sahne
3 EL süße Sahne
1 Glas Weißwein
1 Prise Zucker
Pfeffer, Salz
2 Eigelb**

Insterburger Weiße

Man mischt 1 Flasche trockenen Sekt, der recht kühl ist, mit 2 kleinen (oder 1 großen) Flaschen Pils, das auch kalt ist, in einem Krug und würzt das Gebräu mit 2 Schnapsgläsern Danziger Goldwasser (es können auch mehr sein!). Zur Verzierung legt man eine Spirale aus Zitronenschale in den Krug. Löscht den Durst vorzüglich!

Sauerampfersuppe

Zutaten für 6 Portionen:
750 g Rindfleisch
1 Bund Suppengrün
Salz
750 g Sauerampfer
2 EL Mehl
¼ l saure Sahne
2 Eigelb
1 Prise Zucker
Saft von ½ Zitrone
3 EL Butter
8 Eier, hartgekocht
750 g Kartoffeln

Aus dem Rindfleisch, dem geputzten, grob zerkleinerten Suppengrün, etwas Salz und 1½ l Wasser eine kräftige Brühe kochen. Die fertige Brühe durch ein Sieb gießen, das Fleisch würfeln. Den Sauerampfer waschen, fein hacken und in der Brühe kurz kochen lassen. Das Mehl in der Sahne verquirlen, die Suppe damit binden und mit dem Eigelb legieren. Jetzt mit Zucker, Zitronensaft und Salz abschmecken und zum Schluß mit der Butter verfeinern. Die Rindfleischwürfel und die hartgekochten Eier in der Suppe erhitzen. Dann mit Salz- oder Pellkartoffeln servieren.

Zwei Varianten:
Zum einen können die gekochten Sauerampferblätter durch ein Sieb gestrichen und als Mus wieder in die Suppe gegeben werden.
Zum anderen können statt der hartgekochten Eier auch verlorene in die Suppe gelegt werden. Aber: Beide Varianten bedeuten lediglich mehr Arbeit und verheißen nicht unbedingt größeren kulinarischen Erfolg.

Hecht im Backteig

Zutaten für 4 Portionen:
1½ kg Hecht
etwas Zitronensaft
1 EL Salz
1 Ei
1 Tasse Milch (oder Bier)
2 EL Öl
125 g Mehl
1 kg Rinderfett

Den Hecht schuppen, säubern, säuern, salzen, in dreifingerbreite Stücke schneiden und 1 Stunde ziehen lassen. Inzwischen das Ei mit Milch (oder Bier), Öl und 1 Prise Salz verquirlen, das Mehl hineinrühren, bis ein dickflüssiger, geschmeidiger Ausbackteig entsteht. Die Fischstückchen nacheinander in den Teig tauchen, in dem siedenden Fett ausbacken, bis sie eine goldbraune Farbe annehmen. Zum Hecht eine Remouladen- oder eine kalte Senfsauce servieren.

Hat's geschmeckt? – Ja.
Bist du satt? – Ja.
Willst du mehr? – Ja!
(Tägliches ostpreußisches Frage- und Antwort-Spiel)

Marktszene in Memel:

Ob in Marseille oder in Genua, ob in Reval oder Wilna, nirgendwo habe ich einen Markt gesehen, der so überquoll in seiner prallen Fülle: die litauischen Bauern mit den gewilderten Birkhühnern und Hasen, mit Honig und Wachs und den Fuhren von Brennholz. Die kurischen Fischer mit den beinahe bretterdicken geräucherten Spaltaalen, den gerösteten Neunaugen, den frischen Lachsen, Zandern, Hechten und all dem Fischgewimmel. Die memelländischen Bauern mit Gänsen, Hühnern, Enten, goldgelber Butter, weißem Glumskäse und Eiern und dem dickflüssigen Schmant, in dem sich der Rauchschinken so köstlich kochen ließ; mit den Früchten und dem Obst und den Herbstblumen aus ihren Gärten. Die Instfrauen mit den Steinpilzen, den Reizkern und Grünlingen und den roten Preiselbeeren. Die Gemüsebauern mit den Bergen von gelben Kürbissen, Gurken und weißem, grünem und rotem Kohl und den Ketten von Zwiebeln und mit den duftenden Küchenkräutern, dem Majoran vor allem, dem Kraut „für die Gans von hinten reinzustecken“. *(Martin Kakies)*

Speckpfifferlinge

Die Pfifferlinge sorgfältig putzen, möglichst nicht waschen, dann in Stücke schneiden. Den Speck würfeln und ausbraten. Die gewürfelten Zwiebeln darin glasig braten. Die Pfifferlinge zugeben und mit geschlossenem Deckel im eigenen Saft in etwa 15 Minuten gar dünsten. Das Mehl mit der Sahne verquirlen, unter die Pilze rühren und noch einmal aufkochen lassen. Die Pfifferlinge mit Salz und Pfeffer abschmecken. Zum Schluß die gehackte Petersilie unterziehen. Die Pfifferlinge mit Salzkartoffeln servieren.

Zutaten für 4 Portionen:
750 g Pfifferlinge
125 g magerer Speck, geräuchert
3 Zwiebeln
2 TL Mehl
¼ l saure Sahne
Salz
Pfeffer
1 Bund Petersilie

Fischklopse mit Specksauce

Zutaten für 8 Klopse:
500 g gekochtes Fischfleisch (von Fischfilet oder gekochten Fischresten)
1 Brötchen, eingeweicht
3 Eier
70 g Butter
1 Zwiebel
1 Bund Petersilie
Salz
Pfeffer
Mehl
2 EL Semmelbrösel
1 EL geräucherter Speck, gewürfelt
Zucker
Essig
2 EL saure Sahne
1 Zitrone

Das Fischfleisch durch den Fleischwolf drehen. Mit dem ausgedrückten Brötchen, 2 Eiern, der in 1 EL Butter gedünsteten feingewürfelten Zwiebel und ½ Bund gehackter Petersilie mischen. Die Farce salzen und pfeffern. Dann mit gemehlten Händen 8 flache Klopse daraus formen und in dem restlichen verquirlten Ei und den Semmelbröseln panieren. Die Fischklopse in der restlichen Butter auf milder Hitze langsam goldbraun braten.
Zur gleichen Zeit in einer anderen Pfanne den gewürfelten Speck ausbraten. 1 EL Mehl im Fett bräunen. Dann mit so viel Wasser ablöschen, bis eine sämige Sauce entsteht. Die Sauce salzen und mit 1 Prise Zucker, etwas Essig und der sauren Sahne süß-sauer abschmecken. Die Fischklopse auf einer Platte mit Zitronenachteln und Petersiliensträußchen garnieren. Entweder Kartoffelbrei und Rote-Bete-Salat oder nur Kartoffelsalat dazu reichen.

Ostpreußische Fischsuppe

Zutaten für 4 bis 6 Portionen:
¼ l Weißwein
1 Bund Suppengrün
1 Zwiebel
Salz
1 Lorbeerblatt
5 Gewürzkörner
2 Pfefferkörner
1 Bund Petersilie
1 kg Kabeljau mit Kopf (vom Fischhändler putzen und in Stücke schneiden lassen)
40 g Butter
20 g Mehl
Pfeffer
1 Prise Zucker
⅛ l süße Sahne
3 EL saure Sahne
2 Eigelb
150 g Krabbenfleisch
1 Bund Dill

Den Weißwein und 1 l Wasser in einen Topf geben. Das geputzte Suppengrün und die gepellte Zwiebel grob zerkleinern, mit Salz, Gewürzen und ½ Bund Petersilie zugeben und gut durchkochen lassen. Den Sud durch ein Sieb in einen Topf gießen. Die Fischstücke hineinlegen und auf schwacher Hitze etwa 20 bis 25 Minuten ziehen lassen. Das Fischfleisch darf nicht zerfallen. Anschließend herausnehmen, die Haut und die Gräten entfernen, das Fleisch in mundgerechte Stücke schneiden.
Aus Butter und Mehl eine helle Schwitze bereiten, mit dem Sud ablöschen. Die Suppe noch einmal aufkochen lassen. Dann mit Salz, Pfeffer und 1 Prise Zucker abschmecken. Mit süßer und saurer Sahne und Eigelb verfeinern.
Das Fischfleisch und das Krabbenfleisch in der Suppe erhitzen, aber nicht mehr kochen lassen. Vor dem Servieren den feingehackten Dill und die restliche gehackte Petersilie unterrühren.

Vor jedem Schnaps ein Schnaps
und nach jedem Schnaps ein Schnaps – so kommt man durch!
(Ostpreußische Erfahrung)

Schollenpastete

Zutaten für 6 Portionen:
½ Tasse Reis, etwa 100 g
2 Pakete Tiefkühlblätterteig (jedes etwa 300 g)
1 Zwiebel
20 g Butter
⅛ l Weißwein
500 g Schollenfilets
Salz
Pfeffer
etwas Mehl
1 Bund Petersilie
4 Eier, hartgekocht
1 Eigelb

Den Reis garen, abgießen und kalt stellen. Den Blätterteig auftauen lassen. Die Zwiebel würfeln und in der Butter braten, bis sie bräunlich ist. Dann mit dem Wein ablöschen. Die Schollenfilets salzen und pfeffern, in der Brühe in etwa 5 Minuten garen.
1 Packung aufgetauten Blätterteiges auf einem bemehlten Brett zu einem Rechteck von 35 × 20 cm ausrollen. In die Mitte des Rechteckes die Hälfte gegarten Reis geben. Dabei darauf achten, daß an den Seiten noch genügend Platz freibleibt, um die Teigflächen später in Pastetenform übereinanderklappen zu können. Auf den Reis erst eine Hälfte Fisch, dann eine Lage gehackte Petersilie, darauf wieder Reis geben. Es folgen kleingeschnittene harte Eier, dann der restliche Fisch. Die letzte Lage besteht aus Reis.
Das zweite Paket Blätterteig in der gleichen Größe wie das erste ausrollen. Die Ränder des belegten Teigstückes mit Wasser bestreichen. Das zweite Blätterteigstück über die Füllung legen und fest zudrücken. Die Ränder etwas abschneiden. Beide Teigkanten mit Daumen und Zeigefinger zu einem Rand kneifen. Den restlichen Teig dünn ausrollen und kleine Fische oder Ornamente ausschneiden. Die Pastete mit Eigelb bestreichen. Die Teigornamente darauflegen, auch mit Eigelb bestreichen. Die Pastete mehrmals mit einer Gabel einstechen, dann auf ein mit Wasser abgespültes Backblech setzen. Das Blech in den vorgeheizten Backofen auf die mittlere Einschubleiste setzen. Die Pastete bei 200 Grad (Gas: Stufe 3) in 30 bis 35 Minuten goldbraun backen. Dann heiß mit pikanter Braten- oder scharfer Tomatensauce servieren.

Man kann diese Fischpastete auch mit Lachs zubereiten. Dann wird daraus eine andere, typisch ostpreußische Spezialität namens „Kulibiak".

Ostpreußische Landleberwurst

Zutaten
für 3 kg Wurst:
1300 g Bauchfleisch
750 g grüner Speck
400 g Flomen
800 g Leber
600 g Zwiebeln
4 TL Salz
2 TL Pfeffer
8 TL Majoran
4 TL Bohnenkraut
½ TL Kardamom
½ TL Piment
evtl. je 1 Prise Ingwer, Zimt, Nelken
8 Därme für je 400 g Füllung (Schlachthof, oder vom Fleischer besorgen lassen)

Das Bauchfleisch und 500 g Speck in 2 l Wasser in etwa 1½ Stunden weichkochen, dann aus der Brühe nehmen. Den Flomen auslassen. Die geputzte Leber in faustgroße Stücke schneiden und mit etwas Brühe überbrühen, so daß sie außen weiß und innen noch braun ist. Die halbierten Zwiebeln in der restlichen Brühe 60 Minuten dünsten. Bauchfleisch, Speck, Leber und Zwiebeln zwei- bis dreimal durch die mittlere Scheibe vom Fleischwolf drehen. Den restlichen Speck würfeln und auch untermischen. Die Wurstmasse mit den Gewürzen herzhaft abschmecken.
Die Masse durch den Wurstvorsatz vom Fleischwolf nicht zu fest in die Därme stopfen, die Enden fest verschließen. Die Wurst in leicht gesalzenem Wasser etwa 1 Stunde sieden lassen. Garprobe: Mit einer Gabel hineinstechen, dann muß klares Fett herausfließen.
Zum Abkühlen die Würste in Eiswasser legen, bis sie steif sind. Um sie haltbar zu machen, können sie beim Fleischer für 24 Stunden in den Rauch gehängt werden.

Einfacher ist es allerdings, die Wurstmasse einzuwecken. Dann kann weniger gewürzt werden, weil nichts vom Aroma durch die Därme aufgesogen wird.

Süß-saures Pilzragout

2 ℔ Pilze verlesen, putzen und in Stücke schneiden. 3 Eßl. geräucherte Speckwürfel in 3 Eßl. Butter bräunen, dann die Pilze zugeben und 15 Minuten im eigenen Saft dünsten. Dann pfeffern, vorsichtig salzen und mit 1/8 Liter saurer Sahne (verrührt mit 1 Eßl. Mehl) binden. Mit Essig und Zucker süß-sauer abschmecken.

Pfefferklopse

Das Fleisch salzen, pfeffern, zu Rouladen (Klopsen) aufrollen und mit Holzspießen zusammenstecken. Das Rindermark mit den Speckwürfeln im Schmortopf auslassen. Die Klopse darin von allen Seiten gut anbraten. Dann ungefähr ½ l heißes Wasser angießen, so daß das Fleisch gerade bedeckt ist. In einem anderen Topf die Butter zerlassen, die gewürfelten Zwiebeln und das grob zerkleinerte Suppengrün darin anbraten. Dann mit dem Brühwürfel, etwas Salz und Pfeffer zu den Klopsen geben. Die Klopse in etwa 45 Minuten auf milder Hitze weich schmoren. Anschließend die Sauce mit reichlich Pfeffer, 1 Prise Zucker und eventuell noch einmal mit Salz abschmecken. Wenn die Sauce nicht sämig genug ist, etwas angerührtes Mehl hineinrühren. Die Pfefferklopse werden in der Sauce serviert. Dazu gibt es außerdem Salzkartoffeln, eingelegte Gurken oder eingelegten Kürbis.

**Zutaten
für 4 Portionen:
4 Scheiben
Rouladenfleisch, gut
abgehangen
(jede Scheibe etwa
125 g)
Salz
Pfeffer
60 g Rindermark
60 g Speck, gewürfelt
1 EL Butter
3 Zwiebeln
1 Bund Suppengrün
1 Brühwürfel
Zucker
1 EL Mehl**

„Der Klops ist das beste Rundgemüse“ – sagt der ostpreußische Volksmund.

Dämpfkarbonade

Das Fleisch in der zerlassenen Butter in einer großen Deckelpfanne leicht bräunen. Die gewürfelten Zwiebeln zugeben und mit anbraten. Dann so viel heiße Fleischbrühe zugießen, daß die Koteletts gerade bedeckt sind. Jetzt den Brühwürfel, Salz und die Gewürze zugeben. Das Fleisch auf milder Hitze in etwa 30 Minuten gar dämpfen. Dann herausnehmen und warm stellen. Die Sauce durch ein Sieb gießen. Das Mehl mit der Sahne verrühren. Die Sauce damit binden. Dann mit Salz und Majoran abschmecken, das Fleisch hineinlegen und noch einmal kurz aufkochen lassen. Die Dämpfkarbonaden (so heißen in Ostpreußen die Koteletts) mit Kartoffelbrei und grünem Salat servieren.

**Zutaten
für 4 Portionen:
4 Schweinekoteletts
mit Filet
(jedes etwa 150 g)
1 EL Butter
4 Zwiebeln
etwa ¾ l
Fleischbrühe
1 Brühwürfel
Salz
6 Pfefferkörner
3 Gewürzkörner
½ Lorbeerblatt
2 TL Mehl
2 EL saure Sahne
2 EL süße Sahne
1–2 TL Majoran**

**Masuren ist die Harfe und das Spiel der Winde.
(Hansgeorg Buchholtz)**

**Wo sich aufhört die Kultur, da sich anfängt der Masur.
(Ostpreußen über Masuren)**

Schaltenoßes (kalte Nasen)

Zutaten für 4 Portionen:
6 Eier, davon 2 getrennt
Zucker
Salz
500 g Mehl
100 g Sultaninen
500 g Quark (Glumse)
2 EL Butter
Prise Safran
Saft von ½ Zitrone

4 Eier mit etwas Wasser, etwas Zucker und 1 Prise Salz verschlagen, dann mit dem Mehl zu einem festen, geschmeidigen Nudelteig verarbeiten. Die Sultaninen 10 Minuten in lauwarmem Wasser einweichen, damit sie etwas ausquellen. Den Quark mit der Butter schaumig rühren. Eigelb, Zucker, die abgetropften Sultaninen und den Safran zugeben. Den gut verquirlten Quark mit Zitronensaft und 1 Prise Salz würzen.
Den Nudelteig auf der bemehlten Arbeitsfläche dünn ausrollen und in etwa 12 cm große Quadrate aufteilen. In die Mitte der Teigstücke je 1 EL Quarkcreme geben. Die Teigränder mit Eiweiß bestreichen, zusammenklappen und gut festdrücken, damit nichts von der Quarkcreme herausläuft. In einem breiten Topf leicht gesalzenes Wasser zum Kochen bringen, dann die Hitze herunterschalten. Die Teigtaschen in dem siedenden Wasser in etwa 12 bis 15 Minuten garziehen, aber nicht kochen lassen.

Die Teigtaschen werden in Ostpreußen heiß mit Zucker, Zimt und brauner Butter serviert. Eine Obstsuppe schmeckt auch gut dazu.

Schuppnis

Zutaten
für 6 bis 8 Portionen:
500 g gelbe Erbsen
4 Zwiebeln
5 Gewürzkörner
Salz
1 EL Majoran
1 Schweinskopf geräuchert (oder 800 g Schweinefleisch, geräuchert)
1 kg Kartoffeln
Pfeffer

Die Erbsen waschen und über Nacht in $1\frac{1}{2}$ l Wasser einweichen. Die Erbsen im Einweichwasser mit den kleingeschnittenen Zwiebeln, den Gewürzkörnern, Salz, dem Majoran und dem Schweinskopf weichkochen. In einem anderen Topf die geschälten Kartoffeln in Salzwasser garen, abgießen und abdämpfen. Fleisch und Erbsen sind ungefähr zur gleichen Zeit gar. Das Fleisch aus der Brühe nehmen, etwas abkühlen lassen, von den Knochen lösen, die Schwarte abschneiden. Das Fleisch in mundgerechte Stücke schneiden. Die Kartoffeln zu den Erbsen geben und beides zu Brei zerstampfen. Dann das Fleisch in den Brei geben und noch einmal mit Pfeffer und Salz abschmecken.

Schuppnis ist ein altes ostpreußisches Fastnachtessen, das besonders gern im Nordosten Ostpreußens gekocht wurde. Das Wort stammt aus der litauischen Sprache (lit. sinpinys). Statt des geräucherten Schweinskopfes kann übrigens auch Rauchfleisch genommen werden. In einer anderen gängigen Schuppnis-Variante werden vor dem Servieren „Spirkel", das sind ausgebratene Speckwürfel, über den Erbsbrei gegeben, zu dem dann auch noch „Kumst" (ganz normales Sauerkraut) serviert wird. Und im Memelgebiet wurde der Schuppnis mit Gerstengrütze oder Haferflocken angedickt.

Was immer auch geschehen mag, Feste müssen gefeiert werden.
Wie sie fallen.
Und wenn auch einer fällt, oder eben mehrere, jeder Anlaß, ein Fest zu feiern, ist willkommen.
(Bekenntnis eines Ostpreußen)

Huhn mit süßer Fülle

Zutaten für 4 Portionen:
1 Huhn (Poularde oder Poulet), küchenfertig vorbereitet
Salz
Butter zum Braten
1 EL Mehl
1 EL saure Sahne
3 EL süße Sahne
Füllung:
40 g Butter
1 Eigelb
1 Ei
1 Brötchen, in Milch eingeweicht
60 g Mandeln, feingemahlen
40 g Zitronat
60 g Sultaninen, eingeweicht
3 EL Zucker
2 EL Petersilie, gehackt

Das Huhn waschen und trockentupfen. Anschließend innen und außen leicht salzen.
Für die Füllung die Butter schaumig rühren, erst das Eigelb, dann die übrigen Zutaten zugeben. Die Masse gut durcharbeiten. Bauchhöhle und Hals des Huhns damit füllen. Die Öffnungen mit Küchengarn zunähen oder mit Holzspießchen zustecken und diese mit Garn umwinden. Weil die Füllung beim Braten quillt, das Huhn nicht zu prall füllen. Das Huhn im vorgeheizten Backofen bei 200 bis 225 Grad (Gas: Stufe 3–4) in etwa 1 Stunde goldbraun braten. Dabei hin und wieder mit flüssiger Butter bestreichen. Dann aus dem Bräter nehmen und im abgeschalteten Backofen warm stellen. Den Bratensatz durch ein Sieb in einen Topf gießen. Das Mehl mit der Sahne verquirlen und den Bratensatz damit binden. Die Sauce getrennt zum Huhn reichen.

Alle Wasser Ostpreußens spiegeln die Seele seiner Menschen wider.

Kürbissuppe

Zutaten für 6 Portionen:
750 g Kürbis (ersatzweise 500 g Kürbis im Glas)
½ l Milch
16 süße Mandeln, gehackt
3 bittere Mandeln, gehackt (oder 5 Tropfen Bittermandel-Backöl)
½ Stange Zimt
3 EL Zucker
Salz
1 EL Kartoffelmehl
1 EL Butter
2 Eigelb
1 TL Rosenwasser
6 EL süße Sahne
3 EL saure Sahne

Den Kürbis schälen. Das feste Fruchtfleisch würfeln. Die Kürbiswürfel in 1 l Wasser in etwa 30 Minuten weichkochen. Anschließend durch ein Sieb streichen. Den Kürbisbrei mit der Milch verrühren. Die Mandeln, den Zimt, den Zucker und 1 Prise Salz in die Suppe geben und gut durchkochen lassen. Die Suppe mit dem Kartoffelmehl andicken. Dann mit der Butter, dem Eigelb und dem Rosenwasser verfeinern. Zum Schluß die Sahne unter die Kürbissuppe rühren.

In manchen Gegenden dickte man die Kürbissuppe nicht mit Kartoffelmehl an, sondern man ließ Keilchen aus Mehl oder Kartoffeln in der Suppe garen.

Schmantschinken

Zutaten
für 4 Portionen:
4 Scheiben milder, leicht geräucherter Landschinken (jede etwa 100 g)
½ l Milch
1 EL Butter
⅛ l saure Sahne
4 EL süße Sahne
1 EL Mehl
Zucker
Pfeffer
Salz
1 EL Zitronensaft

Die Schinkenscheiben 4 bis 5 Stunden in Milch legen. Dann auf einem Sieb abtropfen lassen und anschließend klopfen. Die Milch aufbewahren. Die Butter in einer Pfanne auslassen, den Schinken schnell auf beiden Seiten darin bräunen. Er darf nicht hart werden. Die Schinkenscheiben dann in der Pfanne warm stellen. Die Butter in einen Topf gießen. Die Sahne bis auf einen kleinen Rest zur Butter geben und darin anbräunen. Inzwischen das Mehl in ⅛ l Wasser und 3 EL Schinkenmilch verrühren. Die Sauce damit und mit der restlichen Sahne binden. Die Schinkenscheiben hineingeben und kurz darin erhitzen.
Zum Schluß die Sauce mit 1 Prise Zucker, Pfeffer, eventuell ein wenig Salz und etwas Zitronensaft abschmecken. Den Schmantschinken zu Pellkartoffeln und Gurkensalat servieren.

Tip: Bekommt man keinen milden Schinken, kann man statt dessen auch Kasseler verwenden.
Übrigens: Der Schmant ist ein wesentlicher Bestandteil der ostpreußischen Küche, die schwer, massiv und kraftvoll und somit so ist, wie die Ostpreußen sind. Es ist zu vermuten, daß die Salzburger, die zur Besiedelung im 14. Jahrhundert ins Land geholt wurden, die Sahne mitgebracht haben, um im flachen Ostpreußen wenigstens durch eine Küchenzutat an ihre bergige Heimat erinnert zu werden.

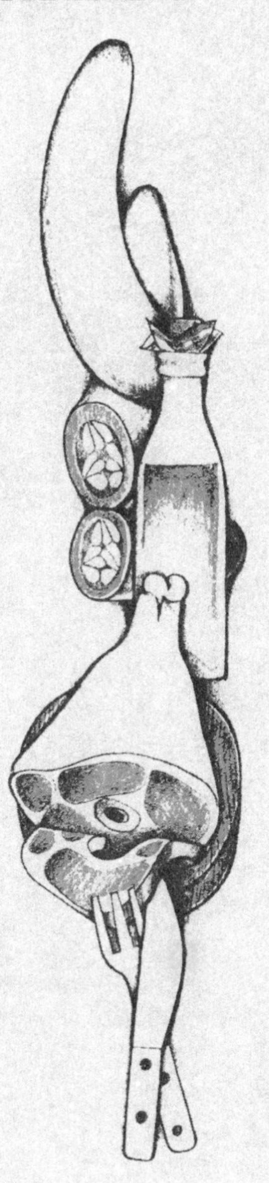

Tilschen, mein Tilschen, wie schön bist du doch!
Ich liebe dich heute wie einst,
Die Sonne wär' nichts wie ein finsteres Loch,
Wenn du sie nicht manchmal bescheinst.
(Loblied auf Tilsit, die schöne Stadt an der Memel)

Bärenfang

Zutaten
für ½ l Honiglikör:
250 g Blütenhonig
½ l Wodka
1 Zimtstange
Schale von 1 Zitrone

Den Honig in wenig Wodka auf milder Hitze auflösen, dann kalt werden lassen. Den restlichen Wodka, die Zimtstange und die dünn abgeschälte Zitronenschale zugeben. Bei Zimmertemperatur 8 bis 10 Tage fest verschlossen stehen lassen. Dabei öfter durchschütteln. Jetzt die Gewürze herausnehmen und den Likör in einer gut verschließbaren Karaffe oder Flasche nicht zu kalt aufbewahren, weil sonst der Honig wieder fest wird.

Einiges über die Getränke Ostpreußens:

Den Bärenfang kann man getrost als eines der ostpreußischen Nationalgetränke bezeichnen. Dieses Gebräu aus reinem Honig und (früher) fast reinem Alkohol ist heute von weitaus geringerer Durchschlagskraft als damals, als ein Destillat von zwischen fünfzig und sechzig Alkohol-Prozenten als normal galt. Der Bärenfang heißt bei den Einheimischen auch „Meschkinnes". Andere, nicht weniger gehaltvolle Nationalgetränke, waren: der Kaddik-Schnaps aus Wacholder, einer Beere, aus der auch ein Kaddik-Bier gemacht (gebraut darf man in diesem Fall nicht sagen) wurde. Dann gab es noch den Masurenkaffee (eine Mixtur aus Bohnenkaffee und Alkohol), dem die ostpreußische Weiblichkeit verfallen war. Und schließlich auch noch die ostpreußischen Spezialitäten, bei denen sich Alkohol und Imbiß vereinen. Die Nikolaschka zum Beispiel: Branntwein als Basis, oben im Glas Kaffeepulver und eine Zitronenscheibe. Beim „Weißen mit Schlagbaum" lag über dem klaren Korn ein Würstchen auf dem Glasrand. Und dann noch der „Pillkaller", dessen Rezept folgt. An langen Winterabenden wurde ein Grog namens „Kirchenfenster" bevorzugt, er bestand aus Rotwein, Rum und Aquavit und folgte dem Prinzip: „Auffüllen bis zum Kirchenfenster".

Pillkaller

Auf das mit Korn gefüllte Glas legt man eine Scheibe Leberwurst, auf diese kommt ein „Klacks'che" Senf. Zuerst wird die Wurst gegessen, dann spült man mit dem Korn nach.

Zutaten für 28 bis 30 Portionen:
1 Flasche Korn (0,7 l)
1 geräucherte Landleberwurst, mit Majoran gewürzt
1 Glas Senf

Betenbartsch

Das Rindfleisch und die Knochen waschen, dann in kaltem Wasser aufsetzen. Salz, Brühwürfel, Suppengrün, gepellte Zwiebeln und Gewürze zugeben. Aus allem eine kräftige Brühe kochen. Die roten Bete unter fließendem Wasser abbürsten. In Wasser in etwa 1 Stunde ungeschält weichkochen. Dann schälen, reiben und mit dem Essig begießen, damit die rote Farbe erhalten bleibt. Wenn das Rindfleisch gar ist, Fleisch und Knochen herausnehmen, die Brühe durch ein Sieb gießen und mit dem Bete-Mus und etwas Majoran noch einmal 5 Minuten durchkochen. Den Bartsch mit Mehl und der Sahne binden, mit Essig, Zucker und Salz abschmecken. Vor dem Servieren das kleingeschnittene Rindfleisch in die Suppe geben. Den Betenbartsch mit mehligen Salzkartoffeln reichen, die in die Suppe gelegt werden.

Zutaten für 4 Portionen:
750 g Suppenrindfleisch
1 Rinderknochen
Salz
2 Brühwürfel
1 Bund Suppengrün
3 Zwiebeln
5 Gewürzkörner
2 Lorbeerblätter
500 g rote Bete
1 EL Essig
1 EL Majoran
2 EL Mehl
gut 1/8 l saure Sahne
1 EL süße Sahne
2 EL Essig
1 EL Zucker

In manchen Gegenden Ostpreußens kochte man für den Betenbartsch keine Rindfleischbrühe. Das Bete-Mus wurde dann mit ausgebratenem Speck „abgemacht".

Ein Ostpreuße: ein Philosoph.
Zwei Ostpreußen: zwei Rudel Patrioten.
Drei Ostpreußen: mindestens ein Fest, möglicherweise drei – wenigstens aber eins von drei Tagen Dauer.

F

G

H

I/J

K

L

M

N

Sch

St

T

V

W

Z